Jennifer Lauck

Vogelvrij .

Uitgeverij Luitingh ~ Sijthoff

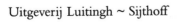

Voor meer informatie: kijk op **www.boekenwereld.com**

© 2000 Jennifer Lauck
All rights reserved
© 2001 Nederlandse vertaling
Uitgeverij Luitingh ~ Sijthoff B.V., Amsterdam
Alle rechten voorbehouden
Oorspronkelijke titel: *Blackbird*
Vertaling: Lidy Pol
Omslagontwerp: Nico Richter
Omslagillustratie: David Sacks/FPG

CIP/ISBN 90 245 3964 1
NUGI 301

Voor Janet Lee Ferrel Lauck en Joseph Edward Lauck

Blackbird singing in the dead of night
Take these broken wings and learn to fly

Uit 'Blackbird', The Beatles, 1968

UCLA MEDISCHE KLINIEK
Status: Lauck, Janet L.
Opgenomen: 25 augustus 1971
Overleden: 19 september 1971

HUIDIGE ZIEKTEBEELD: Dit is de zesde opname in het UCLA ziekenhuis van deze zesendertigjarige, blanke vrouw. De patiënt kwam naar de Eerste Hulp na klachten over zwakte, vermoeidheid, hoesten en linkszijdige pijn op de borst over een periode van vijf tot zeven dagen. Haar anamnese begint in 1961 met de verwijdering van een neurilemmoma; in 1968 trad een herhaling van de neurilemmoma op gevolgd door een tweede neurochirurgische ingreep. Daarna ontwikkelde zich bij haar een paraplegie, een neurogene blaas en herhaaldelijke urineweginfecties. In februari 1970 wordt ze opgenomen vanwege een overdosis en in februari 1971 nogmaals vanwege een ulcus aan de twaalfvingerige darm. In mei 1971 wordt ze weer opgenomen voor septische shock samen met een linkszijdige pneumonie en een empyeem van de urineblaas.

BEHANDELING: deze patiënt is opgenomen met talloze medische problemen: bilaterale pneumonie, sepsis en ernstige metabolische acidose en ernstige hypokalemie. De patiënt kreeg een catheter in de linker subclaviculare slagader; gedurende haar eerste nacht in het ziekenhuis trad al snel ademstilstand op, waarna ze door middel van intubatie werd gereanimeerd. Borstfoto's, gemaakt na de reanimantie, tonen een grote linkszijdige pneumothorax. Aan de linkerzijde van de borst werd een slang ingebracht met een herexpansie van de long. De patiënt leek te verbeteren, maar haar toestand verslechterde snel toen er acute ademnood optrad. Bij de patiënt werd een tracheotomie uitgevoerd waarna er verbetering leek op te treden, maar ze bleef last houden van de linkszijdige pneumothorax, waarbij herhaaldelijk defecten optraden en de slangen in de borst werden vervangen. De patiënt overleed onverwacht in de ochtend van 19 september 1971. De directe doodsoorzaak leek ademstilstand te zijn, aritmie kan echter niet worden uitgesloten.

Ingekort dictaat en transcriptie,
resiaerend arts, UCLA ziekenhuis

DEEL EEN

Carson City, Nevada
1969

Hoofdstuk een

Het enige huis dat ik mijn thuis noem, is het huis aan Mary Street.

Mary Street bevindt zich in Carson City, Nevada, en Carson City ligt in een vallei omringd door glooiende heuvels. Achter die heuvels liggen de Sierra Nevada Mountains. Als je omhoogkijkt is de lucht diepblauw, oneindig blauw, en er zijn vrijwel nooit wolken. De wolken die er zijn, stapelen zich opeen boven de top van de Sierra's en zien eruit als proppen vloeipapier. Af en toe maakt een wolk zich los en zweeft dan door die oneindig blauwe lucht.

Er is één hoofdstraat die midden door het centrum van Carson City loopt en deze straat heet Carson Street. Het stadhuis staat aan Carson Street en de koepel van het stadhuis is zilverkleurig omdat Nevada de zilverstaat is. Op de zilveren koepel staan twee vlaggen te wapperen, een blauwe voor Nevada, een rood-wit-blauwe voor Amerika.

De Golden Nugget staat ook aan Carson Street, maar iedereen zegt er de Nugget tegen.

Als je vanaf de Nugget een paar straten verder loopt, kom je bij het huis waar tante Carol en oom Bob wonen met hun wildebrassen van kinderen, mijn neven en nichten. Dat zijn Steven, Bobbie Lou, Andy, Mark, Tracy en Faith Ann. Tante Carol is de oudste zus van papa en ik ga alleen naar hun huis als het vakantie is of als mama naar een speciale dokter moet.

Ten westen van tante Carols huis ligt Iris Street en Angus Street en dan komt Mary Street, het huis met het witte hek en de grote wilg is van ons.

Als je via de voordeur ons huis binnen komt, kun je drie kanten

op. Rechtdoor naar de woonkamer, rechtsaf naar de keuken en links-
af een lange gang in naar de slaapkamers en wc en badkamer. De
eerste slaapkamer is van B.J., dan komt de badkamer en daarnaast is
mijn slaapkamer. De kamer van mama en papa is aan het einde van
de gang en vanuit hun raam kun je de grote wilg zien. Als de zon
precies goed staat, valt de schaduw van de boom hun kamer binnen,
precies over het midden van de California King. Mama zegt dat het
bed zo heet, omdat het niet zo breed is als een gewoon kingsize bed
maar wel iets langer, net als de staat Californië.

Naast de California King staan een paar zilverkleurige krukken,
die je korter en langer kunt maken door op een zilverkleurig knopje te drukken. Mama kan zonder krukken staan en zelfs een paar
passen lopen. Ze heeft de krukken wel nodig als ze naar de badkamer moet of naar een ander gedeelte van het huis wil.

Er is een tijd geweest dat mama gewoon kon lopen, dat ze alleen
's nachts in bed lag, dat ze autoreed en telefoongesprekken voerde
en allerlei dames op bezoek kreeg die kwamen kaarten en koffie
drinken met dikke plakken bananennotencake erbij. Ik herinner me
nog dat mama sterk genoeg was om me op te tillen, in de lucht te
gooien en me weer op te vangen.

Er is nooit een tijd geweest dat ik niet thuis was bij mama. Papa
werkt, B.J. gaat naar school en mama en ik zijn de hele dag, elke dag,
samen thuis.

's Morgens zit ik voor haar deur en luister.

Dat is de regel.

Moshe en Diana wachten ook. Moshe is zo'n snelle, gekke kat.
Diana ligt altijd languit en wacht af. Ik aai Diana over haar zachte,
zandkleurige buik en leg mijn hoofd tegen de deur. Moshe zit een
eindje bij ons vandaan, zijn bruine kop opgeheven, de blauwe ogen
halfgesloten.

De regel is: geen katten, geen kinderen tot de wc wordt doorgetrokken.

Als de wc eindelijk wordt doorgetrokken, rent Moshe naar de
deur, rolt Diana onder mijn hand vandaan en ga ik staan en loop
naar de keuken.

De keuken is achttien stappen verwijderd van mama's slaapkamerdeur.

Ik sleep een stoel van de keukentafel naar het aanrecht, klim erop en til de koffiepot met beide handen op om niet te morsen. Papa maakt de koffie voordat hij naar zijn werk gaat en zet mama's lievelingskopje klaar zodat ik alleen nog hoef in te schenken. Het kopje is wit met heel lichtgeel, aan de buitenkant beschilderd met paarse en rode bloemetjes, en met een gouden randje aan de binnenkant. De kop en schotel horen bij een porseleinen servies dat in de kast staat en alleen bij speciale gelegenheden wordt gebruikt. Mama zegt dat ze haar koffie graag uit een porseleinen kopje drinkt, omdat dat haar het gevoel geeft verwend te worden.

Ik doe vier boterhammen in de broodrooster en druk de knop waar TOAST op staat naar beneden.

Ik snij vier blokjes roomboter af en leg ze op de rand van het bord.

De geroosterde boterhammen springen omhoog, ik leg ze op elkaar, snij ze met een botermes schuin doormidden en leg ze naast de boter.

Mama zegt altijd: het moet er mooi uitzien, dat is het belangrijkste.

Ik doop een lepel in een pot marmelade waarin dunne schijfjes sinaasappel zwemmen, schep er een, twee, drie lepels vol uit en leg ze naast het geroosterde brood en de boter. Mama zegt dat de marmelade uit Carmel in Californië komt, haar meest favoriete plek ter wereld.

Ik zet het bord op een dienblad, samen met het speciale porseleinen kopje met koffie.

Ik loop heel langzaam, voetje voor voetje, om niet te morsen.

Als ik haar kamer binnen kom, liggen Moshe en Diana al op de California King, kattenlijfjes die zich omdraaien en mama die ze met beide handen aait.

'Goedemorgen, mijn zonnetje,' zegt mama.

Het mooiste als ik mama zie, is dat ze me altijd haar zonnetje noemt en daarbij dan die blik in haar donkere, bruine ogen heeft. Het is een speciale blik voor speciale mensen. Mama heeft die speciale blik ook in haar ogen als ze naar papa kijkt, maar vooral als ze naar mij kijkt, en als ze zo naar me kijkt, dan weet ik dat ik bijna alles kan maken.

Na het geroosterde brood en de koffie mag ik van mama haar donkere krullen borstelen, ze voelen fijn en zacht aan tussen mijn vingers.

Een keer liet ze me een foto van mevrouw Kennedy zien in *Life*. Mama noemt haar Jackie, ze zegt dat de First Lady een en al stijl is. Ze wil hetzelfde kapsel als in het tijdschrift en ik mag de zijkant doen, borstel alle krullen één kant op in een grote krul onder haar kin.

'Heeft mevrouw Kennedy ook krullen?' zeg ik.

'Dat is een goeie vraag,' zegt mama. 'Ik geloof het niet.'

Mama houdt de spiegel vast en kijkt hoe ik de laatste krul op zijn plaats druk.

'Klaar?' zegt mama.

Ik doe mijn handen voor mijn ogen en hou mijn adem in.

'Klaar,' zeg ik.

Mama spuit een wolk Aqua Net over haar haar en ik ruik de geur van haarlak en voel een kleverige mist op mijn handen en benen neerdalen. Moshe schudt met zijn kopje vanwege de haarlak, springt van het bed af en laat zich tot de volgende morgen niet meer zien. Diana trekt zich niets aan van de haarlak en gaat op haar rug in de zon liggen op de plek waar Moshe zoëven lag.

'Je opkalefateren is meer dan alleen je haar doen,' zegt mama.

Dat zegt ze altijd 'je opkalefateren', alsof ze 's nachts helemaal in de kreukels heeft gelegen. Mama leunt opzij, opent de bovenste la van het nachtkastje en neemt de zwart-witte, dichtgeritste toilettas eruit.

Mama gooit al haar make-upspullen in haar schoot en legt ze op volgorde: de poederdoos, een tube rouge, eyeliner en lippenstift. Ze neemt de poederdoos, doet het dekseltje open en binnenin ligt een zacht, rond kussentje. Mama strijkt met het kussentje over de samengeperste poeder en haalt hem onder haar ogen langs, over haar neus, haar wangen en haar kin. Mama raakt haar huid zo licht aan dat het lijkt alsof ze die helemaal niet aanraakt.

'Een vleugje poeder is genoeg,' zegt mama. 'Te veel en je ziet eruit als een clown.'

Mama geeft me met het kussentje een tik op mijn neus en daar moet ik altijd om lachen. Als ik lach, lacht mama ook en het geluid klinkt als muziek in mijn oren.

Na de poeder brengt mama hoog op haar jukbeenderen wat rouge aan en wrijft die uit tot het heel lichtroze is.

'Met rouge kun je moeder natuur in de maling nemen,' zegt mama. 'Het geeft je een gezond kleurtje, ook als je niet gezond bent.'

Het mooiste gedeelte van je opkalefateren is het opmaken van de ogen. Mama heeft zulke donkere ogen dat zelfs het licht in haar ogen er donker van wordt. Mama zegt dat ogen nooit liegen en dat je als je goed in iemands ogen kijkt, je altijd de waarheid erin kunt ontdekken. Als ik in mama's ogen kijk, zie ik meestal die speciale blik die zegt dat ze blij is dat ik bij haar ben. Ik weet dat er andere dingen in haar hoofd omgaan, dingen waar ze niet over praat, maar echt goed kijken moet je ook leren.

Mama pakt de eyeliner, schudt het potje als een thermometer heen en weer en trekt het staafje eruit. Haar hand trilt niet als ze het dunne lijntje trekt, eerst langs haar ene oog en dan langs het andere. Als de eyeliner is opgedroogd, kijkt mama me recht aan en haar ogen zijn nu nog donkerder, wat haast onmogelijk lijkt.

'Mooi?' zegt mama.

'Perfect,' zeg ik.

De lippenstift komt als laatste aan de beurt en die mag ik altijd opdoen. Mama geeft me de lippenstift en ik haal diep adem, hou mijn hand stil en maak haar lippen rood.

Als ik klaar ben, adem ik weer uit en geef de lippenstift terug. Mama trekt twee papieren zakdoekjes uit de doos op het nachtkastje, vouwt ze dubbel en daarna nog eens. Ze perst haar lippen om het papier heen en een deel van de lippenstift, in de vorm van haar mond, blijft erop achter.

'Mooi?' zegt mama.

'Perfect,' zeg ik.

Als het een slechte dag is, bergt mama haar make-uppullen op en blijft ze in bed.

Als het een goede dag is, slaat ze de dekens terug en zet ze haar voeten op de vloer.

Vandaag is het een goede dag.

'Wil je mijn ochtendjas even pakken, mijn zonnetje?' zegt mama.

Mama draagt nachtponnen en dusters die bij elkaar passen en peignoirsets genoemd worden en ze zijn allemaal in verschillende kleuren geel, roze en perzik. Vandaag is het een zacht citroengele, ik hou de duster vast en de zijde glijdt als water door mijn vingers.

Eerst de ene arm, dan de andere, gedraai met de schouders en dan gaat mama staan zodat de duster om haar benen kan vallen. Mama heeft moeite haar evenwicht te bewaren en ik doe een stap naar voren en trek aan de zijde tot de duster goed hangt. Dan laat ze zich op het uiteinde van het bed neerploffen en zucht diep.

Als er iets mis is, echt mis is, dan voel ik dat het eerst op mijn huid. Een prikkend gevoel dat langs mijn nek omhoog, over mijn hoofd en langs mijn voorhoofd naar beneden mijn neus binnen kruipt. Net alsof ik een bloedneus krijg.

'Is alles goed?' zeg ik.

Mama gaat rechtop zitten, schouders naar achteren, kin ingetrokken. De houding van een dame noemt ze dat.

'Alles is in orde,' zegt ze, 'ik ben alleen een beetje duizelig.'

Ik kijk haar goed aan en zie de waarheid, dat het toch niet zo'n goede dag is vandaag.

Mama schraapt haar keel en knipoogt de waarheid weg. Ze slaat haar benen over elkaar en trekt haar duster recht.

'Oké,' zegt mama. 'Doe nu een paar passen achteruit en bekijk het geheel.'

Mama zit als mevrouw Kennedy in haar zacht citroengele duster op de rand van de California King, met in haar grote, donkere ogen die speciale blik die ze alleen voor mij heeft.

'Goed?' zegt mama.

'Perfect!'

'Mooi?'

'Een en al stijl.'

Mama begint te lachen als ik 'een en al stijl' zeg, haar slaapkamer vult zich met muziek.

Mama neemt haar medicijnen niet in op een vast tijdstip, ze opent en sluit de hele dag door potjes met pillen. Meestal aspirines, maar ook andere, gele pillen, rode pillen. Haar pillen zitten in bruine potjes met witte deksels waar een etiket omheen zit. Mama pakt de potjes en leest wat er op het etiket staat, met half dichtgeknepen ogen en zonder geluid te maken, alleen haar lippen bewegen.

Naast haar pillen staat een glas en het is mijn taak om dit om te spoelen en met schoon water te vullen.

Mama opent potjes, tikt er pillen uit, sluit potjes. Ze houdt alle pillen in haar hand en maakt een vuist, maar dan moet ze van mij haar hand weer opendoen zodat ik ze kan bekijken. Ik wijs naar de vijf pillen die bij elkaar horen, witte pillen met een rode A erop.

'Waar zijn die voor?' zeg ik.

'Voor de pijn in mijn rug,' zegt ze.

'Wat voor soort pijn?'

'Een zeurende pijn.'

'Hoe kom je aan die pijn?'

'Door de operatie.'

'De operatie van B.J.?' zeg ik. 'Toen hij geboren werd?'

'Nee, die daarna,' zegt ze. 'Van de kanker die geen kanker is. Weet je nog, dat heb ik je al eens verteld.'

'De operatie van de tumor die zo lang was als mijn arm?'

'Dat was operatie nummer twee.'

'De operatie van de tumor die terugkwam omdat die stomme dokters het de eerste keer niet goed hadden gedaan?'

Ze glimlacht als ik 'stomme dokters' zeg. Ze doet haar andere hand omhoog en steekt drie vingers op.

'Inderdaad, lieverd,' zegt ze, 'operatie nummer drie.'

'Als de tumor echt helemaal weg is nu,' zeg ik, 'hoe komt het dan dat je nog pijn hebt?'

Ze haalt diep adem, de lippen op elkaar, de lucht komt door haar neus naar buiten.

'Je stelt altijd dezelfde vragen.'

'Dat weet ik,' zeg ik, 'maar hoe komt dat?'

'De pijn is afkomstig van zenuwen die beschadigd zijn,' zegt ze. 'Van de operatie waarbij de tumor verwijderd is, maar waarbij toen zenuwen zijn doorgesneden die naar mijn benen en mijn buik liepen. Daarom kan ik nu zo moeilijk lopen. Snap je?'

Mama probeert weer een vuist te maken, maar ik hou haar vingers tegen en wijs naar de paarse pil met de witte rand.

'Waar is die paarse voor?' zeg ik.

'Voor de infectie op de plek waar ik plas.'

'Maakt die pil je weer beter?'

'We zullen zien,' zegt ze. 'Ik hoop het wel.'

Mama zegt dat altijd, dat ze hoopt dat ze weer beter wordt.

'Waar zijn die voor?' Ik wijs naar de rode pillen die kleiner zijn dan alle anderen.

Ze zucht diep en doet haar hand dicht. Ik hou haar vingers niet tegen.

'Dat zijn laxeerpillen.'

'Wat is een laxeerpil?'

'Ik word moe van al je vragen,' zegt ze. 'Ga je maar gauw aankleden, dan kunnen we naar de woonkamer.'

Mama neemt al haar pillen in een keer in, trekt haar neus op en sluit haar ogen, alsof de pillen er zo gemakkelijker in gaan.

Je moet een stoepje af om in de woonkamer te komen en mama zegt dat dat betekent dat we een verlaagde woonkamer hebben. In die verlaagde woonkamer staat een nieuwe kleurentelevisie en papa's bruine leren stoel staat er recht voor. Zijn stoel helt achterover en hij kan er zo in zitten dat zijn voeten de vloer niet raken. Als papa er niet is, klim ik in zijn stoel en leg het kussen dat als hoofdsteun dienst doet op mijn gezicht. Het kussen ruikt naar stof en leer en naar papa en ik vind het fijn dat die geur nooit verandert.

Tegenover de stoel staat een lange groene bank en een houten salontafel. Op de salontafel ligt een grote tros kunstdruiven gemaakt van hard plastic en naast de druiven staat een schaal met kandij, waarvan elk brokje op een steentje lijkt zoals je die buiten ziet liggen.

Het enige andere meubelstuk in de kamer is een ronde bank die mama een divan noemt. Ik noem hem de grote paarse druif omdat hij rond van vorm is en de kleur van druivensap heeft. De grote paarse druif staat naast de glazen schuifdeuren naar de achtertuin, en vanaf de bank heb je het beste uitzicht op de schommel op het grasveld, de grote bomen en de rozen en muntplanten die bij het terras groeien.

Na het opkalefateren en het innemen van de ochtendpillen, komt mama op krukken de woonkamer binnen en gaat dan een poosje op de grote paarse druif zitten.

Ik ren naar de tuin om te schommelen, paardenbloemen te plukken en over het zachte gedeelte van de muntbladeren te wrijven zodat mijn vingers naar pepermunt gaan ruiken. Ik hoef maar één stap opzij te doen om mama op de grote paarse druif te zien zitten waar ze in een modetijdschrift zit te bladeren. Ze lacht wanneer ik dat doe, wanneer ik me ervan vergewis dat ze daar nog zit. Mama lacht en knijpt haar ogen half dicht, haar handen boven haar ogen alsof ik heel ver weg ben, hoewel ik gewoon in de tuin ben.

Vóór tien uur 's morgens komt er niemand op bezoek.

Dat is de regel.

Mama zegt dat bezoek ontvangen vóór tien uur niet gepast is.

Meestal is mama niet eens in staat om bezoek te ontvangen, maar vanmorgen, even na tienen, komen tante Georgia, Carrie Sue en Jeff langs. Carrie Sue en Jeff zijn tante Georgia's kinderen, ze hebben allebei hoogblond haar en je kunt wel leuk met ze spelen, alleen is Carrie Sue een klikspaan.

Ik wil liever niet te ver bij mama vandaan zijn wanneer er bezoek is, omdat ze gauw moe wordt en misschien iets nodig heeft. Ik loop vanuit de tuin de woonkamer in, ga naast de grote paarse druif staan en steek mijn hand op naar mijn neef en nicht en tante Georgia.

Tante Georgia is mager als een lat en draagt een marineblauwe korte broek en een blauw met wit gestreept mouwloos T-shirt. Mama zegt dat tante Georgia altijd allerlei soorten sportkleding door elkaar draagt.

'Wuif je alleen maar even naar me, kleine meid?' zegt tante Georgia. 'Krijg ik geen dikke knuffel van je?'

Mama lacht en tante Georgia steekt haar bruinverbrande armen naar me uit. Tante Georgia geeft me altijd een knuffel als ze op bezoek komt en dat vind ik leuk, want ze ruikt altijd naar zeep en tandpasta en naar dezelfde amandellotion als mama gebruikt.

Ze houdt me op een afstandje en kijkt me diep in de ogen.

'Dat is beter,' zegt tante Georgia.

Tante Georgia haalt een kop koffie voor zichzelf en gaat op de lange groene bank zitten. Ik haal mijn krijtjes en kleurboek te voorschijn en ga samen met Carrie Sue op de vloer zitten. Jeff kruipt bij tante Georgia op schoot zoals kleine kinderen doen en stopt zijn duim in zijn mond.

Carrie Sue ligt op haar buik, pakt een bruin kleurkrijtje uit de doos en begint een paard in te kleuren. Ik heb geen zin om te kleuren en zit met mijn rug tegen de grote paarse druif, vanwaar ik Carrie Sue kan zien, mama kan zien en tante Georgia kan zien.

'Je ziet er mager uit, Janet,' zegt tante Georgia.

Tante Georgia klapt haar sigarettenkoker open, haalt er een sigaret uit en biedt hem mama aan.

Mama neemt de sigaret van haar aan.

'Vind je?' zegt mama.

Tante Georgia haalt nog een sigaret uit de koker, duwt hem tussen haar lippen en knikt.

'Je bent weer afgevallen,' zegt tante Georgia.

Tante Georgia steekt haar sigaret aan met een hand en geeft dan de aansteker aan mama. Mama gebruikt beide handen om haar sigaret aan te steken en geeft dan de aansteker terug.

'Het zou kunnen, ik weet het niet,' zegt mama. 'Ik denk het niet.'

Jeff klimt van tante Georgia's schoot af, gaat bij Carrie Sue op de vloer zitten, pakt een blauw kleurkrijtje en breekt het doormidden.

'Toch zie je er mager uit,' zegt tante Georgia. 'Misschien zelfs een beetje te mager.'

Mama rookt, zuigt haar wangen steeds verder naar binnen en blaast dan de rook uit naar het plafond. Ze schraapt haar keel en glimlacht.

'Kun je ook te mager zijn?' zegt mama.

Tante Georgia glimlacht ook en daarna lachen ze allebei om een grap die alleen zij begrijpen.

Tante Georgia is getrouwd met oom Charles, maar zij noemt hem Chuck en hij noemt haar George. Oom Charles is mama's lievelingsbroer en van al mijn ooms is hij waarschijnlijk ook mijn lievelingsoom. Hij praat met een diepe, harde stem, zijn ogen zijn prachtig blauw en het lijkt alsof er van binnenuit licht doorheen schijnt.

Mama en tante Georgia praten over grote-mensendingen. Tante Georgia vraagt of mama en papa nog naar Carmel gaan en mama zegt nee, niet nu. Mama zegt dat ze graag een dag naar Lake Tahoe zou willen en tante Georgia zegt dat ze het daar te druk voor heeft en het geld liever in de zak houdt omdat ze voor een huis willen sparen.

Na een poosje praat alleen tante Georgia nog en mama is stil alsof er iets mis is. Mama glimlacht en knikt alsof alles in orde is, maar haar ogen staan moe.

Carrie Sue laat het bruine kleurkrijtje, dat nu nog een half kleurkrijtje is, vallen en Jeff pakt het op en krast ermee over zijn papier.

'Laten we in jouw kamer gaan spelen,' zegt Carrie Sue.

'Ik wil hier blijven,' zeg ik.

'Mama,' zegt Carrie Sue.

'Ik wil niet in mijn kamer spelen,' zeg ik.

Tante Georgia schraapt haar keel en drukt haar sigaret uit in de asbak.

Aan mama's sigaret hangt een lange kegel as, hij is bijna helemaal helemaal opgebrand. Ik schuif de asbak dichterbij en mama kijkt naar me en glimlacht vermoeid.

Tante Georgia schraapt nogmaals haar keel en ik weet dat ze nu eindelijk ziet wat ik ook zie.

'Is alles goed met je, Janet?' zegt tante Georgia.

Mama kucht even, schudt haar hoofd en glimlacht.

'Alleen een beetje moe,' zegt mama.

Het is doodstil in de woonkamer. Carrie Sue bijt op haar nagels en kijkt naar Jeff, die de wikkel van het bruine kleurkrijtje scheurt. Tante Georgia kijkt naar mij, naar mama en dan weer naar mij.

Tante Georgia heeft ogen waaraan je kunt zien dat ze dingen begrijpt die ik nog niet begrijp. Ze bewegen snel, maar staan ook ernstig, alsof iets dat lang geleden is gebeurd haar nog steeds pijn doet.

Tante Georgia knijpt haar ogen half dicht en steekt haar hand uit naar mama.

'Het zijn mijn zaken niet, Janet,' zegt tante Georgia, 'maar zou het niet verstandig zijn een andere dokter te raadplegen? Heb je er nog over nagedacht om naar die dokters in Palo Alto te gaan?'

Mama schraapt haar keel, houdt haar hoofd schuin en werpt me een snelle blik toe. Die blik betekent dat dit een gesprek voor grote mensen is waar kinderen niet bij horen te zijn, die blik betekent dat ik de kamer uit gestuurd zal worden, dat ik buiten moet gaan spelen.

Carrie Sue, Jeff en ik gaan door de glazen schuifdeuren naar buiten. Carrie Sue en Jeff rennen lachend en schreeuwend naar de schommel.

Ik blijf aan de rand van het terras staan, daar waar het cement in gras overgaat, tussen het huis en de schommel in.

Ik kan ze niet horen praten, maar mama schudt haar hoofd en tante Georgia gaat bij haar zitten en legt een arm om mama's schouder. Ze zitten vlak bij elkaar en ik zie hoe mager en iel mama is, zelfs vergeleken bij tante Georgia. Te mager, te iel.

Carrie Sue duwt Jeffs schommel omhoog en Jeff zegt: 'Eronderdoor, eronderdoor,' en Carrie Sue rent onder Jeffs schommel door zodat hij nog hoger gaat.

Boven hun hoofden is de hemel oneindig blauw, er is geen wolkje te bespeuren, alleen Jeffs vrolijke gelach is te horen.

Als tante Georgia, Carrie Sue en Jeff zijn vertrokken, doet mama een dutje en ik kijk hoe de schaduwen door de ramen naar binnen vallen. Ik vind het leuk om te zien hoe ze van vorm veranderen, hoe ze 's morgens meestal aan de voorkant van het huis zijn, zich tussen de middag terugtrekken en bijna verdwijnen en hoe ze, wanneer Dora komt, lang en lui aan de achterkant het huis weer binnen komen vallen.

Dora kookt en maakt schoon en draagt een roze jurk met een wit schort om haar middel. Dora is een bruine vrouw uit het reservaat. Mama zegt dat ze een Paiute is en ik leer 'Paiute' te zeggen door er twee woorden van te maken: 'paai' en 'joet'.

Wat opvalt aan Dora is haar zachte manier van lopen en praten. Zo zacht dat het bijna lijkt alsof ze er helemaal niet is. Wat ook opvalt aan Dora zijn haar ogen die eruitzien als donkere stille meren. Hoe diep ik ook in die ogen kijk, het lukt me niet om iets te zien, om haar waarheid erin te ontdekken.

Als het een goede dag is, maakt mama zowel de lunch als het avondeten klaar. Dora maakt schoon.

Als het een slechte dag is, vertelt mama aan Dora wat ze voor het avondeten moet klaarmaken.

Tegenwoordig heeft ze bijna alleen nog slechte dagen, dus als mama naar haar kamer gaat en de deur dichtdoet, blijf ik bij Dora.

Wanneer Dora en ik met z'n tweeën zijn, blijft het stil in huis tot B.J. thuiskomt.

Mama zegt dat B.J. een echte Amerikaanse jongen is, wat vooral betekent dat hij luidruchtig is. Als B.J. van school naar huis loopt, kun je hem vanaf Angus Street al horen aankomen. B.J. schreeuwt en fluit en als hij bij ons huis is aangekomen, stampt hij met zijn voeten op de deurmat en duwt de achterdeur met zijn schouder open.

'Ik ben thuis,' schreeuwt hij dan, hoewel Dora en ik gewoon in de keuken zijn.

B.J. heeft zijn armen vol spullen: boeken en schriften en zijn Mario Andretti-broodtrommeltje. Hij gooit alles op de keukentafel.

B.J. heeft stekeltjeshaar zodat je zijn hele voorhoofd kunt zien met daaronder zijn donkerbruine ogen. Wat ook opvalt aan B.J. is een zwart stipje boven zijn bovenlip. Mama noemt het een schoonheidsvlekje. Papa noemt het een moedervlek. B.J. noemt het een wrat.

'Sst,' zegt Dora, 'mama slaapt.'

Als Dora zegt dat hij stil moet zijn, wordt B.J.'s gezicht vuurrood, zoals altijd wanneer hij boos is. Hij slaat de deur hard dicht en trekt zijn kin in alsof hij zijn boosheid probeert te verbergen, hoewel dat onmogelijk is als je zo'n rood hoofd hebt.

B.J. klimt op een stoel en knikt naar me, alleen een knikje, en slaat dan zijn armen om de rugleuning van de stoel. De rode kleur op zijn gezicht verdwijnt en dan weet je dat de boosheid gezakt is, voorlopig tenminste.

Dora haalt een pak creamcrackers uit de kast, scheurt het bruine papier los en legt een stapeltje crackers op een bord.

'Geen koekjes?' zegt B.J.

'Nee,' zegt Dora, 'crackers.'

'Mama geeft ons altijd koekjes,' zegt hij.

Dora schudt haar hoofd om iets wat ze niet wil zeggen, kijkt me aan en geeft me een 'ga zitten'-knikje. Ik trek een stoel naar achteren en ga tegenover B.J. aan tafel zitten.

Dora zet het bord tussen ons in en ik pak een cracker van de stapel en leg hem op tafel. Ik druk er net zolang met mijn vinger op tot de cracker in stukjes is gebroken en steek dan een stukje in mijn mond.

B.J. hangt half in zijn stoel, een glas melk in zijn hand. Hij neemt twee creamcrackers van de stapel, breekt ze doormidden, kauwt op een puntje en kijkt de keuken rond.

B.J. is acht jaar, drie jaar ouder dan ik, en hij weet alles omdat hij in de derde klas zit. Mama vraagt B.J. altijd hoe het op school gaat, wat hij geleerd heeft, of hij zijn brood tussen de middag heeft opgegeten, dat soort dingen. Ik schraap mijn keel en schuif mijn handen onder mijn benen.

'Wat heb je vandaag gedaan op school?' zeg ik.

B.J.'s gezicht is kalm, uitdrukkingsloos, hij kijkt me lang aan. Dan begint hij met zijn donkere ogen te knipperen en haalt zijn schouders op.

'Niet veel,' zegt B.J., 'dingen over astronauten en het heelal.'

'Het heelal?' zeg ik.

'Je weet wel, de maan,' zegt B.J., 'in een ruimteschip vliegen.'

B.J. laat zijn creamcracker als een vliegtuig door de lucht gaan en neerstorten in zijn glas melk. Hij sopt alles. Creamcrackers, koekjes, chocoladebiscuitjes, het geeft niet wat, en als hij ze sopt, zitten er op het laatst allemaal kruimels in zijn melk. Ik vind het vreselijk als er dingen in mijn melk drijven. Ik doop nooit in.

B.J. duwt de rest van zijn cracker in de melk, evenals zijn vingers en de melk gaat over de rand en vormt een plasje op de tafel. Ik denk dat B.J. me niet mag, want hij doet net alsof ik er niet ben, terwijl ik toch recht tegenover hem zit.

Dora maakt een klakkend geluid met haar tong en maakt B.J.'s smeerboel weer schoon. Ze tikt tegen B.J.'s glas en hij drinkt zijn melk in een, twee, drie teugen op, een laagje creamcrackerpap blijft op de bodem achter.

Hij zet zijn glas met een klap op tafel en duwt zijn stoel naar achteren.

'Ik ga buiten spelen,' zegt B.J.

Dora kijkt me met haar rustige, donkere ogen aan en houdt haar hoofd schuin.

'Ook naar buiten?' zegt Dora. 'Buiten spelen?'

Als B.J. en ik alleen buiten zijn, komt er altijd trammelant van. B.J. probeert me altijd uit te dagen. Om een deksel vol met rood spul op te drinken, dat hij ketsjup noemt maar dat chilisaus blijkt te zijn. Om van het dak van de garage te springen om te zien of je kunt vliegen. Om die zwarte hond van de buren te aaien, hoewel die hond je in je gezicht heeft gebeten en je naar het ziekenhuis moest om gehecht te worden. Ik heb er genoeg van om alleen met B.J. te zijn.

Ik eet heel langzaam nog een stukje van mijn creamcracker en schud mijn hoofd zodat mijn paardenstaart in mijn gezicht slaat.

'Tot kijk,' zegt B.J. Hij slaat de deur dicht en het harde geluid galmt door de de keuken en het stille huis.

Dora's gezicht vertrekt alsof het geluid van de dichtgeslagen deur ook in haar lichaam nagalmt, en ze veegt de rest van B.J.'s gemorste melk weg.

Ik eet mijn cracker verder op en drink de helft van mijn melk op, die nu niet lekker meer is omdat hij warm is geworden. Ik klim van mijn stoel af, neem het glas mee naar het aanrecht en gooi het leeg. Dora komt naar het aanrecht en spoelt haar vaatdoek uit onder de kraan. Ik spoel mijn glas om en zij neemt het over en wast het af met de vaatdoek. Ik veeg mijn handen af aan aan mijn T-shirt.

'Ik ga in de eetkamer spelen,' zeg ik.

'Geen lawaai maken,' zegt Dora.

'Nee,' zeg ik.

Dora knikt en haar gezicht vertrekt weer, misschien een glimlach, misschien ook niet. Ik weet het niet.

Achter de keuken ligt de eetkamer en na mama's slaapkamer is de eetkamer de mooiste plek in huis.

Onze tafel is van hout en de uiteinden kun je naar binnen of naar buiten schuiven, zodat de tafel kleiner en groter wordt. Mama zegt dat zo'n uiteinde een 'blad' heet, wat er goed bij past want ze zijn allebei beschilderd met bladeren. De geschilderde bladeren kronkelen zich om tulpen die rood geschilderd zijn en om wijnranken die bruin geschilderd zijn. Dezelfde schildering zit op de rugleuning van elke stoel, zes stoelen, en op het dressoir en de opbergkast zit nog meer schilderwerk, en door al die bladeren en tulpen en wijnranken lijkt onze eetkamer wel een tuin.

Ik ga languit onder de tafel liggen, kijk omhoog en zie hoe de onderkant van de tafel in elkaar zit. Er zitten houten pinnen in en platte ijzeren banden die met spijkers vastzitten, alles bij elkaar lijken het net wortels van planten.

Wat ook opvalt onder de tafel is de geur. Dora gebruikt meubelwas met citroengeur, zodat het daar ruikt naar citroenen en hout.

Diana komt naar me toe lopen, schuurt langs mijn been en gaat met haar poezenlijf in een driehoekje zon liggen. Onder de tafel krabbel ik Diana achter haar oortjes, aai over haar crèmekleurige buik en kijk hoe de middagschaduwen zich langzaam over het vloerkleed uitspreiden.

Als de schaduwen bijna weg zijn, als je het stof in een schuine baan zonlicht ziet zweven, als Diana onder de gordijnen kruipt om daar het laatste beetje zon op te vangen, dan weet ik dat alles in het huis aan Mary Street gaat veranderen, van schaduw en stilte naar licht en geluid.

Eerst het geluid van een auto op de oprit en het geproest en gesputter van de motor. Dan B.J. die 'papa,' roept en het geluid van papa's stem die roept dat B.J. binnen moet komen. Als laatste de keukendeur die piept in zijn hengsels en het geluid van papa's stem als hij Dora begroet.

Ik kruip onder de tafel vandaan, ren de keuken in en spring omhoog. Papa vangt me altijd op, zwaait me in het rond en mijn buik zit vol vlinders.

Papa zet me op zijn arm en ik pas precies in de holte van zijn elleboog. Van zo dichtbij ruikt hij naar tabak en koffie en *That Man* eau de cologne en ik zie dat zijn ogen bruin zijn, maar dan in allerlei tinten, als van fijngemalen kruiden.

'Heb je me gemist?' zegt papa.

'Ja,' zeg ik, 'heel erg.'

Mama zegt dat papa heel gewoon en tegelijk bloedmooi is. Het leukste aan papa vind ik zijn glimlach, een brede, vrolijke glimlach die je over alles een goed gevoel geeft.

B.J. duwt de deur open en zijn wangen zijn rood van het buiten spelen.

'Papa!' zegt B.J.

'Hé, grote kerel van me,' zegt papa.

Papa legt zijn hand op B.J.'s stekeltjeshaar en B.J. glimlacht, een glimlach die tot in zijn ogen te zien is.

De keuken is gevuld met etensgeuren en Dora zegt dat het over een halfuur etenstijd is.

'Ga je handen maar alvast wassen, jongen,' zegt papa.

'Oké,' zegt B.J. buiten adem.

B.J. slaat de deur dicht en rent door de gang naar de badkamer.

Papa draagt me de eetkamer binnen en doet een lamp aan.

'Hoe gaat het met je mams vandaag?' zegt papa.

Papa draagt me de verlaagde woonkamer in en doet nog een lamp aan.

'Het is een goede dag en een slechte dag,' zeg ik.

Papa steekt zijn hand uit naar de lamp die naast zijn grote leren stoel staat, zet het knopje om van 'uit' naar 'aan' en nu is de kamer hel verlicht, geen schaduwen meer.

'Wat moet ik me daarbij voorstellen?' zegt papa.

Ik bijt op mijn onderlip, hou mijn armen om zijn nek geslagen en voel de warmte van zijn huid onder mijn handen.

'Ze was een poosje op,' zeg ik, 'maar daarna was ze weer moe.'

Papa heeft van die ogen waaruit je precies kunt opmaken wat hij denkt, zelfs als hij niets wil prijsgeven. Meestal denkt hij aan zijn werk, aan geld en aan belangrijke dingen waar ik geen verstand van heb. Uit de manier waarop hij nu kijkt, maak ik op dat hij van slechte dagen nerveus en onrustig wordt, als een dier dat in de val zit.

Papa kucht even, wrijft met zijn hand over zijn stoppelbaard en tovert een glimlach te voorschijn.

'Nou, laten we maar eens bij haar gaan kijken dan,' zegt papa. 'Misschien is ze uitgerust genoeg en popelt ze om uit bed te komen.'

Mama zit rechtop in de California King, met de kussens in haar rug. Als ze papa ziet, komt die speciale blik weer in haar donkere ogen en papa bukt zich en geeft haar een zoen op haar mond. Ze praten op zachte toon met elkaar, hallo en hoe is het en meer van die dingen. Ik hoor papa vragen: 'Hoe voel je je nu?' en mama zeggen: 'Goed.'

Als papa thuis is en we met z'n allen in papa en mama's slaapkamer zijn, dan weet ik dat er iets mis is. Het is de toon waarop mama iets zegt, hoog als van een gastvrouw die iets anders zegt dan ze bedoelt. Het is de manier waarop papa zijn adem inhoudt en een rimpel tussen zijn wenkbrauwen krijgt als hij diep nadenkt. En hoe B.J. telkens weer met zijn vuist in zijn hand slaat. Ik weet niet wat er mis is, maar een akelig gevoel kruipt langs mijn armen en benen omhoog.

Papa haalt zijn portefeuille, zijn sleutels en zijn kleingeld uit zijn broekzak, windt zijn horloge op, maakt zijn das los en praat de hele tijd over werk, over hoe druk hij het heeft en waar hij zijn geld in wil investeren, en zegt dan dat hij morgen of failliet of schatrijk is.

Mama kijkt naar hem terwijl hij heen en weer loopt en luistert alleen maar.

B.J. zit op het voeteneinde van het bed, duwt zijn vingers in Diana's flanken en vertelt over school en astronauten en wat voor insect hij gevangen heeft.

Mama glimlacht als een gastvrouw en luistert.

Papa haalt een pakje Marlboro te voorschijn, strijkt een lucifer af en steekt zijn sigaret aan, steekt voor mama ook een sigaret aan en daarna praten hij en B.J. over huiswerk en proefwerken en cijfers.

Mama rookt haar sigaret en luistert.

Misschien is ze moe, misschien voelt ze zich niet goed, misschien heeft ze honger. Het enige wat je hoeft te doen is goed kijken om te zien dat er nog iets anders in mama's hoofd omgaat. Als ze op die manier kijkt, ga ik zo dicht mogelijk bij haar zitten en dan glimlacht ze en knipoogt ze haar geheime gedachten weg.

Mama zegt dat eten in de eetkamer de maaltijd een speciaal tintje geeft, we eten daar dan ook altijd, tenminste als we allemaal bij elkaar zijn.

B.J. doet de borden en de glazen. Melkglazen voor ons, wijnglazen voor mama en papa. Ik doe de servetten en het bestek, vouw de papieren servetten in een driehoek, leg de vork erbovenop en het mes en de lepel aan de andere kant.

Het moet er mooi uitzien, dat is het belangrijkste.

Dora zet het eten op tafel: aardappelpuree, gehaktbrood, een schaal met sperziebonen en een schaal met appelmoes. Ze zet alles aan een kant van de tafel, waar mama erbij kan. Dora schenkt B.J. en mij een glas melk in, vult papa's wijnglas voor de helft en gaat dan koffie zetten voor na het eten.

Als alles klaar is, trekt Dora haar jas aan en verlaat via de achterdeur het huis, zo zachtjes dat je niet eens in de gaten hebt dat ze vertrokken is.

Papa helpt mama van de slaapkamer naar de eetkamer, haar arm op zijn arm, en ze is gekleed alsof ze een goede dag heeft. Mama draagt een lichtroze broek en een roze met groen twinset, het bovenste knoopje van het vest dicht. Papa trekt haar stoel naar achteren, de stoel naast die van hem, aan het hoofd van de tafel, en ze gaat langzaam en voorzichtig zitten, met die glimlach om haar lippen alsof ze wil zeggen dat alles in orde is. Papa helpt haar bij het aanschuiven van de stoel en ze pakt haar servet, vouwt het open en legt het op schoot.

B.J. zit tegenover mama en ik zit naast haar. B.J. en ik vouwen onze servetten open en leggen ze op schoot. Dat is de regel.

Papa gaat in de grote stoel aan het hoofd van de tafel zitten en vouwt zijn servet ook open.

'Geef me je bord maar, jongen,' zegt mama.

B.J. tilt zijn bord met beide handen op en mama zet B.J.'s bord boven op haar eigen bord.

'Heb je honger?' zegt ze.

'Als een paard,' zegt B.J.

Mama snijdt twee plakken gehaktbrood af, legt ze op B.J.'s bord, en drie grote lepels aardappelpuree met een klontje boter in het midden.

'Niet te veel bonen,' zegt B.J.

B.J. eet nooit groenten en mama lacht als hij dat zegt. Ze schept een lepel sperziebonen en drie dikke lepels appelmoes op zijn bord, tilt het hele zwikje op en geeft het B.J. aan. Het bord hangt een beetje tussen hen in en papa neemt het bord over en zet het voor B.J. neer.

Mama zucht diep en gaat rechtop in haar stoel zitten, de houding van een dame. Ze kijkt naar me, glimlacht en steekt haar hand uit naar mijn bord.

'Heb je honger?' zeg ze.

'Ja,' zeg ik.

Mama snijdt een plak gehaktbrood af, legt er een lepel aardappelpuree bij met wat boter in het midden, twee lepels sperziebonen en twee lepels appelmoes.

'Genoeg?' zegt ze.

Ik knik, ga staan en steek beide handen naar voren zodat ze niet hoeft te tillen.

Papa geeft haar zijn bord en ze hoeft hem niet te vragen of hij honger heeft. B.J. en papa hebben altijd honger. Ze schept zijn bord vol, van alles een heleboel, en hij neemt het bord van haar aan.

Mama schept als laatste voor zichzelf op, maar nooit veel, zelfs niet als ze een heel goede dag heeft. Vanavond is dat een halve plak gehaktbrood, een lepel aardappelpuree, een paar sperziebonen en een lepel appelmoes. Ze duwt de schaal met appelmoes weg en glimlacht naar ons allemaal, haar handen liggen in haar schoot.

De hele eetkamer ruikt naar eten, naar boter en gehaktbrood, en ik heb zo'n honger dat het water me in de mond loopt.

Papa sluit zijn ogen en doet zijn handen voor zijn gezicht.

Papa zegt dat we katholiek zijn, maar we gaan nooit naar de kerk, alleen met Kerstmis en Pasen en daarom begrijp ik niets van het bidden zoals wij dat iedere avond doen. Papa zegt dat het niet echt bidden is, maar meer het tonen van dankbaarheid.

Na het bidden vertelt papa een verhaal over een man op zijn werk en mama vertelt over het bezoek van tante Georgia. Papa zegt dat het wel herfst lijkt en mama zegt dat we naar Lake Tahoe zouden moeten gaan voordat het te koud wordt.

Als mama zegt dat we naar Lake Tahoe zouden moeten, kijkt B.J. op van zijn bord, kijkt naar papa, en naar mama. Papa is stil en kijkt naar mama.

'Denk je dat je dat aankunt?' zegt papa.

'Of ik dat aankan?' zegt mama.

'Wat ik bedoel, is' zegt papa, 'vind je het daarvoor nu wel het geschiktste moment?'

Mama gaat rechtop zitten, de houding van een dame.

'Ik ben niet invalide, Bud,' zegt mama.

Mama's stem heeft een scherpe klank gekregen.

Papa schraapt zijn keel en legt zijn vork in het midden van het bord.

'Ik weet dat je niet invalide bent,' zegt papa. 'Maar moeten we niet eerst bespreken of we naar Palo Alto gaan, voordat we aan andere reisjes denken?'

B.J. kijkt naar mij en ik kijk naar B.J.

Mama zucht diep en legt haar vork naast haar bord.

'Nu niet, Bud,' zegt mama.

Papa kijkt naar B.J., naar mij en perst dan zijn lippen op elkaar.

'Oké,' zegt papa.

Papa pakt zijn vork weer op en neemt een hap aardappelpuree. Mama laat de lucht door haar neus naar buiten, haar schouders hangen een beetje naar beneden. Ze glimlacht naar me en legt even haar hand op mijn hoofd.

Ik wou dat kinderen niet alleen gezien maar ook gehoord mochten worden, zodat ik haar kon vragen naar Palo Alto en de speciale dokters, maar ik blijf stil zitten.

'En?' zegt B.J. 'Gaan we nou naar het meer of niet?'

Het is stil in de eetkamer, het ruikt er nog steeds naar eten. Papa kijkt B.J. heel lang aan en haalt dan zijn brede schouders op.

'Wie weet, afwachten maar,' zegt papa.

Acht uur is het bedtijd, in het weekeinde halfnegen, dat is de regel.

Elke avond ga ik naar de woonkamer om hardop voor mama mijn gebedje op te zeggen. Ik kniel op de grond, zet mijn ellebogen op de grote paarse druif en druk mijn handen tegen elkaar. Ik doe mijn ogen dicht en zeg iedere avond hetzelfde gebedje op, dat ik mijn ziel aan God geef en hoop dat ik de volgende morgen weer wakker mag worden. Het is een eng gebedje, maar zo gaat het nu eenmaal.

Na het enge gebedje doe ik mijn ogen weer open en bedank ik God voor alle goede dingen en nadat ik voor alles dankbaar ben geweest, mag ik een wens doen. Iedere avond is dat dezelfde wens. Ik hoop dat het morgen een goede dag wordt. Mama glimlacht als ik dat zeg en legt haar hand tegen mijn wang.

Na het bidden geeft ze me een nachtzoen en een knuffel. De lekkerste knuffel die er is, met onze wangen tegen elkaar en omringd door de geur van haar amandellotion.

'En ik ben het meest dankbaar voor jou,' fluistert ze, 'jij bent mijn mooiste geschenk.'

Er is iets aan de manier waarop ze dat zegt, alsof ik iets gedaan heb, gewoon door geboren te worden. Dat is het leukste wat er is: iemands mooiste geschenk zijn.

Ik knuffel haar ook, zo hard als ik kan, maar zonder haar pijn te doen, en dan brengt papa me naar bed.

Hoofdstuk twee

Papa scheert zich elke dag, zelfs in het weekeinde.

Het eerste wat ik hoor als ik wakker word, is het geluid van stromend water in de badkamer en ik weet dat papa daar is.

De deur staat open en papa heeft witte scheercrème op zijn gezicht. Hij houdt zijn handen onder de waterstraal en spoelt het overtollige schuim weg.

'Hallo, Juniper,' zegt hij, 'jij bent al vroeg uit de veren.'

'Hallo, pap,' zeg ik, 'jij bent ook al vroeg uit de veren.'

'Zo is dat,' zegt papa, 'een stel vroege vogels zijn we.'

Ik klim op de wc-bril.

Papa draagt een wit onderhemd en zijn lange armen zijn bruin en gespierd. Hij draagt een babyblauwe boxershort en zijn benen zijn ook bruin en bedekt met donkere haartjes, tot aan zijn voeten, zelfs op zijn tenen zitten nog haartjes.

'Wat ben je aan het doen?' zeg ik.

'Ik ben me aan het scheren,' zegt hij. 'Wat ben jij aan het doen?'

'Ik ben me ook aan het scheren,' vraag ik.

Papa glimlacht vanonder de witte laag schuim op zijn gezicht en schuift de pot met scheercrème, een rood-witte pot met een drukknop erbovenop, over de wastafel naar me toe.

'Nou,' zegt papa, 'dan zul je scheercrème nodig hebben.'

Ik druk op de knop en het witte schuim in mijn hand heeft een prikkende geur. Ik smeer de scheercrème op mijn wangen, onder mijn neus, op mijn kin en op mijn hals. Het schuim lijkt op zeep, maar dan luchtiger, en voelt zacht aan op mijn huid. Papa trekt een la open, haalt er een zwarte kam uit en legt die tussen ons in op de wastafel.

'Hier is je scheermes,' zegt hij.

Ik buig me over de wastafel heen, pak de kam en hou hem onder de waterstraal. Papa's scheermes is zilverkleurig met een brede kop en een smal handvat. Hij houdt het handvat vast tussen zijn vingertoppen en houdt de kop ook onder de waterstraal. Twee beschuimde gezichten kijken ons vanuit de spiegel aan en het is grappig om jezelf zo te zien. Ik lach en papa lacht en het geluid klinkt door de hele badkamer heen en galmt na in mijn hoofd.

'Klaar?' zegt hij.

'Klaar,' zeg ik.

Met zijn heupen tegen de rand van de wastafel, buigt papa zich naar voren tot vlak bij de spiegel, zet het scheermes op zijn gezicht, trekt het naar beneden en dan heeft papa zijn eigen gezicht weer terug, één streep van zijn gezicht, even breed als het scheermes.

Ik buig me naar voren naar de spiegel en trek de platte kant van de kam voorzichtig en zacht over mijn gezicht naar beneden. Er ontstaat een dot schuim die steeds groter wordt en trilt aan de zijkanten, en ik laat hem voorzichtig in de wasbak glijden en spoel hem weg.

En zo gaat het verder, komt er steeds meer van papa's gezicht te voorschijn, en ook steeds meer van mijn gezicht. Als papa klaar is, plenst hij water tegen zijn gezicht, drukt er een handdoek tegenaan en doet dan *That Man*-eau de cologne op zijn wangen. Het is een geur van citroenen, hout en kruiden die de hele dag op zijn gezicht blijft zitten.

Ik hou mijn handen onder de kraan, was al het schuim eraf en papa geeft me een handdoek.

Met droge gezichten kijken we weer in de spiegel en hij strijkt met zijn hand over zijn wangen en langs zijn kin. Hij bukt zich zodat ik met mijn hand over zijn kin kan strijken. Zijn gezicht voelt lekker zacht na het scheren.

'Heel zacht,' zeg ik.

Papa glimlacht zijn mooiste glimlach en legt beide handen om mijn gezicht.

'Jouw wangen zijn ook heel zacht,' zegt hij.

Ik moet lachen als hij dat zegt, alsof mijn wangen daarvoor soms onder de stoppels zaten.

'Doe je mijn haar?' vraag ik.

'Haarspeldjes of staarten?'

Papa opent de la, neemt de borstel eruit en begint mijn haar te borstelen.

'Ligt eraan wat voor dag het is,' zeg ik. 'Ga je vandaag werken?'

Ik vind het heerlijk als papa mijn haar borstelt, omdat hij het zo zachtjes aanraakt dat het bijna lijkt alsof hij het helemaal niet aanraakt.

'Nee,' zegt hij, 'we gaan naar het meer.'

'Met z'n allen?' zeg ik.

Papa kijkt de gang in en dan weer naar mij.

'Ik weet niet zeker of mama meegaat,' zegt papa.

Als we naar het meer gaan, dan moeten het staarten worden en papa maakt ze zo hoog dat ze op konijnenoren lijken. Meestal heeft papa moeite met staarten maken, zitten ze scheef en niet op dezelfde hoogte. Vandaag lukt het hem ze precies goed te krijgen. Terwijl ik naar mezelf kijk in de spiegel, draai ik met mijn hoofd en laat de staarten heen en weer zwaaien.

'Mooi,' zeg ik.

'Alsjeblieft,' zegt hij.

Moshe en Diana wachten voor mama's deur en hebben zich behaaglijk tegen elkaar aan genesteld. Papa opent de deur en in de kamer hangt een slaaplucht. Moshe en Diana rennen zonder geluid te maken naar binnen, springen op het bed en lopen met langzame, lange kattenpassen langs mama's lichaam onder de dekens. De dekens en kussens aan papa's kant van de California King zijn helemaal verfrommeld.

'Liefje?' zegt papa. 'Ben je wakker?'

Mama wordt wakker en papa gaat op de rand van het bed zitten.

'Wie?' zegt mama. 'Wat?'

'Wij zijn het, Jenny en ik,' zegt papa. 'Hoe voel je je?'

Mama is iemand die langzaam wakker wordt en haar gezicht ziet eruit alsof de slaap haar terug wil hebben. Papa buigt zich over haar heen, zijn hand op haar haar.

'Wil je liever nog wat slapen?' zegt hij.

Mama duwt zich omhoog, haar wang komt los van het kussen, en begint te hoesten. Papa legt zijn hand op haar rug, de vingers gespreid. Ze hoest en hoest, een droog en hard geluid, en lijkt zich om te willen draaien. Papa legt zijn handen op haar blote schouders om haar daarbij te helpen waarna ze min of meer rechtop komt te zitten. Ze houdt op met hoesten en strijkt met haar handen over haar gezicht.

'Zo beter?' zegt papa.

Mama knikt, haar ogen zijn nog niet helemaal wakker. Papa schudt het kussen achter haar rug op en ze leunt opzij. Het schouderbandje van haar perzikkleurige nachtpon is afgezakt en ze duwt haar vingers onder het bandje en schuift hem weer op zijn plaats.

'Oké?' zegt papa.

Ze schraapt haar keel, knikt en schudt dan haar hoofd, haar gezicht is bleek en ze hoest zo hard dat ze een vuist tegen haar mond drukt en haar schouders beginnen te schudden.

De kat springt van het bed af en rent de kamer uit, en mama houdt op met hoesten en laat haar vuist zakken, er zit helderrood bloed op.

Papa gaat staan, weer zitten en dan weer staan.

'Jezus,' zegt papa.

Er zit bloed op haar lippen.

Papa trekt papieren zakdoekjes uit de doos, een, twee, drie stuks en duwt die in haar hand. Hij kijkt zoekend in het rond en kijkt dan met grote ogen naar mij.

'Jenny, haal gauw een glas water voor je moeder.'

Papa geeft me het lege glas en ik ren naar de badkamer en draai de kraan open. Mama zegt dat ik het water altijd een minuut lang moet laten weglopen, zodat het koud kan worden, maar het duurt een eeuwigheid en ik duw het glas onder de kraan.

In de kamer spuugt mama bloed in de papieren zakdoekjes. Papa trekt nog meer zakdoekjes uit de doos en neemt het glas water van me aan.

Mama schudt haar hoofd, spuugt nog een keer, knikt dan en neemt het glas aan. Haar hand trilt te erg om te kunnen drinken en papa helpt haar.

'Wat zal ik doen?' zegt papa. 'Zal ik een dokter bellen?'

Ze maakt een afwerend gebaar met haar hand, in de andere hand houdt ze een prop roze zakdoekjes. Papa trekt nog eens drie zakdoekjes uit de doos, en ze drukt ze tegen haar mond en schudt haar hoofd.

'Hoeft niet,' zegt ze. 'Het gaat wel weer.'

Mama's stem klinkt schor, ze slaakt een diepe zucht, haar borstbeen gaat op en neer.

'Wat is er gebeurd?' vraagt B.J.

B.J. staat in de deuropening met een gezicht alsof hij net wakker is. Hij draagt zijn cowboy-en-indianenpyjama, zijn stekeltjeshaar ligt plat op zijn hoofd.

Ik weet dat B.J. vanaf de deur het bloed niet kan zien.

'Jenny?' zegt mama. 'B.J.?'

B.J. buigt zich iets naar voren, staat half in de kamer en half erbuiten, zijn donkere ogen zijn groot en rond.

'Mam?' zegt B.J.

'Er is niets aan de hand,' zegt mama, 'het stelt niets voor, alleen een kleine verkoudheid.'

Papa gaat staan, kijkt naar ons, kijkt naar mama.

'Nou,' zegt papa, 'het is wel iets meer dan dat.'

Mama schudt haar hoofd, de hand naar papa uitgestoken.

'Nee, nee,' zegt ze, 'ik voel me goed. Echt. We gaan naar het meer.'

'Janet,' zegt papa. 'Dit kan zo niet langer. We moeten een dokter bellen. Nu meteen. Ik meen het, hoor.'

'Bud,' zegt mama.

Papa zet zijn handen in de zij, perst zijn lippen op elkaar, wat hij altijd doet als hij boos is, en schraapt zijn keel.

'Kinderen, gaan jullie maar alvast ontbijten,' zegt papa, 'ik moet even met mama praten.'

Ik wil in de kamer blijven en kijk naar papa, naar mama en dan weer naar papa.

'Ik wil geen ontbijt,' zeg ik.

'Ga naar de keuken,' zegt papa.

'Echt, Bud,' zegt mama, 'ik voel me prima.'

'En doe de deur achter je dicht,' zegt papa.

B.J. en ik zitten in de keuken. Aan het einde van de gang klinkt geschreeuw gevolgd door stilte, meer geschreeuw en dan weer stilte. Ik kan mama horen hoesten en papa op zachte, kalme toon horen praten. De telefoon rinkelt en houdt dan abrupt op met rinkelen, en ik weet dat een van tweeën hem in de slaapkamer heeft opgenomen.

B.J. loopt op zijn tenen de gang in, legt zijn oor tegen hun slaap-kamerdeur en blijft doodstil staan. Hij loopt op zijn tenen door de gang terug en loopt weer normaal als hij bij de keuken is aangeko-men. Ik loop achter hem aan en ga aan de keukentafel zitten.

'En?'

'Papa is aan het bellen en zij huilt,' zegt B.J.

'Huilt?' zegt ik.

'Ons dagje naar het meer kunnen we nu wel vergeten,' zegt B.J.

B.J. staat voor het keukenraam en zijn gezicht heeft een dieprode kleur gekregen, het rood zit tot aan zijn oren.

'Waarom huilt ze?'

B.J. drukt zijn kin tegen zijn borst, kijkt me vanonder zijn don-kere wenkbrauwen aan en houdt stijf zijn mond dicht.

'Is het huilen van verdriet of huilen van pijn?' vraag ik.

B.J. klimt op het aanrecht, opent een van de kastjes en haalt er een doos cornflakes uit.

'Misschien huilt ze niet echt,' zeg ik.

B.J. springt met de doos tegen zich aangedrukt van het aanrecht af, pakt een kom en een lepel uit het rek en zet alles op de tafel. De rode kleur op B.J.'s gezicht is niet zo rood meer, misschien is hij toch niet echt boos.

'Misschien heb je het niet goed gehoord,' zeg ik.

B.J. schenkt melk in de kom en zet het pak terug op tafel.

'Ik heb het goed gehoord,' zegt B.J., 'en nu gaan ze vast alsnog naar Californië.'

'Californië?'

B.J. roert de cornflakes door de melk heen.

'Weet je dan helemaal niks?' zegt B.J. 'Daar wonen de dokters die kunnen zien wat er met haar aan de hand is.'

B.J. lepelt zijn cornflakes en melk naar binnen.

'Wie zegt dat?' zeg ik.

B.J. doet zijn hoofd achterover, zoals je dat doet wanneer je met een volle mond wilt praten.

'Papa heeft het me verteld,' zegt B.J.

Hij slikt zijn eten door en veegt met de mouw van zijn pyjama de melk van zijn mond.

Ik haat het wanneer B.J. dingen weet die ik niet weet. Ik wou dat ik ook acht was, ik wou dat ik ook wist wat er aan de hand was.

B.J. blijft in de keuken en eet zijn cornflakes die nu doorweekt zijn met melk, en ik loop de achttien passen door de gang. Bij hun deur aangekomen, ga ik met mijn rug tegen de muur staan en luister. Ik hoor gehoest, papa's lage stem, het doortrekken van de wc. Er wordt heen en weer gelopen, er stroomt water in de wasbak en ze neemt nu vast een paar pillen in.

Diana strijkt langs mijn benen, haar vacht zachter dan zacht, en begint dan te spinnen. Ik vind dat leuk, dat ze al begint te spinnen nog voordat je haar hebt aangeraakt, als een motortje dat altijd loopt.

Ik ga op mijn hurken zitten en til Diana met beide handen onder haar zachte buikje op. Daarna ga ik weer met mijn rug tegen de muur staan, Diana nestelt zich warm en behaaglijk tegen me aan.

Mama wil niet naar de dokters in Californië. Ze hoeft het niet te zeggen, ik zie het in haar ogen.

B.J. zegt dat ze vrijdagavond vertrekken en die morgen, vrijdagmorgen, zijn mama en ik met z'n tweeën en is mama zich aan het opkalefateren. Nadat ze zich heeft opgekalefaterd, mag ik me als haar verkleden.

Mama zit op de rand van de California King en draagt een witte zijden jurk met paarse bloemen. Mama rookt een van haar Parliament-sigaretten en de rook kringelt omhoog naar het plafond.

'Dit wordt heel leuk,' zeg ik.

In de inloopkast waar ze me niet kan zien, doe ik mijn nachthemd uit en trek haar kleren aan.

'Komt er nog wat van?' zegt mama. 'De spanning is te snijden hier.'

'Doe je ogen dicht,' zeg ik.

Mama slaat haar benen over elkaar, knijpt haar ogen dicht en ik spring uit de kast te voorschijn.

'Ta da,' zeg ik.

Ik draag haar witte rok met groene bladeren en grote oranje bloemen, hij komt tot over mijn knieën. De blouse is van chiffon met kleine oranje bloemetjes en een kraag met ruches, en je kunt erdoorheen kijken. Ik trek de blouse van chiffon heel vaak aan omdat dat mijn lievelingsblouse is.

Mama opent haar donkere ogen en begint onbedaarlijk te lachen, met de hand voor haar mond.

'Nou,' zegt mama, 'dat ziet er gezellig druk uit.'

'Te druk?'

Mama duwt haar sigaret tussen haar lippen en inhaleert diep. Ze knijpt haar ogen half dicht alsof het pijn doet en blaast de rook dan zijwaarts uit.

'Wel een beetje,' zegt ze. 'Je draagt een rok voor overdag met een cocktailblouse, en dan zijn ze ook nog allebei gebloemd.'

'Ik vind dit zo'n mooie blouse,' zeg ik.

Mama tilt de ruches aan de kraag op en de chiffon gaat omhoog en valt weer naar beneden.

'Ik vind hem ook heel mooi,' zegt mama.

Ze kijkt naar het plafond.

'Ik heb die blouse voor het laatst aangehad naar een feestje bij de gouverneur thuis,' zegt ze. 'Eens kijken, dat moet zes jaar geleden zijn. Je vader was dol op dat soort chique feestjes, hij vond het leuk om in het gezelschap van belangrijke mensen te zijn.'

Mama's stem klinkt weemoedig, maar aan haar ogen is te zien dat ze er met plezier aan terugdenkt. Ze kijkt weer naar mij.

'Ik herinner het me nog als de dag van gisteren,' zegt mama. 'Een eeuwigheid geleden.'

'Een eeuwigheid?' zeg ik.

Mama stopt haar haar achter haar oren.

'Heel lang geleden,' zegt ze. 'Geloof me, die blouse is behoorlijk gewaagd voor 's morgens negen uur en trouwens, de regel is: één bont patroon voor het effect met iets effens erbij om het goed uit te laten komen. Probeer het groene truitje eens bij die rok.'

De *Mademoiselle, Vogue* en *Ladies' Home Journal* liggen op een stapel naast het nachtkastje. Nog steeds met de sigaret in haar hand, bukt ze zich, trekt een tijdschrift uit de stapel en begint erin te bladeren terwijl ik terugloop naar de kast.

'Luister maar naar wat hier staat,' zegt ze. '"Goede mode accentueert een vrouw, als je de vrouw opmerkt en niet de kleren, is de mode geslaagd."'

Ik trek het groene truitje aan, de wol kriebelt op mijn huid en mijn haar wordt statisch en gaat alle kanten op staan. Mama slaat haar tijdschrift dicht en gooit hem voor zich op de grond. Ze gebaart dat ik dichterbij moet komen.

'Mode is niet zo belangrijk,' zegt mama, 'het is meer een kwestie van stijl. Wie stijl heeft, is altijd in de mode.'

Ze trekt de naden aan de zijkant van het truitje recht en doet de knoopjes dicht, elk knoopje ziet eruit als een klein groen pareltje.

'Groen is nooit echt mijn kleur geweest,' zegt mama, 'maar het is wel jouw kleur.'

'Mijn kleur?'

'Jouw kleur,' zegt ze. 'De groene vlekjes in je bruine ogen komen nu veel beter uit.'

Ik buig me naar voren naar de spiegel maar zie alleen mezelf, ik wou dat ik kon zien wat zij ziet. Ik doe een stap achteruit en zie nog steeds alleen mezelf.

Mama doet haar arm opzij en legt de sigaret in de asbak.

'En nu gaan zitten,' zegt mama, 'dan zal ik je haar opmaken zoals alleen hippe meiden het dragen.'

Ik zit op de vloer, met mijn rug tegen de California King, en mama borstelt met lange halen mijn haar.

Het is stil in de kamer en ik strijk met mijn vingers over het witte vloerkleed.

'Waarom moet je naar Californië?' vraag ik.

Mama houdt even op met borstelen en gaat dan weer verder.

'Maak je daar nou maar geen zorgen om, mijn zonnetje,' zegt mama.

Mama trekt mijn haar door het elastiekje, de paardenstaart zit hoog op mijn hoofd. Het haar zit zo strak dat mijn gezicht ervan trekt.

'Hij zit te strak,' zeg ik.

'Sorry,' zegt ze.

Mama strijkt met haar vingers over mijn haar, rolt het elastiekje voorzichtig iets naar achteren en mijn haar gaat meteen losser om mijn gezicht zitten. Ik draai me om en ga op mijn hurken voor mama zitten.

'B.J. zegt dat je naar een nieuwe dokter gaat,' zeg ik.

Mama glimlacht, haar ogen zijn nog donkerder dan anders.

'Dat klopt,' zegt ze.

'Is het een stomme dokter?'

Mama begint te lachen, maar houdt er abrupt weer mee op. Ze doet haar hoofd schuin en strijkt met haar vinger langs mijn gezicht, langs mijn wang en mijn kin, haar hand ruikt naar amandellotion.

'Ik hoop het niet,' zegt ze.

'Hoop?' zeg ik. 'Weet je dat niet zeker?'

Mama laat haar hand zakken en op de plek waar ze mijn gezicht heeft aangeraakt voelt het nu koud. Ze pakt haar sigaret die nu bijna helemaal opgebrand is. Mama zet het filter aan haar lippen, rookt het laatste stukje van de sigaret op en houdt haar adem in terwijl ze de peuk in de asbak uitdrukt.

Ze blaast de rook naar het plafond en schraapt haar keel.

'Van sommige dingen ben je nooit helemaal zeker,' zegt mama. 'Soms kun je er alleen maar in geloven.'

'Dat begrijp ik niet,' zeg ik.

Mama perst haar lippen op elkaar, wat ze ook doet wanneer ze ergens diep over nadenkt. Het is nog steeds stil in de kamer, het lijkt of we alleen op de wereld zijn, en dan schraapt mama haar keel.

'Soms gebeuren er dingen met je,' zegt mama, 'nare dingen, en wat je ook doet om daar verandering in te brengen, toch wil het maar niet lukken.'

Mama kijkt me doordringend aan, haar donkere ogen zijn even oprecht als haar woorden.

'Ik weet ook niet waarom die nare dingen gebeuren,' zegt ze. 'Maar als je iets niet begrijpt, dan moet je in jezelf op zoek gaan naar wat echt is, naar iets waar jij in kunt geloven, iets wat voor jou belangrijk is.'

Ik pers mijn lippen op elkaar en kijk naar haar ernstige gezicht.

'Waar geloof jij dan in?' zeg ik.

Mama glimlacht, maar het is een droevige glimlach en haar donkere ogen dwalen zoekend over mijn gezicht.

'Ik geloof in jou,' zegt ze. 'Ik wist toen jij geboren werd dat je voorbestemd was om mijn dochter te worden en dat ik voorbestemd was om je moeder te worden.'

Mijn handen liggen in mijn schoot, het is een fijn gevoel om iemand te hebben die in je gelooft.

'Waar geloof ik dan in?' zeg ik.

Mama buigt zich naar me toe, de ellebogen op de knieën, de witte zijden jurk valt over haar voeten.

'Jij moet nog wachten,' zegt mama. 'Om ergens in te kunnen geloven, moet je dingen hebben meegemaakt. Daarbij moet je op je gevoel afgaan.'

De schaduw van de wilg strekt zich lang uit over de California King, Diana ligt half in de schaduw en half in het zonlicht te slapen.

Ik doe mijn ogen dicht en ga op zoek in mezelf naar waar ik in geloof, maar het enige wat ik vind is een naar gevoel over mama en Californië.

'Ik wou dat je niet weg hoefde,' zeg ik.

Ik doe mijn ogen open en mama glimlacht.

'Ik blijf niet lang weg,' zegt mama, 'maak je maar geen zorgen.'

Ik wil haar vertellen van het nare gevoel. Ik wil dat ze hier in het huis aan Mary Street blijft waar alles veilig is. Mijn lippen zijn droog, ik strijk er met mijn tong langs om het strakke gevoel kwijt te raken, maar ik zeg niet wat ik wil zeggen.

'Zo,' zegt mama. 'Ga staan en laat eens zien hoe je eruitziet.'

Ik ga staan en draai in het rond. In de lange spiegel zie ik mezelf in mama's gebloemde rok en groene truitje, de dikke paardenstaart boven op mijn hoofd zwaait heen en weer.

'Mooi?' zeg ik.

'Perfect,' zegt ze.

'Een paar groene pumps en een bijpassende handtas erbij,' zegt mama, 'en je bent een en al stijl.'

Het grote huis van tante Carol staat op de hoek van Mussler Street en Minnesota Street en in het huis zijn allerlei soorten kamers waar allerlei soorten regels gelden. Beneden is een woonkamer waar kinderen niet mogen komen, een speelkamer met een televisie waar kinderen wel mogen komen, een eetkamer met glazen deuren waar kinderen niet mogen komen en een keuken met een grote picknicktafel waar kinderen wel mogen komen. Boven zijn de slaapkamers, een voor de meisjes en een voor de jongens, er wordt niet gemengd geslapen. Er gaan twee trappen naar boven, een vanuit de woonkamer en een vanuit de keuken.

Tante Carol heeft brede heupen, dikke benen en grote borsten die eruitzien alsof ze ieder moment de lucht in zullen vliegen. Ze draagt zoals altijd zwarte kleren: een zwarte trui met lange mouwen en een zwarte broek die ruist als ze loopt.

Mama zegt dat tante Carol zwart draagt omdat het een kleur is die afslankt.

Ik denk dat tante Carol zwarte kleren draagt omdat ze over magische krachten beschikt. Ze kan je namelijk de toekomst voorspellen door in je hand te kijken of door kaarten te lezen die ze in een la bewaart in de eetkamer voor grote mensen.

Tante Carol heeft me die kaarten nooit laten zien, maar mijn nichtje Tracy heeft me verteld dat ze daar lagen en ze zegt dat heel veel mensen bij tante Carol op bezoek komen om zich door haar de toekomst te laten voorspellen.

Als papa B.J. en mij heeft afgezet, gaan we meteen naar boven. B.J. gaat naar de jongenskamer, ik naar de meisjeskamer.

Zodra ik de deur van de meisjeskamer opendoe, gooit Tracy haar pop op de grond en rent naar me toe.

'Jenny,' roept Tracy.

'Tracy,' roep ik.

Tracy slaat haar armen zo stijf om me heen dat ik bijna geen lucht meer krijg, maar dat geeft niet. Tracy is mijn lievelingsnicht en we lijken precies op elkaar: donker haar, donkere ogen. We zijn ook bijna even groot, alleen ben ik sterker. Ik sla mijn armen om Tracy's middel en til haar op, ze lacht als ik dat doe.

'Ik ook,' roept Faith Ann, 'ik ook!'

Faith Ann wurmt zich tussen ons in, duwt Tracy naar achteren en slaat haar armen om mijn nek en haar benen om mijn middel.

'Jenny, Jenny, Jenny,' roept Faith Ann.

Faith Ann is klein en mager en heeft helderblauwe ogen die altijd vrolijk staan. Haar lievelingsspelletjes is om opgetild en in het rond gedraaid te worden.

Ik draai rondjes en Faith Ann giert van het lachen.

'Sneller,' roept ze, 'sneller!'

'Straks moet ze nog overgeven,' zegt Bobbie Lou.

Bobbie Lou is de oudste, bijna een tiener al, en speelt nooit omdat ze op ons kleintjes moet letten.

'Sneller,' roept Faith Ann.

'Als ze overgeeft,' zegt Bobbie Lou, 'mag jij het opruimen.'

Faith Ann ziet er niet uit alsof ze gaat overgeven.

Ik draai zo snel in het rond, dat alles in de kamer wazig wordt, en opeens ben ik in een andere wereld, een wereld waar je de hele dag niets anders doet dan rondjes draaien, met poppen spelen en lachen tot je er steken van in je zij krijgt.

Tracy, Faith Ann en ik zitten op de vloer en knippen poppen uit papier.

Tracy geeft me een schaartje zodat ik de avondjurken kan uitknippen, Faith Ann knipt de schoenen uit en Tracy de hoeden.

Bobbie Lou leest een boek, alsof we er helemaal niet zijn, en zegt
dat poppen uitknippen iets voor kinderen is.

Tracy houdt een pop omhoog van een volwassen dame die een
wit mouwloos T-shirt draagt met een korte broek en roze schoenen
met hoge hakken.

'Dat vloekt,' zeg ik.

'Vloekt?' zegt Faith Ann.

'Vloeken betekent dat het niet bij elkaar past,' zeg ik.

'Ik vind het wel mooi,' zegt Tracy, 'het heeft wel iets aparts.'

'Echt praktisch is het niet,' zegt Bobbie Lou terwijl ze haar boek
op schoot legt.

'Jij doet niet mee,' zegt Tracy.

'Je kunt beter de sandalen nemen,' zeg ik, 'geloof me nou maar.'

Tracy trekt de roze schoenen eraf, pakt de bruine sandalen en
vouwt de flapjes om. Tracy houdt de pop op armslengte afstand en
bekijkt het geheel.

'Nogal saai,' zegt Tracy.

'Heel saai,' zegt Faith Ann.

'Niet als ze in Afrika is,' zegt Bobbie Lou, 'of in de woestijn op
zoek is naar oude beschavingen.'

'Jij doet helemaal niet mee,' zegt Tracy.

Bobbie Lou haalt haar schouders op en pakt haar boek weer op.

'Ik probeer alleen maar je fantasie te laten werken,' zegt Bobbie
Lou.

'Waarom begin je niet opieuw met de roze pumps?' zeg ik. 'En
dan zoek je daar een baljurk bij. Haal haar terug uit de woestijn.'

Tracy trek de korte broek en het T-shirt van de pop af, zoekt naar
een roze jurk en doet haar de roze pumps weer aan.

'Mooi?' zegt Tracy.

'Perfect,' zeg ik.

Het mooiste van poppen aankleden is dat je alles om je heen vergeet, je maakt je alleen nog druk om wat je je pop aan zal trekken.

'Eten,' roept tante Carol.

Tracy en Faith Ann laten hun poppen vallen en rennen naar de
deur. Bobbie Lou vouwt een driehoekje van haar bladzijde naar binnen en slaat haar boek dicht. Ik blijf op de grond zitten, de pop in

46

mijn handen, de kleren in een cirkel om mijn voeten.

'Kom je?' zegt Bobbie Lou.

'Ja,' zeg ik, 'ik kom zo.'

Bobbie Lou loopt de meisjeskamer uit en beneden hoor ik mijn neven en nichten schreeuwen, etensgeuren verspreiden zich door het huis en tante Carol roept dat er niet geduwd en getrokken mag worden en alles eerlijk gedeeld moet worden.

Ik loop de gang in en de trap af, en dan zit ik samen met mijn neven en nichten aan de grote tafel in de keuken maar heb tegelijkertijd het gevoel dat ik er niet bij hoor.

Steven, Bobbie Lou, Andy, Mark, Tracy en Faith Ann duwen en trekken en vechten om voedsel en tegenover me aan tafel vecht B.J. al even hard met ze mee.

'Hé, hou op met dat geduw,' zegt Mark.

'Ik duw niet,' zegt Andy.

'Ga eens aan de kant, je zit me in de weg,' zegt B.J.

Steve wil de schaal met macaroni en kaas van Tracy afpakken, Tracy gilt dat hij los moet laten, en beiden laten de schaal midden boven de tafel los, waarna hij tegen het glas melk van Faith Ann aan valt en de melk in haar eten terechtkomt. Faith Ann begint te gillen en Bobbie Lou zegt dat ze stil moet zijn en Mark wijst naar het eten dat in de melk drijft en zegt dat het op braaksel lijkt.

De klapdeuren tussen de keuken en de eetkamer zijn dicht, en aan de andere kant van die deuren zitten tante Carol en oom Bob te eten, in de eetkamer waar kinderen niet mogen komen en waar het rustig is.

Als je mijn neven en nichten afzonderlijk meemaakt, vallen ze best mee, maar zo gauw ze samen zijn, worden ze wild. Ook al ligt er eten op je bord, toch kun je niet eten en niet denken, je kunt alleen maar toekijken hoe ze steeds wilder worden, als een storm die in een orkaan overgaat.

Mark noemt Tracy een sukkel omdat ze de schaal liet vallen voordat hij macaroni en kaas kon opscheppen en Tracy schreeuwt dat het per ongeluk ging. Andy pakt een handvol macaroni en kaas van zijn bord, gooit het op Marks bord en zegt: 'Hier, neem mijn macaroni maar.' Mark roept: 'Voedselgevecht!' Hij graait in zijn eten en gooit een handvol erwten en wortels op Andy's bord.

Steven gaat staan, strekt zijn armen uit en roept: 'Geen voedselgevecht,' en B.J. schiet een lepel vol erwten en wortels over Stevens hoofd heen. Oranje en groene projectielen vliegen over tafel en belanden op mijn en Tracy's hoofd, en we beginnen allebei te gillen en te lachen.

'Moet ik soms komen kijken?' roept tante Carol.

'Het is Marks schuld,' roept Andy.

'Het is Tracy's schuld,' roept Mark.

'Ik tel tot tien,' roept tante Carol.

Faith Ann gaat op haar knieën zitten en duwt haar glas melk omver. De melk stroomt van de tafel in Marks schoot en Mark springt overeind en slaat daarbij Andy en B.J. van de bank af. Faith Ann gilt dat haar melk weer omgevallen is en Andy krabbelt overeind en geeft Mark een stomp tegen zijn arm.

'Tien,' roept tante Carol.

Tante Carol duwt de klapdeuren open en vult met haar grote, brede gestalte de hele keuken.

Heel even, net voordat de klapdeuren zich weer sluiten, zie ik oom Bob aan het hoofd van de tafel zitten. Hij kijkt niet op, legt alleen zijn vork en mes neer en pakt de krant.

Na het eten is het tijd om in bad te gaan.

Na het baden is het tijd om onze pyjama's aan te trekken.

Daarna mogen we tv kijken, maar niet langer dan een halfuur.

Dat is de regel.

Na het tv kijken is het tijd om te gaan slapen, Tracy en ik delen het grote tweepersoonsbed.

Ik lig in bed en zie buiten voor het grote raam boomtakken, een donkere hemel en een klein stukje van de maan.

Ik ben moe maar tegelijkertijd klaarwakker en ik weet dat Tracy ook wakker is en wacht tot Faith Ann en Bobbie Lou dieper gaan ademhalen en in slaap zijn gevallen.

Het is heel lang stil en dan trekt Tracy de dekens over ons hoofd.

'Kom,' fluistert Tracy.

Ze tast in het donker rond, duwt een schuifje omhoog en dan schijnt er een wit licht in mijn gezicht en zie ik witte en zwarte stippen voor mijn ogen.

Ik hou het licht tegen met mijn hand en knipper met mijn ogen tot ze aan het licht gewend zijn.

'Hoe kom je daaraan?' zeg ik.

Tracy gaat in kleermakerszit zitten en legt haar vinger tegen haar lippen.

'Je moet fluisteren,' fluistert Tracy, 'anders hoort mama je.'

'Nou?' fluister ik.

Tracy glimlacht geheimzinnig, in haar donkere ogen flitst wit licht.

'Van de jongenskamer,' fluistert Tracy. 'Ik heb hem verstopt, voor als je weer zou komen logeren.'

'Echt waar?' zeg ik. Ik draai me om en ga ook rechtop zitten.

'Fluisteren,' fluistert Tracy.

Tracy strijkt met haar handen over haar gezicht en duwt haar lange, donkere haar naar achteren.

'En dan is het nu tijd,' fluistert Tracy, 'voor geheime voorspellingen.'

Tracy pakt met beide handen mijn hand vast, draait hem om en volgt met haar wijsvinger de lijnen in mijn handpalm. Haar vinger kriebelt en ik moet op mijn lip bijten om niet te gaan lachen.

'Ik zie een lang leven,' zegt Tracy, 'waarin veel gereisd wordt.'

'Dat lieg je,' fluister ik.

Tracy kijkt me recht aan, haar donkere ogen staan heel ernstig.

'Mama zegt dat dit een levenslijn is,' fluistert Tracy, 'en die kleine lijntjes vanuit de levenslijn betekenen dat je gaat reizen.'

Ik kijk naar de lijnen in mijn handpalm en zie alleen maar lijnen. Tracy prikt met haar vinger in mijn hand.

'Deze deukjes betekenen pijn,' fluistert Tracy. 'Jij hebt heel veel van die deukjes.'

Ik hou mijn handpalm vlak voor mijn gezicht.

'Je bedoelt vallen en je knie schaven?' fluister ik.

Tracy haalt haar schouders op en fronst haar voorhoofd. Ze opent haar eigen hand, houdt hem in het licht en we kijken naar haar handpalm.

'Ik val heel vaak,' fluistert Tracy, 'maar ik heb die deukjes niet.'

Tracy kijkt naar mij en ik kijk naar Tracy en een akelig gevoel kruipt langs mijn nek omhoog en in mijn neus.

Als ik boven de dekens een geluid hoor, trek ik snel mijn hand terug en ga plat op mijn rug liggen. Tracy doet de zaklantaarn uit, alles wordt zwart om ons heen, en duwt de dekens van ons hoofd.

Tracy blijft doodstil liggen. Ik blijf doodstil liggen.

Het is zo stil dat het huis lijkt te slapen en ik adem heel langzaam uit, de gedachten aan mijn hand, de pijn en het lange leven spoken door mijn hoofd.

Tracy rolt dicht tegen me aan en ik draai me ook op mijn zij zodat we met onze neuzen en knieën tegen elkaar komen te liggen. Ik kan Tracy's ogen niet zien in het donker, ik zie alleen schaduwen daar waar haar ogen moeten zijn.

'Denk je dat het waar is?' fluister ik.

'Mama zegt dat je handen nooit liegen,' fluistert Tracy.

Tracy slaat haar arm om me heen en geeft me een soort halve knuffel.

'Ik wou dat je hier altijd kon blijven,' fluistert Tracy.

Ik sla mijn armen om Tracy heen en ze voelt warm en zacht aan. Het is leuk om zo dicht bij Tracy te zijn, leuk om een lievelingsnichtje te hebben en te weten dat ik ook haar lievelingsnichtje ben.

'Ik ook,' fluister ik.

Hoofdstuk drie

Er is iets naars gebeurd in Californië. Dat zie ik aan de manier waarop papa naar mama kijkt en dan snel wegkijkt. Dat hoor ik aan mama's stem die hoog en verkeerd klinkt.

Als ze thuiskomt, zegt niemand iets over dat naars en gaat alles weer zijn oude gang. Papa gaat naar zijn werk, B.J. gaat naar school en mama en ik zijn de hele dag samen thuis.

Ik haal koffie voor haar in haar speciale porseleinen kopje, draag het dienblad naar haar kamer en ze noemt me haar zonnetje, net als vroeger.

Maar haar ogen hebben niet meer die speciale blik.

Mama's donkere ogen hebben het te druk met andere dingen.

Mijn maag draait en draait zoals hij doet als ik honger heb, alleen heb ik helemaal geen honger. Ik aai Diana over haar zandkleurige vacht, vanaf haar kopje tot aan het puntje van haar staart.

Mama slurpt van haar koffie en haar donkere ogen schieten heen en weer alsof ze iets kwijt is. Mama doet haar kopje helemaal achterover en zet hem dan terug op het schoteltje.

'Ik heb er genoeg van,' zegt mama.

'Genoeg van wat?' zeg ik.

'Van dit huis,' zegt mama, 'deze kamer, dit bed. Ik heb er meer dan genoeg van.'

Mama's ogen schieten heen en weer, heen en weer.

'Mama?' zeg ik.

Haar donkere ogen kijken naar mij, schieten heen en weer. Ze knippert één keer heel langzaam met haar ogen en dan blijven ze naar me kijken.

'Ik moet naar dokter Smernoff,' zegt mama.

'Dokter Smernoff?' zeg ik.

'Inderdaad,' zegt mama. 'Dokter Smernoff is mijn vriend, hij vertelt me de waarheid wel, hij zoekt alles tot op de bodem uit.'

'De bodem?' zeg ik.

'Inderdaad,' zegt mama.

Ze perst haar lippen op elkaar en zelfs met rode lippenstift zien ze er nog bleek, en zelfs een beetje blauw, uit. Mama's ogen schieten weer heen en weer. Ze strijkt met haar tong langs haar lippen.

'Ik heb mijn zwarte broek nodig,' zegt ze, 'en een truitje. Zoek jij er maar een uit.'

'Gaan we naar Reno om een dokter op te zoeken?' zeg ik.

'Inderdaad,' zegt ze.

Mijn hart bonst in mijn oren als ik me van de California King af laat glijden. In de inloopkast liggen stapels opgevouwen truitjes, groene, blauwe, zwarte, witte en rode. Ik kies een rood truitje omdat die kleur haar perfect staat.

Mama staat naast haar bed en ik zie de omtrek van haar lichaam door haar nachtpon heen. Haar benen kunnen haar gewicht niet dragen en ze begint te wankelen en legt een hand op het nachtkastje om in evenwicht te blijven.

'Niets aan de hand,' zegt ze. 'Alles is in orde.'

Ik leg het truitje op het bed en ga op mijn knieën zitten. Haar krukken liggen op de grond onder het bed en ik trek ze naar me toe en zet ze rechtop zodat ze erbij kan.

'Dank je wel, lieverd,' zegt ze.

Mama pakt een van de krukken, doet haar arm door het armgat en gaat rechtop staan. Ze ademt in en uit alsof ze niet genoeg lucht krijgt en op haar bovenlip zitten zweetdruppeltjes. Mama haalt diep adem en legt haar hand op haar hart.

'Dit gaan we doen,' zegt ze. 'Jij gaat je aankleden. Zoek maar iets moois uit, een jurk, die witte jurk met rode bloemetjes.'

'Kunnen we niet beter hier blijven?' zeg ik.

'En doe je rode maillot erbij aan,' zegt ze.

'Kun je niet beter in bed blijven?' zeg ik.

Ze veegt het zweet van haar bovenlip en schudt haar hoofd.

'Dat ziet er vast perfect uit,' zegt mama, 'dan passen we precies bij elkaar.'

Mama begint te wankelen op haar ene kruk en ik steek mijn hand uit om haar te helpen, hoewel ik weet dat ik haar onmogelijk zal kunnen opvangen als ze valt. Ze vindt haar evenwicht terug en zet haar voeten iets uit elkaar.

De blik in mama's ogen, de ochtendzon die door de wilgentakken heen de slaapkamer binnen schijnt, Moshe en Diana die nog op het bed liggen, en ik weet gewoon dat we het huis aan Mary Street beter niet kunnen verlaten.

Big Red en *Baby Blue* zijn sportwagens en ze staan in de garage voor het huis. *Red* is van papa, *Blue* van mama.

De stoelen in *Baby Blue* zijn van wit leer, de hele auto ruikt ernaar, die geur van leer in een auto met dichtgedraaide raampjes die lang stil heeft gestaan.

Mama draagt haar zwarte broek, haar rode truitje en een lange, zwarte jas. Ik draag mijn witte jurk met rode bloemetjes en mijn rode maillot.

'Als het goed is, zit alles in het handschoenenvakje,' zegt ze.

Ik steek mijn hand uit, draai de zwarte knop om en het handschoenenvakje klapt open. In het vakje liggen de drie voorwerpen die mama nodig heeft bij het autorijden: de zwart sjaal met grote, rode rozen, haar autohandschoenen en haar zonnebril met vlindermontuur.

'Perfect,' zegt ze.

Mama vouwt de sjaal open tot een groot vierkant, vouwt het vierkant in een driehoek en legt hem op haar hoofd. Ze trekt de uiteinden van de driehoek onder haar kin door en knoopt ze samen in haar nek.

Nu de handschoenen, ze trekt eerst de ene en dan de andere aan en drukt op de drukknopjes op haar polsen.

De zonnebril is als laatste aan de beurt, mama duwt met beide handen de stangetjes omhoog, doet haar hoofd naar beneden om hem op te zetten en kijkt me dan met een filmsterrenglimlach om de lippen aan.

'Goed?' zegt ze.

'Perfect,' zeg ik.

'Mooi?' zegt ze.

'Een en al stijl,' zeg ik.

Mama's ogen gaan schuil achter de zonnebrilglazen, maar haar glimlach is zo breed dat haar wangen perfect rond zijn. Ze lacht, met het hoofd achterover, en legt haar hand op mijn been.

'Het voelt zo goed om er even uit te zijn,' zegt ze.

Mama start *Blue* en de motor slaat met veel geproest en gesputter aan. Ze drukt met haar voet het gaspedaal in, een paar keer achter elkaar.

Papa zegt dat *Baby Blue* en *Big Red* Duitse sportwagens zijn met heel fijn afgestelde motoren. Papa zegt dat je de motor nooit mag laten brullen, nooit en te nimmer.

Mama laat de motor nog een paar keer brullen, drukt dan op het andere pedaal en zet *Baby Blue* in zijn achteruit.

'Daar gaan we dan,' zegt ze.

De voortuin is een grote lap gras waar een wilg op staat en om de tuin zit een wit houten hek.

Moshe rent onder het hek door en zoekt dekking onder een struik naast de voordeur.

We rijden achteruit de oprit af, de zon komt door de voorruit naar binnen. In het zonlicht ziet mama er helemaal niet goed uit. Er zit te veel poeder op haar kin en haar lippenstift zit buiten de lijntjes.

Ze zet de auto in een andere versnelling en rijdt heel langzaam door Mary Street. Ik draai me om in mijn stoel en kijk door de achterruit naar het huis. Mama slaat rechtsaf en het huis aan Mary Street is verdwenen.

'Draai je nu maar weer om, mijn zonnetje,' zegt mama.

Ze blijft voor een stoplicht staan en ik zie dat er zweetdruppeltjes op haar bovenlip zitten en dat de poeder daar loslaat. Mama kijkt me aan, de zonnebril met vlindermontuur op haar neus, en ik kan haar ogen nu helemaal niet meer zien.

'Je moet je gordel nog omdoen,' zegt ze.

'Die heb ik nooit om,' zeg ik.

'Dat weet ik,' zegt ze, 'maar wil je het deze keer wel doen? Alleen voor mij?'

Mama glimlacht en ik zie een veeg rode lippenstift op haar tanden zitten. Ik wrijf met mijn vinger over mijn tand heen.

'Er zit lippenstift op je tand,' zeg ik.

Mama doet haar hoofd achterover, kijkt in de achteruitkijkspiegel en veegt de lippenstift weg.

'Dank je wel, schat,' zegt ze. 'Maar nu je gordel omdoen.'

Ik draai me om en trek de veiligheidsgordel om me heen en klik hem aan de andere kant van de stoel vast, de gordel zit strak om mijn middel.

De auto achter ons begint te toeteren en mama kijkt weer in de spiegel.

'Nou, je wacht maar even, hoor,' zegt ze tegen de spiegel.

Ze steekt haar in een zwarte handschoen gestoken hand op, legt hem op de versnellingspook en rijdt het kruispunt op.

'Iedereen heeft ook zo'n haast,' zegt ze.

Als ik een gordel om heb, zit ik zo laag in mijn stoel, dat ik alleen de binnenkant van de deur en het handschoenenvakje kan zien.

Ik kan de auto die ons van opzij aanrijdt en naar de andere kant van de straat duwt dan ook niet zien. Het enige wat ik zie is mama die op het rempedaal drukt, hard het stuur naar rechts trekt en dan zo hard achteroverklapt dat haar hoofd ervan knakt. Een auto begint te toeteren, dan beginnen een heleboel auto's te toeteren en ik hoor iemand gillen, gillen, gillen.

'Rustig maar, kleine meid,' zegt een politieagent, 'je mankeert niets en met je mama is ook alles goed, rustig nou maar.'

Alles aan de politieagent is groot, zijn handen, zijn armen, zijn borstkas. Zijn neus is ook groot en zijn ogen zijn donkere stippen onder donkere wenkbrauwen. De politieagent pakt met zijn grote handen mijn armen vast en schudt me heen en weer.

'Mama is ergens tegenaan gebotst,' roep ik. 'Maar dat mag ze helemaal niet doen.'

'Nou, ze heeft het toch gedaan,' zegt de grote politieagent.

'Hoe heet je?' zegt de grote politieagent. 'Waar woon je?'

Een andere politieagent komt met mama's handtas aanlopen en hij is niet zo groot. Hij doet haar handtas open, graait in haar spullen en haalt haar dunne, zwarte portefeuille eruit.

'Lauck,' zegt hij. 'De naam van de bestuurster is Janet Lauck.'

Alles aan me beeft: mijn benen, mijn armen, mijn rug. Ik ben steenkoud en doe mijn armen over elkaar. 'We wonen in Mary Street,' zeg ik.

'Nou, dan zijn jullie niet erg ver gekomen,' zegt de grote politieagent.

'Waar is mama?' zeg ik.

'Ze wordt naar het ziekenhuis gebracht,' zegt de grote politieagent. 'Ze heeft een buil op haar hoofd.'

De kleine politieagent haalt een potje met pillen uit mama's handtas, schudt het potje heen en weer en bekijkt het etiket.

'Is je moeder ziek?' zegt hij.

Er zit een scheur in mijn rode maillot, vlak boven mijn knie, en
mijn mond doet zeer. Ik druk mijn arm tegen mijn mond en voel
natte spuug op mijn huid.

'Ze had een goede dag,' zeg ik, 'ik dacht dat ze een goede dag
had.'

'Op dit etiket staat de naam van dokter Smernoff,' zegt de politieagent, 'is dat haar dokter?'

Ik knik.

'We waren op weg naar de dokter,' zeg ik.

'Nou, dat is tenminste iets,' zegt de politieagent. 'Dan ga ik die
dokter Smernoff maar eens bellen.'

Dokter Smernoff heeft een wachtkamer met stoelen die in een rij
langs de wand staan, een tafel waarop een stapel tijdschriften ligt en
een balie waarachter zijn assistente zit te werken en te telefoneren.
Ik kwam hier vroeger voor mijn inentingen, maar ik herinner me
vooral nog dat ik na afloop altijd een snoepje kreeg, soms met ci-
troensmaak, soms met kersensmaak. Citroen vond ik het lekkerst.

Ik zit op een stoel en kijk naar een skelet dat aan een draad hangt,
maar dat skelet herinner ik me niet van vroeger. Het skelet bestaat
uit botten, sommige zijn krom en andere zijn recht.

Dokter Smernoff is een klein mannetje en hij praat met een ac-
cent en slist. Hij duwt zijn handen in de zakken van zijn witte jas,
knikt tegen de grote en de kleine politieagent, zij praten, hij luistert. Dan kijken ze naar mij, dokter Smernoff met zijn hoofd iets
schuin, en lopen naar de andere kant van de wachtkamer. De assistente komt en geeft me een snoepje met kersensmaak.

'Je vader komt je dadelijk ophalen,' zegt de assistente.

Ik haal de wikkel van het snoepje en stop hem in mijn mond, hij
is een beetje zuur en een beetje zoet.

Papa komt de wachtkamer binnen en hij kijkt heel bezorgd. Ik haal het snoepje uit mijn mond en hij knielt naast me neer.

'Hallo, pap,' zeg ik.

Papa lacht, maar het klinkt vreemd, helemaal niet echt. Hij geeft me een dikke knuffel en houdt me dan op armlengte afstand.

'Is alles goed met je?'

'Mijn maillot is stuk,' zeg ik.

Papa legt zijn ene hand op mijn hoofd en de andere op de scheur in mijn rode maillot.

'Maar met jou is alles goed?' zegt papa. 'Je hebt je geen pijn gedaan?'

'Ik had mijn gordel om,' zeg ik en schud mijn hoofd.

'Wat deed ze in godsnaam in die auto?' zegt papa.

'We wilden weg,' zeg ik, 'zij wilde weg, ze wilde naar dokter Smernoff.'

De dokter komt naar ons toe en legt zijn hand op papa's arm. Papa gaat staan en de politieagenten, papa en Dokter Smernoff beginnen te praten zoals grote mensen met elkaar praten, door elkaar heen.

Papa doet zijn handen omhoog en de politieagenten stellen hem nog een paar vragen en slaan dan hun notitieboekje dicht. De politieagenten vertrekken en de grote politieagent wuift naar me.

Ik weet niet goed wat ik moet doen, ook wuiven, niet wuiven, en ik glimlach alleen maar en stop het snoepje weer in mijn mond.

Papa en dokter Smirnoff staan dicht bij elkaar en praten op fluistertoon met elkaar. Ik weet dat ze het over dat naars hebben dat in Californië gebeurd is. Dokter Smernoff klopt papa zacht op zijn rug wat er grappig uitziet omdat papa zo groot is en dokter Smernoff zo klein.

'Er moet iets gebeuren,' zegt papa, 'ze hoort in een ziekenhuis.'

Papa's stem klinkt niet goed, veel te hard.

Dokter Smernoff kijkt naar me en legt zijn hand weer op papa's rug, maar papa trekt zijn schouder weg.

'Kom, Juniper,' zegt papa, 'we gaan.'

'En mama dan?' zeg ik.

Papa perst zijn lippen op elkaar en kijkt naar dokter Smernoff.

'Je doet hier verkeerd aan,' zegt dokter Smernoff. 'Ze hoort niet in een inrichting, Bud.'

Papa trekt me van de stoel af en ik struikel bijna over mijn eigen voeten.

'Toe, Bud,' zegt dokter Smernoff. 'Neem nou geen overhaaste beslissingen.'

'We gaan,' zegt papa.

Dokter Smernoff staat naast het skelet, de handen in zijn zij, alsof hij niet goed weet wat hij moet doen.

'Dag, dokter Smernoff,' zeg ik.

Dokter Smernoff steekt zijn hand op en wuift langzaam naar me.

'Dag, Jennifer,' zegt hij.

Tracy, Faith Ann en ik zijn de hele middag katten en kat-zijn is veel moeilijker dan het lijkt. Katten lopen namelijk op handen en voeten en kunnen niet praten. Het enige geluid dat je mag maken is miauwen of brommen, en eventueel wat grauwen.

We kruipen door de achtertuin, onder de struiken door, op zoek naar ratten en vogels die we kunnen bespringen. Als we geen ratten en vogels kunnen vinden, kruipen we de traptreden naar de achterveranda op en eten harde Purina kattenbrokjes, uit een kommetje, precies zoals katten doen. De kattenbrokken zijn hard en knapperig en smaken naar papier. Na de kattenbrokken likken we onze pootjes af en strijken ermee langs ons gezicht.

Faith Ann is de beste kat van allemaal, ze springt en hupt met haar slanke lijf en past zelfs in de kleinste hoekjes. Zij neemt het kat-zijn ook het meest serieus, lacht nooit, zelfs niet als ze spuug op haar gezicht of in haar haar smeert.

'Ik heb er geen zin meer in,' zeg ik, 'mijn knieën doen zeer.'

'Ik ook niet,' zegt Tracy.

'Miauw, miauw,' zegt Faith Ann.

Ik lig onder de grote boom in de achtertuin van tante Carols huis en droge grassprieten prikken door mijn T-shirt heen in mijn huid. Tracy gaat vlak naast me liggen, languit, alleen liggen haar voeten naast mijn hoofd en haar hoofd naast mijn voeten. Tracy legt haar hand in mijn hand, onze vingers grijpen in elkaar. Ze knijpt hard en ik knijp terug en het is leuk om zo stil naast elkaar te liggen en elkaars hand vast te houden.

Faith Ann kruipt over mijn benen, en over Tracy's hoofd. Tracy slaat naar Faith Ann.

'Hou daarmee op, Faith,' zegt Tracy.

'Miauw,' zegt Faith Ann.

Faith Ann kruipt de andere kant op, over onze buiken heen, en duwt haar gezicht tegen mijn hand aan.

'Ik wil geen kat meer zijn, Faith Ann,' zeg ik.

'MIAUW,' zegt Faith Ann.

'Ophouden,' zegt Tracy, 'we hebben er geen zin meer in.'

Faith Ann kromt haar vingers tot klauwen, sist en maakt krabbende bewegingen in de richting van Tracy.

'HOU OP,' roept Tracy.

Faith Ann trekt als een kat haar neus op, schudt als een kat met haar hoofd en kruipt onder een struik.

Een dag, twee dagen, drie dagen verstrijken maar het lijkt wel of we het huis aan Mary Street een eeuwigheid geleden verlaten hebben.

Tante Carol gaat naar ons huis om wat kleren en speelgoed op te halen. Ze zegt dat alles in orde is, ze zegt dat mama in een speciaal ziekenhuis is en dat papa aan een speciaal project werkt. Tante Carol zegt dat ik maar gewoon met de meisjes moet gaan spelen en plezier moet maken, alleen heb ik er steeds meer moeite mee om plezier te maken.

Zonder mama voel ik me verloren, voel ik me leeg vanbinnen, een leegte die zelfs Tracy niet op kan vullen.

Het is zondagmorgen en tante Carol, B.J. en ik zijn in de woonkamer waar kinderen niet mogen komen en ik zit op de vloer, tussen tante Carols dikke benen. Tante Carol borstelt mijn haar en doet er een elastiekje om.

'Het zit veel te strak zo,' zeg ik, 'dat doet pijn.'

'Niet zeuren,' zegt tante Carol. 'Zo blijft het beter zitten.'

Ik draag een witte maillot en een rode jurk met een wit lint om mijn middel. B.J. draagt zijn beste, marineblauwe broek met een wit overhemd en een geruit, dichtgeknoopt vest eroverheen. Hij zit op de bank waar kinderen niet mogen zitten, de kin op zijn borst, en kijkt vanonder zijn wenkbrauwen omhoog.

Tante Carol trekt mijn haar nog een keer door het elastiekje heen en als ze nu loslaat zit de huid van mijn gezicht ook veel te strak.

'Je ziet eruit als een rat,' zegt B.J.

'Nee hoor, helemaal niet,' zegt tante Carol. Ze gaat staan en loopt de kamer uit.

B.J.'s kin rust nog steeds op zijn borst, zijn donkere ogen staan boos en zijn mond is niet meer dan een dun lijntje.

'Welles,' fluistert B.J. 'Je ziet eruit als een rat.'

'MIAUW,' zeg ik en maak krabbende bewegingen met mijn handen.

Tante Carol komt de kamer weer binnen, ze heeft een rood lint in haar hand.

'Geen ruzie maken,' zegt tante Carol, 'stil blijven zitten en braaf zijn.'

Tante Carol doet het lint om mijn paardenstaart.

Er wordt op de voordeur geklopt, we kijken alle drie op.

'Dat zal je vader zijn,' zegt tante Carol.

Papa komt binnen en opeens is alle boosheid van B.J.'s gezicht verdwenen. Hij rent de woonkamer door en slaat zijn armen om papa's hals. Ik probeer ook overeind te komen, maar tante Carol houdt me tegen met haar handen die het lint strikken.

'Hé, grote kerel van me,' zegt papa, 'wat is dat nou?'

Papa houdt B.J. op armslengte afstand en kijkt naar zijn gezicht. Ik kan B.J. niet zien, maar ik weet bijna zeker dat hij huilt, en dat had ik toch wel graag willen zien. Papa haalt zijn zakdoek te voorschijn, maar B.J. schudt zijn hoofd.

'Ik heb je gemist, pap,' zegt B.J. zacht, zijn stem klinkt bedroefd.

'Ik heb jou ook gemist,' zegt papa. 'Ik heb jullie alle twee gemist.'

Papa ziet eruit zoals altijd, alleen heeft hij zijn vrijetijdskleren aan, een spijkerbroek met een T-shirt en een donkerrode v-halstrui eroverheen. Hij gaat staan en strijkt met zijn vingers door B.J.'s haar.

'Hallo, Juniper,' zegt hij. 'Wat zie jij er mooi uit.'

Tante Carol schraapt haar keel, haar handen drukken zwaar op mijn schouders.

'Ik dacht dat je met ze naar de kerk wilde,' zegt tante Carol.

'Vandaag niet,' zegt papa.

Ik wring me in allerlei bochten om bij tante Carol weg te komen. Papa bukt zich, tilt me op en drukt me tegen zich aan.

'Daar is mijn grote meid,' zegt hij.

'Zie ik eruit als een rat?' zeg ik.

60

'Natuurlijk zie je er niet uit als een rat,' zegt papa. 'Je ziet eruit als een prinses.'

'Ik heb ze speciaal aangekleed voor de kerk,' zegt tante Carol.

'Vandaag niet, Carol,' zegt papa, 'we gaan ergens ontbijten.'

Tante Carol gaat staan, met de borstel in haar hand, en slaat het handvat tegen haar handpalm aan.

'Ik vind echt dat je naar de kerk moet gaan, Bud,' zegt tante Carol. 'Op een moment als dit moet je bidden.'

Papa schudt zijn hoofd, zijn bruine ogen staan moe. Hij zet me op de grond, legt zijn ene hand op mijn schouder en de andere op B.J.'s stekeltjeshaar.

'Wat gebeurd is, is gebeurd,' zegt papa. 'Daar wordt het met bidden niet anders van.'

B.J. doet zijn hoofd achterover, zijn donkere ogen zijn groot.

'Wat is er gebeurd?' zegt B.J.

Tante Carol staat wijdbeens, de handen in de zij, en kijkt papa lang en doordringend aan.

Misschien weet papa niet dat tante Carol over magische krachten beschikt en ik kijk omhoog naar zijn gezicht en naar tante Carol. Papa en tante Carol zwijgen, het is stil in de kamer en boven me hoor ik het gebons van voeten, van mijn neven en nichten, alsof ze op en neer staan te springen.

B.J.'s gezicht wordt rozerood van kleur, hij kijkt naar tante Carol, naar papa en dan weer naar tante Carol.

'Wat is er aan de hand, pap?' zegt B.J.

Papa wendt zijn hoofd af van tante Carol en glimlacht tegen B.J.

'Dat vertel ik jullie later wel,' zegt papa. 'Kom, we gaan.'

In de Nugget is de dag in nacht veranderd en overal klinkt het lawaai van gokautomaten: van geld dat in metalen laden valt, van munten die een voor een in gleuven worden gegooid, en van het gebonk van de hendels van gokautomaten die naar beneden worden getrokken.

Mannen en vrouwen zitten op krukjes voor de fruitautomaten, de ogen strak gericht op voorbijschietende kersen en appels, sinaasappels en bananen.

Mama zegt dat gokken de ergste vorm van zwakte is, dat ze niks moet hebben van casino's en weddenschappen, dat je spelletjes die door anderen bedacht zijn nooit kunt winnen.

Papa blijft bij een fruitautomaat staan, stopt zijn hand in zijn zak en haalt een kwartje te voorschijn.

'Laten we ons geluk maar eens gaan beproeven,' zegt papa.

B.J. en ik doen een paar passen achteruit en kijken toe hoe hij het kwartje in de gleuf gooit, aan de lange hendel trekt en hem dan weer loslaat. B.J. gaat op zijn tenen staan en kijkt naar het voorbijschietende fruit. Een, twee, drie, boink, boink, boink, en dan vallen er een paar munten in de la.

'Wauw,' zegt B.J., 'je hebt gewonnen!'

'Kijk eens aan,' zegt papa, 'we hebben zowaar een beetje geluk vandaag.'

Papa haalt een kwartje uit de la, stopt hem in de gleuf, trekt aan de hendel.

B.J. gaat naast papa staan en kijkt naar de voorbijschietende plaatjes.

De automaat gaat van boink, boink, boink en er vallen nog meer munten in de la. Het geluid van metaal op metaal, van munten die in het rond springen.

'Het geld stroomt binnen,' zegt B.J.

'Ja, daar lijkt het wel op,' zegt papa.

'We moeten gaan,' zeg ik.

B.J. duwt met zijn vlakke hand tegen mijn schouder.

'Gaan?' zegt hij. 'Hij wint net.'

Papa kijkt het casino in en knijpt zijn ogen half dicht alsof hij last van het licht heeft, hoewel het hier donker is.

'Ze heeft gelijk,' zegt papa. 'Gaan jullie maar vast een tafeltje uitzoeken, dan probeer ik het nog één keer.'

'Maar pap,' zegt B.J.

Papa pakt een kwartje uit de la en houdt hem omhoog voor B.J.

'Als jij je zus meeneemt en een tafeltje gaat zoeken,' zegt papa, 'dan gooi ik deze er voor jou in.'

B.J. kijkt van mij naar het kwartje.

'Oké,' zegt B.J.

B.J. legt zijn hand op mijn rug en ik begin harder te lopen zodat hij me niet kan aanraken.

Dan volgt het geluid van geld dat in de gleuf wordt gegooid, van de hendel die naar beneden wordt getrokken, en als ik achteromkijk zie ik papa's gezicht in het licht van de lampen van de fruitautomaat.

We nemen een tafeltje met banken en B.J. trekt een bingokaart uit de houder en vult met een zwart potlood de nummers in. Ik zit op een hoek van de bank, strijk mijn jurk glad en kijk achterom naar de fruitautomaten, maar papa zie ik niet meer. Tante Carols paardenstaart doet pijn en ik draai mijn hoofd heen en weer.

Een serveerster komt naar ons toe, ze heeft fel oranje haar dat hoog is opgestoken. Ze glimlacht met een rode lippenstiftglimlach tegen B.J. en mij.

'Helemaal alleen?' zegt de serveerster.

B.J. trekt zijn kin in en kijkt de serveerster boos aan.

'Mijn vader komt zo,' zegt B.J.

De serveerster kijkt in de richting van het casino en dan naar mij en naar B.J. Ze legt drie menukaarten op tafel en glimlacht nog een keer.

'Oké,' zegt ze. 'Ik kom zo terug.'

B.J. pakt een menukaart en houdt hem voor zijn gezicht, het enige wat ik zie zijn z'n vingers op het plastic.

Ik schuif helemaal naar de andere kant van de bank, pak ook een menukaart en leg hem opengeslagen voor me op tafel.

'Was dat even geluk hebben,' zegt papa.

Papa heeft zijn handen vol kwartjes, hij gaat zitten en laat het geld op tafel vallen. De munten rollen weg, draaien in het rond en vallen neer. B.J. legt zijn menukaart neer en kijkt er met grote ogen naar.

'Hoeveel zijn dat er?' zegt B.J.

B.J. begint de kwartjes op te stapelen.

'In ieder geval genoeg voor het ontbijt,' zegt papa, 'en dan blijven er ook nog wel een paar voor jou over, jongen.'

Papa gaat op de bank zitten en pakt zijn menukaart. De serveerster komt terug met een kan koffie.

'Hé, Bud,' zegt de serveerster. 'Zijn dit jouw kinderen?'

'Inderdaad,' zegt papa.

Ze giet zijn kopje vol, haar andere hand ligt op haar hart.

'Goh, ik wist helemaal niet dat je kinderen had,' zegt de serveerster. 'En wat zien jullie er mooi uit.'

Papa glimlacht en kijkt naar mij en naar B.J.

'Wat zeggen jullie dan?' zegt papa.

'Dank u wel,' zeg ik.

B.J. laat de kwartjes even met rust en legt zijn handen in zijn schoot, de ogen neergeslagen. Hij kijkt naar de serveerster en dan weer naar beneden. De serveerster begint te lachen.

'Je zoon is een echte hartenbreker,' zegt ze.

B.J.'s gezicht en nek zijn vuurrood geworden en de serveerster lacht nog eens.

'Ik kom zo terug,' zegt de serveerster.

Papa doet zijn menukaart open. B.J. doet zijn menukaart open. Ik doe mijn menukaart dicht.

'Ik weet al wat ik neem,' zeg ik.

'Geroosterd brood met boter?' zegt papa.

Ik knik en schuif de menukaart van me weg.

'Mag ik warme chocolademelk?' zegt B.J.

'Natuurlijk,' zegt papa, terwijl hij zijn menukaart dichtklapt en met beide handen zijn koffiekopje vastpakt.

Ik probeer mijn vinger achter het elastiekje van mijn paardenstaart te krijgen, maar hij zit te strak.

De serveerster komt terug en trekt een potlood uit haar haar.

'Al een keuze gemaakt?' zegt de serveerster.

Papa zegt dat hij het vandaag bij koffie houdt, ik bestel geroosterd brood met boter en B.J. wil roerei met gebakken spek. We krijgen alle twee warme chocolademelk.

B.J. gaat verder met het opstapelen van de kwartjes, acht stapeltjes staan er al, de rest ligt nog op een hoop.

Papa nipt aan zijn koffie en schraapt zijn keel.

'Zo,' zegt papa.

Hij schraapt nog een keer zijn keel en kijkt naar de koffie in zijn kopje.

'Zo,' zegt papa. 'Ik moet jullie iets vertellen, jongens.'

Vanuit het casino klinkt het geratel van munten die in de metalen laden van de fruitautomaten vallen. B.J. laat zijn kwartjes los, kijkt naar mij en dan naar papa.

'Jullie moeder moest naar een speciaal ziekenhuis,' zegt papa.

Papa kijkt naar B.J., naar mij en dan weer naar beneden.

'Dat wil zeggen, ik vond dat ze daar naartoe moest,' zegt papa.

'Pap?' zegt B.J.

Papa knippert met zijn ogen alsof hij verbaasd is dat we er nog steeds zijn en schraapt dan zijn keel.

'Hoe dan ook,' zegt papa, 'we moeten op zoek naar een andere plek voor jullie mams en ik denk dat Californië daarvoor het meest geschikt is. Daar is ze nu ook.'

'In Californië?' zegt B.J.

'Ja,' zegt papa.

'Wanneer komt ze dan terug?' zeg ik.

Het is weer stil aan tafel, papa kijkt het restaurant rond alsof hij iets zoekt.

'Dat is het nou juist,' zegt papa. 'Ze komt niet terug.'

'Komt ze niet terug?' zegt B.J.

'Nee,' zegt papa. 'Wij gaan naar haar toe.'

'Naar Californië?' zeg ik.

'Inderdaad,' zegt papa.

'Gaan wij naar Californië?' zegt B.J.

'Ja,' zegt papa.

'Voorgoed?' zeg ik.

'Voorlopig,' zegt papa.

'Maar pap,' zegt B.J., 'hoe moet het dan met school?'

'En met Moshe en Diana?' zeg ik.

'En met al mijn vrienden?' zegt B.J.

'En met ons huis?' zeg ik.

Papa pakt de bovenkant van zijn neus vast en knijpt erin. Als hij zijn neus weer loslaat, blijven er twee witte vlekjes op achter.

'Luister,' zegt papa, 'we kunnen altijd teruggaan voor een bezoek. We verhuizen naar een nieuw huis, een mooier huis, en voor Moshe vinden we ook wel een goed tehuis.'

'En Diana dan?' zeg ik.

Papa legt zijn hand op mijn schouder, ik voel de druk van zijn warme vingers.

'Juniper,' zegt papa, 'alles komt goed. Er is daar genoeg werk, er zijn goede scholen, de zee is vlakbij en de zon schijnt er het hele jaar. Jullie zullen het in Californië geweldig naar je zin hebben.'

B.J. kruipt weg in een hoekje van de bank, zijn ogen zijn gericht op de kwartjes, zijn mond staat open.

Mijn hoofd doet pijn achter mijn ogen en om mijn oren. Ik probeer mijn vinger weer achter het elastiekje te krijgen en deze keer lukt het wel. Ik trek er hard aan en alles glijdt naar beneden, mijn haar valt om mijn gezicht. Ik kijk naar de strik en het elastiekje in mijn hand zonder ze echt te zien.

Papa steekt zijn hand uit en pakt het elastiekje en de strik.

'Jenny, toch,' zegt papa, 'waarom doe je dat nou?'

'Hij zat te strak,' zeg ik.

De serveerster komt aanlopen met twee bekers warme chocolademelk met een dot slagroom erbovenop. Ze zet beide bekers op het uiteinde van de tafel en papa begint gemaakt te glimlachen. Hij houdt het elastiekje en de strik omhoog alsof hij ze aan de serveerster wil laten zien.

'Je hebt je handen er maar vol mee,' zegt de serveerster.

Papa begint te lachen, maar het klinkt vreemd, en schudt dan zijn hoofd.

'Ach, we redden ons er wel mee,' zegt papa.

De serveerster lacht en knikt zoals grote mensen doen als ze niet weten wat ze tegen elkaar moeten zeggen. Ze scheurt onze rekening van haar blocnote, legt hem omgekeerd op tafel en loopt weg.

DEEL TWEE

Hermosa Beach, Californië
1970-1971

Iedere morgen hoop ik dat ik in mijn roze slaapkamer in het huis aan Mary Street wakker word. Maar als ik mijn ogen opendoe, is het eerste wat ik zie de onderkant van B.J.'s stapelbed en dan weet ik dat we niet in het huis aan Mary Street zijn, niet eens in de buurt van Carson City.

We wonen in Hermosa Beach. Papa zegt dat *hermosa* Spaans is voor 'mooi'.

Mooi Strand. Hermosa Beach.

Als je van strand houdt, als je van zee houdt, dan klopt het wel, dan is Hermosa Beach mooi. Maar ik hou niet van de zee, te veel lawaai, te eng en je kunt de bodem niet zien zoals in Lake Tahoe.

Je kunt de zee en het strand vanaf ons huis zien. We wonen op een heuvel, maar een paar huizenblokken van het strand verwijderd, alleen heeft onze straat geen naam zoals Mary Street of Minnesota Street, maar een nummer, achtentwintig.

Ons huis is ook niet ons huis, het is een *triplex* wat betekent dat het een appartement is, alleen zegt papa dat hij *triplex* beter vindt klinken. B.J. zegt dat het niet uitmaakt hoe je het noemt, we huren een appartement en dat betekent dat het niet echt ons huis is. Een *triplex* bestaat uit drie appartementen boven elkaar en wij wonen in appartement nummer een.

28th Street nummer een.

Nummer Een is klein. Als je de voordeur opendoet, sta je meteen in de woonkamer. Vijf passen en je bent in de keuken. Tien passen en meteen naast de koelkast is de deur naar papa en mama's slaapkamer. Een halve slag draaien, vier passen en tegenover de wasmachine en de droogtrommel is de badkamer. Nog eens vier passen en je bent in de slaapkamer die B.J. en ik delen.

Vanuit onze slaapkamer kun je de zon zien opkomen en iedere morgen schijnt die weer. B.J. slaapt overal doorheen, maar als die zon zo naar binnen schijnt, kan ik niet slapen. Ik laat me uit het onderste bed glijden en loop acht passen door de gang naar de slaapkamer van mijn ouders. Ik weet dat mama daar niet is, maar het voelt goed om mijn oor tegen de deur te leggen en te luisteren. Als ik mijn ogen dichtdoe, zie ik Moshe en Diana voor me, zandkleurige kattenlijven, diepblauwe kattenogen. Als ik mijn ogen weer opendoe, zijn Moshe en Diana er niet. Ik weet niet waar ze zijn.

Als mama niet thuis is, geldt de regel niet. Ik leg mijn hand op de deurknop en draai hem heel langzaam en heel stil om zodat papa niet wakker wordt. Vanuit de slaapkamer van mama en papa kun je de zon ook zien opkomen, maar hier wordt het zonlicht tegengehouden door zware gordijnen. Het enige licht komt door een smalle kier naar binnen, daar waar de gordijnen samenkomen.

Ik hoor papa door zijn neus ademhalen en weet dan dat hij diep in slaap is.

Heel langzaam, heel stil, ga ik naar binnen en doe de deur achter me dicht zodat de Californische zon hem niet wakker kan maken.

Mijn ogen wennen langzaam aan het donker en ik loop op de tast naar voren totdat ik de rand van de California King voel.

Hoewel ze weg is, slaapt papa altijd aan zijn kant van het bed en ik zie dat hij op zijn rug ligt, ik zie de omtrek van zijn rechte neus, zijn lange kaak en zijn vierkante kin.

Mama is weer in het ziekenhuis en het lijkt wel of ze daar al is sinds we naar Nummer Een verhuisd zijn. Direct nadat we verhuisd waren, is ze een paar dagen hier geweest en toen ging ze weg. Daarna is ze nog een paar dagen teruggeweest en toen ging ze weer weg. Papa zegt dat ze in het ziekenhuis is voor een operatie en dat na de operatie alles beter wordt. Dat heeft hij me beloofd. In het ziekenhuis mogen geen kinderen komen, dat is de regel, en omdat ik het mama niet zelf kan vragen, moet ik wel geloven wat hij zegt.

Heel langzaam, heel stil, klim ik aan mama's kant op de California King en ga liggen waar zij nu eigenlijk zou moeten liggen. Over het voeteneinde van het bed ligt altijd een opgevouwen deken die mama een plaid noemt, en ik trek de deken omhoog tot onder mijn kin. Ik lig opgerold op mijn zij, en luister naar papa's ademhaling en als het donker niet zo donker meer is, zie ik dat zijn handen op zijn borst liggen, op zijn hart.

Zo dicht bij papa zijn is leuk, misschien wel het enig leuke van het wonen in Hermosa Beach. Ik kijk heel lang naar hem, ik weet niet hoe lang, en doe dan mijn ogen dicht en val in slaap.

Het is lekker warm onder de plaid en als ik mijn ogen opendoe zie ik papa op de rand van het bed zitten. Hij draagt een t-shirt met korte mouwen en een heel lichtgroene, mintgroene boxershort. De lamp op het nachtkastje brandt en warm, geel licht valt in cirkels over zijn helft van de California King. Papa geeuwt en schudt zijn hoofd. Hij kijkt op zijn horloge en zijn ogen staan ernstig, zoals altijd wanneer tijd belangrijk voor hem is.

'Wanneer ben jij hier naar binnen geslopen?' zegt papa.

'Weet ik niet meer,' zeg ik.

'Nou, we hebben ons verslapen,' zegt papa. 'Het is bijna acht uur.'

Papa klopt met zijn hand op de California King, zo van: klop, klop, opstaan.

'We moeten opschieten,' zegt papa, 'het is al laat.'

Hij loopt om de California King heen, doet de kamerdeur open en loopt de gang in naar de kamer die B.J. en ik delen.

'Hé, slaapkop,' zegt papa, 'uit de veren.'

Ik leun opzij en knip aan mama's kant van het bed de lamp aan. In Hermosa Beach staan veel meer potjes met pillen op haar nachtkastje dan in Carson City, ik tel twintig potjes, met pillen in alle kleuren van de regenboog. Er staat Darvon, Valium, Nembutal, Seconal, Thorazine, elke letter van het alfabet, van A tot Z. Ik vind het leuk om de potjes te rangschikken, van klein naar groot, om ze in een cirkel of in een driehoek om de voet van de lamp heen te zetten. Papa zegt dat ik er met mijn vingers van af moet blijven, vandaar dat ze nu in een slordige hoop bij elkaar staan. Hoewel het niet mag, raak ik de potjes toch even aan, maar dan hoor ik papa weer door de gang lopen. In de deuropening blijft hij staan.

'Niet aan die potjes komen, hè,' zegt papa, 'opstaan nu.'

Papa loopt in de keuken heen en weer en ik weet dat hij koffie aan het zetten is.

Ik strijk aan mama's kant het bed glad tot alle kreukels verdwenen zijn en je niet meer kunt zien dat ik daar gelegen heb. Papa slaapt zo rustig dat zijn kant van het bed bijna helemaal niet verkreukeld is, en ik trek het laken recht, dan de deken, dan de bedsprei. Als je in een kussen stompt, wordt hij van plat weer donzig en ik stomp drie keer in het kussen. Het ziet er mooi uit als het bed is opgemaakt, netjes en opgeruimd.

Papa doet de koelkast open en dicht, laat de gootsteen vol water stromen en zet borden en bestek op de keukentafel.

'BieDjee,' roept papa, 'kom op nou, kom je bed uit.'

De plaid ligt op de grond, ik pak hem op en schud hem uit. Papa komt binnen, zijn haar in de war zoals altijd 's morgens, en met ruige bakkebaarden op zijn vierkante kaak.

'Bedankt, Juniper, ik ruim het verder wel op,' zegt papa. 'Zorg jij maar dat je broer uit zijn bed komt en gaat ontbijten, dan ga ik onder de douche.'

B.J. heeft alleen de broek van zijn pyjama aan, hij zegt dat het in Californië te warm is voor pyjamajasjes. B.J. wrijft met zijn hand over zijn gezicht, laat zich dan terugvallen in de kussens en gaat op zijn zij liggen.

'Papa zegt dat je uit bed moet komen,' zeg ik. 'Het is al acht uur geweest.'

'Ga weg,' zegt B.J.

'Straks komen we nog te laat,' zeg ik.

B.J. blijft doodstil liggen, met opgetrokken knieën, en doet alsof hij slaapt, en ik geef het op.

Ik ga naar de badkamer en doe de deur achter me dicht. Ik kleed me aan, poets mijn tanden, wrijf met een warm washandje over mijn gezicht en in mijn ooghoeken. Papa zegt dat daar altijd slaapsmurrie zit en dat je die moet weghalen en ik hou mijn hoofd vlak voor de spiegel om te zien of alle smurrie verdwenen is.

Mijn lange, donkerbruine haar hangt los en ik borstel het van boven naar beneden. Papa zegt dat ik een kam moet gebruiken en onderaan moet beginnen omdat mijn haar gemakkelijk klit, maar ik heb een hekel aan kammen, het duurt te lang en het doet zeer als er klitten in zitten.

'Bryan Joseph,' roept papa. 'Opstaan.'

Ik doe de badkamerdeur open en kijk de gang in. Papa draagt een schoon onderhemd, een mooie broek met omslagen, en glanzende, zwarte schoenen die hij brogues noemt. Papa kijkt naar me, doet zijn armen omhoog en laat ze dan tegen zijn benen vallen.

'Gelukkig ben jij wel klaar,' zegt papa.

Ik heb een groene corduroy overgooier aan en een T-shirt met paarse en groene bloemetjes. Ik leg mijn handen op de voorkant van de overgooier.

'Iets gebloemds en iets effens,' zeg ik.

'Inderdaad,' zegt papa, 'je ziet er heel mooi uit.'

B.J. loopt sloffend naar de badkamer.

Zijn stekeltjeshaar is ook geen echt stekeltjeshaar meer en piekt nu naar alle kanten.

'Ik ben moe,' zegt B.J.

'Dan had je maar eerder naar bed moeten gaan,' zegt papa, 'op-schieten.'

B.J. loopt, nog steeds sloffend, langs papa naar de keuken.

'Dat zeg je altijd,' zegt B.J.

Papa zucht diep en probeert te glimlachen.

'Tanden?' zegt papa en kijkt me aan.

'Gepoetst,' zeg ik.

'Gezicht?'

'Gewassen.'

'Kan ik je haar doen?'

Ik hou een elastiekje en een paars lint omhoog.

'Een paardenstaart, graag,' zeg ik.

Papa kijkt op zijn horloge. 'Wat dacht je van haarspeldjes?' zegt hij.

'Lang haar past niet bij een overgooier,' zeg ik, 'dan valt het over de gespen heen. Nee, het moet een paardenstaart worden vandaag.'

'Goed dan,' zegt papa.

Papa zucht diep en pakt de borstel. Hij borstelt een, twee, drie keer met lange halen en dan blijft de borstel vastzitten.

'Verdorie,' zegt papa.

'Ik haat die klitten in mijn haar,' zeg ik.

'Geen kam, geen paardenstaart,' zegt hij.

Ik leg het elastiekje en het lint op de wastafel en pak de kam van papa aan. Hij kijkt me aan in de spiegel en ik knik.

73

'Brave meid,' zegt papa, 'onderaan beginnen, en als je klaar bent, geef je mij het elastiekje, dan maak ik een paardenstaart voor je.'

Elke schooldag gaat het zo. B.J. wil niet uit zijn bed komen, mijn haar zit in de knoop, B.J. kan zijn huiswerk nergens vinden, ik laat mijn brood aanbranden en moet het dan opnieuw doen omdat ik toch echt geen aangebrand brood ga eten, en papa belt naar zijn werk om te zeggen dat hij wat later komt.

Papa heeft er een hekel aan als hij laat is, hij zegt dat tijd geld is en als je laat bent verlies je geld. Als hij de hoorn heeft neergelegd, krijgt hij die blik weer in zijn ogen, een blik van: ik ben boos maar doe net alsof het niet zo is, en van die strak getrokken lippen.

'Kom op,' zegt papa, 'we moeten weg.'

Als we buiten zijn, doet papa de deur van Nummer Een op slot met een sleutel die aan een hartvormige sleutelring hangt waarop *I love California* staat.

Red staat langs het trottoir geparkeerd, laag bij de grond, met een schuin aflopende motorkap. Mijn vaste plek in *Red* is achter de stoelen, een plek die bagageruimte wordt genoemd. Ik klim achterin en ga op de bult in het midden zitten, zodat ik zowel door de voorruit als door de zijraampjes naar buiten kan kijken.

Papa stapt in *Red*, doet de deur dicht en B.J. stapt aan de andere kant in en slaat de deur met een klap dicht. Papa legt zijn hoofd tegen de hoofdsteun, hij ziet er moe uit hoewel het nog vroeg in de morgen is.

'Oké,' zegt papa, 'we gaan het zo doen.'

Papa zegt dat hij een vergadering in de stad heeft, dat hij daarna nog een vergadering buiten de stad heeft en dat hij tegen halfvijf, vijf uur, thuis is.

'Dat betekent dat jij Jenny van school gaat halen,' zegt papa.

'Pap,' zegt B.J.

'Nee, niet zeuren,' zegt papa. 'Jij zorgt ervoor dat je zusje veilig thuiskomt.'

B.J. maakt een zijwaartse beweging met zijn hand waardoor zijn haar over zijn voorhoofd valt, zijn bruinverbrande gezicht begint weer rood aan te lopen.

Papa kijkt me via de achteruitkijkspiegel aan.

'En jij blijft bij de voordeur van de school op B.J. wachten,' zegt papa. 'Afgesproken?'

Ik ga rechtop zitten, schouders naar achteren, kin ingetrokken.

'Ik kan wel alleen naar huis lopen,' zeg ik.

'Geen sprake van,' zegt papa. 'Er lopen hier allerlei vreemde vogels op straat rond. Jij wacht bij de voordeur tot je broer je komt ophalen.'

B.J. trekt zijn kin in, zijn ogen zijn op het handschoenenvakje gericht. Ik begrijp niet dat papa al die boosheid in B.J. niet ziet. Ik zie het wel en als B.J. zo boos is als nu, belooft dat niet veel goeds. Ik kijk naar B.J., naar papa en dan weer naar B.J.

'Je loopt niet in je eentje naar huis,' zegt papa. 'Heb je dat goed begrepen?'

'Ja, papa,' zeg ik.

Papa schuift heen en weer op zijn stoel en start *Red*, het gebrul van de motor is in de auto te horen. De radio gaat aan, *Good Day Sunshine* klinkt. Ik vind de Beatles geweldig, B.J. vindt ze waardeloos. B.J. zet de radio zachter, de muziek is bijna niet meer te horen, en papa rijdt de heuvel op.

Op de kleuterschool teken je, verf je en zing je liedjes. Dingen die kinderen doen. Het mooiste van de kleuterschool is wanneer de bel gaat en het tijd is om naar huis te gaan.

Mijn onderwijzeres zegt dat mijn doos te vol is, dat de andere kinderen hun tekeningen een keer per week mee naar huis nemen en geeft me dan een stapel tekeningen die ik heb gemaakt.

'Geef ze maar aan je moeder,' zegt de onderwijzeres tegen me, 'dan hangt zij ze wel op de koelkast.'

Op bijna al mijn tekeningen staan handafdrukken, allemaal in verschillende kleuren, en ik wou dat ik ze in de vuilnisemmer kon gooien omdat mama ze toch nooit te zien krijgt, laat staan dat ze ze op die stomme koelkast hangt. Tekeningen zijn niet belangrijk als je ziek bent, als je niet uit bed kunt komen, als je naar naar die stomme dokters in het ziekenhuis moet en stomme operaties moet ondergaan.

Stomme onderwijzeres, stomme kleuterschool.

Voor de school blijf ik wachten, bij de voordeur, de tekeningen tegen me aan gedrukt. Geen van de andere kinderen wacht bij de deur, ze rennen allemaal meteen door naar hun mama die bij het trottoir staat te wachten. Er staan mevrouwen in alle soorten en maten: grote, kleine, dikke, dunne, met blond haar, bruin haar. Een kind per mama en dan omhelzen ze elkaar en geven ze elkaar een zoen.

Ik kijk naar mijn tekeningen en vind ze eigenlijk best mooi, allemaal mooie kleuren en overal handen, mijn handen. Misschien hang ik ze zelf wel op, dan kan mama ze zien als ze weer thuiskomt. Als ze weer beter is.

Ik strijk mijn overgooier glad over mijn achterwerk en ga op de stoep bij de voordeur zitten. Ik leg mijn tekeningen op schoot en doe mijn knieën tegen elkaar.

De stoep is van beton en warm van de Californische zon. De voorkant van mijn school is trottoir, stoep en gras, en er staat een vlaggenmast met twee vlaggen eraan: een Californische vlag en een Amerikaanse vlag. Het waait en de vlaggen wapperen tegen de mast.

Tussen de straat en de school staat een rij bomen en in de verte zie ik B.J. met gebogen hoofd over het trottoir lopen. Hij trapt tegen een steen, loopt ernaartoe en trapt er weer tegenaan.

Ik ga van de stoep af en loop naar het trottoir, de tekeningen tegen me aangedrukt.

'Je bent te laat,' zeg ik.

B.J. kijkt me vanonder zijn wenkbrauwen aan en loopt dan naar het zebrapad. B.J. drukt op de knop en kijkt me met een vies gezicht aan.

'Wat moet dat voorstellen?' zegt B.J.

Ik druk de tekeningen nog wat dichter tegen me aan.

'Tekeningen,' zeg ik. 'Tekeningen met mijn handafdruk erop, voor mama.'

'Wat stom,' zegt B.J.

'Dat is niet stom,' zeg ik.

Het licht springt van rood op groen en B.J. stapt van het trottoir af. Ik blijf op het trottoir staan en kijk naar zijn rug.

'Dat is niet stom,' roep ik.

B.J. steekt de straat over en het licht begint te knipperen. Ik ren de straat over en ben nog net voordat het licht weer op rood springt aan de overkant.

B.J. en ik lopen niet naast elkaar, hij loopt aan de ene kant van het trottoir, ik aan de andere kant alsof we bij elkaar horen maar ook weer niet. Voor ons ligt een park met een vijver en mensen gooien stukken brood in het water. Eenden en ganzen zwemmen vlak bij elkaar en vechten om elk klef stukje brood.

Aan de overkant van de vijver zwemmen twee witte zwanen lui in het rond. Ze proberen niet bij het brood te komen, houden alleen maar hun kop en lange halzen omhoog, alsof hun schoonheid het enige is wat telt. Ik vind dat wel leuk aan zwanen.

Achter de vijver is de rest van het park, een lang, uitgestrekt grasveld met zoveel bomen dat het wel een bos lijkt. Aan de andere kant van het park is nog een zebrapad, maar geen stoplicht.

B.J. stapt van het trottoir af en wil de weg oversteken.

Ik leg mijn hand op B.J.'s arm en pak zijn windjack vast.

'Hé,' zeg ik. 'Je mag hier niet oversteken.'

B.J. blijft staan, kijkt naar mijn hand en dan naar mij. Ik laat B.J.'s windjack los.

'Wie niet over durft te steken is een schijterd,' zegt B.J.

Ik kijk naar links en naar rechts, vier rijbanen naar de overkant, en overal auto's.

'Nee, ik doe het niet,' zeg ik.

'Schijterd, schijterd,' zegt B.J.

B.J. kijkt naar me en een akelig gevoel kruipt langs mijn rug omhoog. Ik kijk weer naar de weg en hoor alleen het geluid van het verkeer en de wind, en er zijn niet zoveel auto's meer. Ik kijk weer naar B.J.

'Als ik het doe,' zeg ik, 'mag je me nooit meer vragen zoiets te doen.'

'Afgesproken,' zegt B.J. Er verschijnt een brede glimlach om zijn lippen, eentje met veel tanden, maar het is geen echte glimlach, zijn ogen lachen niet mee.

Ik haal diep adem, kijk naar links en naar rechts en stap dan van het trottoir af. Ik ren zo hard als ik kan, het enige wat ik zie is de stoeprand aan de overkant van de weg, alleen de stoeprand. Als ik halverwege ben, hoor ik hard getoeter, te hard. Mijn voeten, mijn benen, mijn ogen, mijn hele lichaam verstijft en ik blijf midden op de drukke weg staan, een auto komt recht op me af. Ik draai me om en wil terugrennen. Een tweede auto begint te toeteren en daar waar zoëven nog geen auto's waren, zijn nu ook auto's, ze zijn overal en hun getoeter klinkt hard in mijn oren.

B.J. staat nog steeds op het trottoir, stokstijf, alsof hij een standbeeld is. Ik knijp mijn ogen stijf dicht, sla mijn handen voor mijn gezicht en mijn tekeningen waaien alle kanten op.

Remmen piepen, claxons toeteren, witte vellen papieren dwarrelen naar beneden en opeens is de weg tussen mij en B.J. weer vrij. Ik ren terug naar het trottoir, terug naar B.J.

B.J. staat doodstil, de ogen wijd opengesperd, en dan kijkt hij naar mij, naar de weg, en weer naar mij. Mijn tekeningen liggen over de hele weg verspreid, de auto's rijden eroverheen. Ik leg mijn handen op B.J.'s borst en probeer hem weg te duwen maar B.J. is sterk en stevig gebouwd en komt nauwelijks van zijn plaats.

'Kijk nou wat je gedaan hebt,' schreeuw ik. 'Nu ben ik al mijn tekeningen kwijt, en dat is jouw schuld.'

B.J. duwt me van zich af alsof ik niets ben.

'Blijf van me af,' schreeuwt B.J.

Ik wijs met uitgestrekte arm naar de weg.

'Haal ze terug,' schreeuw ik, mijn stem dreunt na in mijn hoofd.

'Hou je kop,' schreeuwt B.J.

'Hou jij je kop,' schreeuw ik. 'Haal ze terug, nu meteen.'

B.J. beweegt zijn onderkaak heen en weer, hij knijpt zijn ogen half dicht en kijkt de weg over. Mijn tekeningen liggen als witte vierkante vellen papier op de zwarte weg.

B.J. kijkt naar links en naar rechts en rent dan de weg op. Het lijkt gemakkelijk zoals B.J. het doet: rennen, blijven staan, opzij springen. Auto's toeteren maar hij wordt er niet bang van, het lijkt alsof hij precies weet wat hij doet. B.J. blijft staan, wijkt uit, springt opzij en algauw heeft hij een grote stapel tekeningen in zijn handen. Hij rent terug naar mij en zijn gezicht is rood en bezweet.

B.J. bukt zich, de handen op de knieën, hij ademt zwaar. Hij houdt de tekeningen omhoog, bandafdrukken, handafdrukken.

Ik trek de tekeningen uit zijn hand en strijk ze glad, mijn vingers glijden over de bandafdrukken en de kreukels.

Ik doe een paar passen achteruit om op veilige afstand van B.J. te blijven.

'Wat is er?' zegt B.J.

B.J. komt naar me toe en steekt zijn arm uit alsof hij me een stomp tegen mijn arm wil geven. Ik doe nog een pas achteruit en zijn hand mist op een haar na mijn schouder.

'Ik meende het niet serieus,' zegt B.J.

'Wel waar,' zeg ik.

'Ik had nooit gedacht dat je het zou doen,' zegt B.J.

Ik kijk naar B.J. en B.J. kijkt naar mij, het zal altijd wel een raadsel blijven of hij het meende of niet. B.J. doet zijn handen in zijn zakken en trekt zijn kin in. Zijn donkere ogen op het trottoir gericht, zijn gezicht is donkerrood tot aan zijn oren.

De wind ruikt naar zout en zeewier en blaast mijn haar in mijn gezicht. Ik ga rechtop staan, schouders naar achteren, kin ingetrokken, en loop naar het zebrapad waar je de weg over kunt steken zonder door een auto overreden te worden. Ik voel dat B.J. achter me loopt, ik voel dat hij naar me kijkt, maar het kan me niks schelen, ik doe net alsof B.J. er niet is.

Als je Nummer Een binnen komt, is het eerste wat je ziet de woonkamer die vol staat met onze spullen. De lange, groene bank staat onder het raam, de tv staat tegen de muur, de grote paarse druif staat in de hoek. Papa's luie stoel, de meubels uit de eetkamer en mijn slaapkamerspullen staan in de garage omdat Nummer Een zo klein is.

Als we bij Nummer Een zijn aangekomen, doet B.J. de deur open met de sleutel die aan de *I love California*-sleutelring hangt en legt hem daarna terug onder de deurmat. In de woonkamer leg ik mijn tekeningen op de grote paarse druif en hou mijn adem in, wat ik altijd doe als ik boos ben maar het niet wil laten merken. B.J. gaat naar de keuken.

Ik adem heel langzaam weer uit en bijt op mijn onderlip. De enige goede tekeningen met handafdrukken zijn die zonder bandafdrukken. De mooiste daarvan heeft drie rode handafdrukken in een cirkel. Ik trek de tekening uit de stapel en loop naar de keuken, open de rommella en haal er een rol doorzichtig plakband en een schaar uit.

'Wat ga je doen?' zegt B.J. met volle mond.

Er staat een pot pindakaas open op het aanrecht en B.J. eet een boterham met een dikke laag pindakaas erop. Ik kijk langs hem heen en trek een stuk plakband van de rol.

B.J. veegt met zijn hand zijn mond af.

Ik druk het stuk plakband op de bovenkant van de tekening en plak hem op de koelkast.

'Hij hangt scheef,' zegt B.J.

Als je boos bent op iemand, echt boos, dan zou je het liefst willen dat die persoon wegging, je kunt alleen nergens naartoe in Nummer Een. Ik kijk niet naar B.J., doe net alsof hij er niet is, en hang de tekening recht.

B.J. leunt tegen het aanrecht aan en smakt terwijl hij eet, ik voel zijn ogen in mijn rug.

Met mijn armen over elkaar geslagen kijk ik naar de deur van de koelkast. Er is nog te veel wit en te weinig tekening. Ik loop terug naar de grote paarse druif, zoek nog twee tekeningen uit en plak ze aan weerszijden van de tekening met de rode handafdrukken.

B.J. staat vlak naast me.

'Hoe lang hou je dit nog vol?' zegt B.J.

B.J.'s stem is het enige geluid in Nummer Een en ik loop van hem weg alsof hij helemaal niet in de keuken is.

B.J. steekt zijn hand uit en ik spring achteruit om die te ontwijken.

'Je kunt niet eeuwig boos blijven,' zegt B.J.

Ik loop met zijwaartse passen de keuken uit en ga de woonkamer in. Met ieder stap die ik zet, komt B.J. dichterbij.

'Ik maakte maar een grapje,' zegt B.J.

'Donder op,' zeg ik.

B.J. steekt zijn hand uit alsof hij mijn arm wil pakken en ik ren naar de grote paarse druif. B.J. krijgt me te pakken als ik midden in de kamer ben, hij slaat zijn arm om mijn nek, pakt mijn arm vast en trekt me tegen zich aan.

'Luister nou even naar me,' zegt B.J.

'Laat me los,' schreeuw ik.

B.J. slaat zijn been om mijn been en laat me struikelen, ik lig onder en hij ligt boven. Zijn lichaam drukt zwaar op mijn zij en zijn adem ruikt naar pindakaas.

'Je stinkt uit je mond,' zeg ik. 'Ga van me af.'

Ik trek mijn arm los en sla om me heen, tegen zijn hoofd aan, zijn gezicht, zijn armen. Mijn hart bonst zo hard dat het lijkt alsof hij ieder moment uit mijn borst zal springen.

B.J. lacht en zijn gezicht is rood, van boosheid en opwinding en nog iets. Hij pakt mijn polsen vast, drukt zijn vingers in mijn huid en draait me op mijn rug.

'Dat doet zeer,' schreeuw ik, 'je doet me pijn.'

'Luister nou,' zegt B.J.

B.J. zit op mijn maag en houdt met zijn knieën mijn polsen tegen de grond gedrukt.

'Ik krijg geen adem,' zeg ik.

B.J. legt zijn hand op mijn mond, op mijn neus.

'Hou nou eens je kop,' schreeuwt B.J.

Zijn hand voelt warm aan op mijn gezicht en ruikt naar pindakaas, hij duwt zijn vingers in mijn huid.

'Het is niet mijn schuld,' zegt hij.

Ik draai mijn hoofd van de ene naar de andere kant en hij drukt zijn hand nog harder op mijn gezicht. Zijn vingers sluiten zich over mijn neus en mijn mond en ik krijg het gevoel dat mijn borstkas in brand staat.

Zo gaat dat nu altijd met B.J., hij grijpt me vast alsof ik een vreemde ben, gaat boven op me zitten, legt me het zwijgen op en zegt dan dat hij het niet meende, en waar het ook over gaat, het is nooit B.J.'s schuld.

Ik krijg geen lucht meer en voel me kleiner en kleiner worden totdat ik niets meer kan voelen, niet meer kan denken en alles donker en warm wordt.

Het is even stil in Nummer Een zoals wanneer er niemand thuis is, en ik weet dat B.J. al een poosje weg is. Mijn polsen en borstkas doen zeer en mijn gezicht voelt strak van de opgedroogde tranen. Ik rol me op mijn buik en wrijf met mijn handen over mijn gezicht.

Ik ga staan, loop met langzame passen naar de lange groene bank en kijk door het grote raam naar buiten. De zon rust als een cirkel van goud op de rand van de zee en het goud schijnt zo fel dat het wateroppervlak schittert in een blauw-wit licht. B.J. is buiten op de oprit zijn skateboardsprongen aan het oefenen en ik kijk met een blik vol haat naar hem, alsof het daar anders van zou worden.

Ik ga op de bank zitten, sla mijn armen om mijn middel en voel nog steeds het gewicht van B.J. op mijn maag, zijn handen om mijn polsen. Ik zou het natuurlijk aan papa kunnen vertellen als hij thuiskomt zodat B.J. in moeilijkheden komt, maar dat heeft geen zin want B.J. en ik zijn daarna toch weer alleen en dan betaalt hij het me dubbel en dwars terug.

Het mooiste moment van de dag in Nummer Een is als papa thuiskomt van zijn werk en we samen gaan eten. Soms eten we hutspot, soms diepvriesmaaltijden, soms neemt papa pizza's mee naar huis.

Na het eten drinkt papa een flesje bier en kijkt naar het journaal. Ik ga dan zo dicht mogelijk tegen hem aan zitten, tegen zijn zij, in dat warme plekje onder zijn arm, en kijk ook tv. Meestal leest Walter Cronkite het nieuws voor en hij praat dan over bedrijven en natuurrampen en de oorlog in Vietnam. Papa zegt niets over het nieuws, neemt kleine slokjes van zijn bier en kijkt, en ik vraag me af waar hij aan denkt.

Mama heeft me eens verteld dat papa een genie is, wat waarschijnlijk betekent dat hij slimmer is dan alle andere mensen. Mama zegt dat hij speciale hersenen heeft waarmee hij sneller en dieper kan nadenken en dat hij toen hij nog op school zat nooit hoefde te studeren en altijd tienen haalde voor zijn proefwerken.

Papa en ik zitten op de bank, B.J. zit op de grond zijn huiswerk te maken en Walter Cronkite leest het nieuws voor, en ik vraag me af of het goed of slecht is dat papa een genie is. Ik bijt op mijn nagels en vraag me af of B.J. ook een genie is, en of ik later ook heel slim word, hoewel me dat zou verbazen want ik kan nog niet eens lezen.

Het laatste wat Walter Cronkite zegt is hoeveel Amerikaanse jongens er in Vietnam gesneuveld zijn en dan wenst hij iedereen nog een prettige avond.

Na het eten, ga ik in de ene badkamer in bad en B.J. gaat in de andere badkamer onder de douche en daarna trekken we onze pyjama aan.

Papa stopt B.J. eerst in, trekt de dekens omhoog tot onder B.J.'s kin.

'Welterusten, jongen,' zegt papa.

'Welterusten, pap,' zegt B.J.

Ik loop de kast in met de schuifdeur ervoor en pak *Sneeuwwitje en de Zeven Dwergen* van de plank. Er staan twee boeken over Sneeuwwitje en de zeven dwergen. De ene is van Disney, en in dat boek is de prinses snoezig en zijn de dwergjes snoezig en leeft iedereen nog lang en gelukkig. Het andere boek is van Grimm, en daarin is de prinses mooi en zijn de dwergen een beetje eng, en danst de boze stiefmoeder zich aan het einde van het verhaal dood in een paar gloeiendhete ijzeren schoenen.

Papa zegt dat ik een donkere kant heb omdat ik het verhaal van Grimm mooier vind.

Ik kruip in bed en papa stopt mijn laken met madeliefjes en de roze donsdeken in. Hij gaat vlak naast me zitten en slaat zijn arm om mijn schouders. Van zo dichtbij ruikt hij naar sigaretten en hutspot met kip.

'Klaar?' zegt papa.

'Klaar,' zeg ik.

In het bovenste bed draait B.J. zich op zijn zij en dan wordt het daar ook stil.

Papa leest voor met zijn leestem, laag en helder, de woorden gaan door hem heen tot ze de plek bereiken waar ik tegen hem aanleun.

Het mooiste van *Sneeuwwitje* is dat haar moeder zoveel van Sneeuwwitje hield, zelfs al voordat ze geboren was. Het naarste van *Sneeuwwitje* is dat de moeder doodgaat wanneer Sneeuwwitje geboren wordt. Het lijkt oneerlijk dat de wens van de koningin wel in vervulling gaat, maar dat ze geen deel mag uitmaken van het leven waar ze zo naar verlangd heeft.

'Het is een levensles,' zegt papa, 'als we een wens doen, denken we dat we iets wensen wat we écht willen. Dit verhaal leert je hoe voorzichtig je moet zijn met wat je wenst.'

'Maar waarom?' zeg ik.

'Dat weet ik ook niet,' zegt papa. 'Misschien is de koningin niet specifiek genoeg geweest toen ze haar wens deed.'

Ik weet niet wat papa bedoelt met 'specifiek', maar dat zal wel komen omdat hij een genie is. Ik kijk naar de tekening van de koningin, ze ziet eruit alsof ze een goede moeder zou zijn geweest, en ik vind het nog steeds oneerlijk dat ze haar wens niet in vervulling mocht zien gaan.

Nadat de koningin is gestorven, komt er een boze stiefmoeder die eigenlijk een heks is en die boze stiefmoeder praat tegen een spiegel. De spiegel vertelt de boze stiefmoeder steeds weer dat zij de mooiste in het land is, maar op een dag zegt de spiegel dat Sneeuwwitje de mooiste is.

De boze stiefmoeder probeert Sneeuwwitje dan te laten vermoorden door een jager, maar de jager kan het niet over zijn hart verkrijgen en laat haar gaan in het bos. Sneeuwwitje rent en rent totdat ze bij een klein huisje komt waar zeven kleine mannetjes wonen. Ze gaat in hun huis wonen, zorgt voor ze, kookt en poetst, en is eindelijk gelukkig, totdat de boze stiefmoeder weer tegen haar spiegel praat en erachter komt dat Sneeuwwitje nog steeds leeft.

Ik vind het akelig dat de stiefmoeder dan gif in een appel stopt en zich daarna gaat verkleden als een lief, oud vrouwtje dat appels weggeeft. Ik wil Sneeuwwitje waarschuwen dat ze weg moet rennen, er vandoor moet gaan, de appel weg moet gooien. Maar het is tevergeefs. Op de volgende bladzijde bijt Sneeuwwitje al in de appel. Ze neemt maar één hap en valt dan op de grond alsof ze dood is.

Ik wrijf in mijn ogen, de tranen vallen op mijn nachthemd en op het laken met madeliefjes.

'Wat ben je ook een malle meid,' zegt papa, 'je weet toch hoe het afloopt.'

'Ja, dat is wel zo,' zeg ik, 'maar het is elke keer weer zo zielig.'

Het verhaal neemt dan een heel andere wending wanneer de prins opduikt en Sneeuwwitje ziet liggen, die er dood nog steeds even mooi uitziet als toen ze nog leefde. De prins vraagt de dwergen of hij Sneeuwwitje mee mag nemen naar zijn kasteel zodat hij altijd naar haar kan kijken. De dwergen zeggen 'ja' en als hij Sneeuwwitje optilt, valt er een klein stukje appel uit haar mond en blijkt ze helemaal niet dood te zijn.

Het griezeligste gedeelte van het verhaal is wanneer de boze stiefmoeder ontdekt dat Sneeuwwitje nog leeft en gelukkig is en op het punt staat met de prins te trouwen. De stiefmoeder gaat naar de bruiloft, trekt een paar ijzeren schoenen aan en danst tot ze er dood bij neer valt.

Het is griezelig en gek en eigenlijk slaat het nergens op.

'Sommige mensen kunnen gewoon niet gelukkig zijn,' zegt papa.

'Waarom niet?' zeg ik.

'Wanneer een ander meer heeft dan jij,' zegt papa, 'dan kun je daar ziek van worden, gek zelfs. Begrijp je wat ik bedoel?'

'Ja,' zeg ik, 'ik geloof het wel.'

Papa glimlacht en slaat 'Sneeuwwitje' dicht. Mijn hoofd zit vol met Sneeuwwitje en boze stiefmoeder en dat de goede afloop eerder een trieste afloop is, en papa stopt me in en trekt de dekens omhoog tot onder mijn kin.

'Slaap zacht,' zegt papa.

Hij geeft me een zoen, alleen op mijn voorhoofd, en ik kijk in zijn bruine ogen.

'Ik mis mama,' zeg ik.

Het is stil in de kamer, maar ik weet dat B.J. nog wakker is. Papa kijkt me heel lang aan en zijn gezicht is vlak bij het mijne.

'Ze mist jou ook,' zegt papa, 'maar ze komt gauw thuis.'

'Wanneer?' zeg ik.

Papa trekt nog wat aan het laken en de dekens hoewel hij me al heeft ingestopt.

'Gauw,' zegt papa.

Papa geeft me nog een zoen op mijn voorhoofd en gaat dan staan.

'Welterusten,' zegt papa, 'en ga maar lekker dromen.'

Op de tweede dag van februari brengt papa mama naar huis terwijl B.J. en ik op school zijn. Geen aankondiging vooraf, ze is zomaar opeens terug. Bovendien slaapt mama veel, is ze ziek en mag ik niet naar haar toe, hoewel papa me beloofd had dat ze weer beter zou zijn.

'Ze moet veel rusten,' zegt papa.

'Maar ik wil naar haar toe,' zeg ik.

'Nu niet,' zegt papa.

Ik zit op de lange groene bank, sla mijn armen over elkaar en kijk naar de dichte deur van mama's slaapkamer. Papa staat tussen mij en mama's deur in, en zegt dat hij naar de winkel gaat om brood en melk te halen.

'Kom nou, Juniper,' zegt papa, 'ga met ons mee.'

'Ze pruilt,' zegt B.J.

'Niet waar,' zeg ik.

Papa knielt voor me neer zodat ik hem wel aan moet kijken.

'Ik weet dat je boos bent,' zegt papa, 'maar ik zei al dat ze moet rusten en daarbij blijft het.'

Er zitten vermoeide lijntjes om zijn mond en zijn bruine ogen staan ook vermoeid.

'Ik wil niet naar de winkel,' zeg ik.

Papa slaakt een diepe zucht en de lucht duwt zijn lippen en wangen naar buiten.

'Dan niet,' zegt papa, 'maar je kunt niet eeuwig boos blijven.'

Papa mag dan een genie zijn, maar hierin vergist hij zich, ik kan namelijk wel eeuwig boos blijven.

Als ze weg zijn, wordt het stil in Nummer Een. Ik ben nog steeds boos, maar dan verdwijnt de boosheid langzaam en is alleen mama daar nog aan de andere kant van de deur.

Ik kijk uit het raam en de heuvel af, 28th Street ligt er verlaten bij. Geen *Red*, geen papa, geen B.J.

Als ik haar deur nu alleen een heel klein stukje opendoe en snel kijk, komt papa er nooit achter.

Ik kijk weer uit het raam.

Voorzichtig en kalm loop ik de tien passen door de keuken en steek mijn hand uit naar de deurknop. De koelkast slaat aan en ik trek verschrikt mijn hand terug, een tintelend gevoel kruipt langs mijn nek omhoog en over mijn gezicht.

Ik adem in en adem uit. De voordeur is nog steeds dicht en in huis is het nog steeds stil.

Ik adem in en draai de deurknop om.

Het licht in de badkamer is aan en een rechthoek van geel licht komt tot aan het voeteneinde van de California King. Mama ligt op haar rug, gezicht naar boven, haar zwart-bruine lokken liggen als een waaier over het kussen.

B.J. zegt dat mama twee maanden is weggeweest maar twee maanden zijn zo lang dat ik bijna vergeten was hoe Sneeuwwitje-mooi ze is, witte huid, donker haar, zwarte wenkbrauwen en wimpers.

Ik ga op mijn tenen staan en loop langzaam naar de zijkant van het bed, er is geen enkel geluid in de kamer alleen het bonzen van mijn hart in mijn oren.

Mama's gezicht tekent zich scherp af onder haar witte huid en ik strijk met mijn vinger langs haar kaak en over haar kin, alsof ik me haar gezicht wil inprenten.

Mama beweegt haar hoofd op en neer alsof ze droomt en ik trek mijn hand terug.

De kamer is niet veranderd, alleen anders nu zij er is.

Er ligt een kleine koffer op de grond naast de kast, de deksel staat open, haar citroengele nachtpon en duster liggen opgevouwen bovenop, en er ligt een blauw truitje dat ik niet eerder heb gezien.

Op het nachtkastje staan potjes met pillen, tegen elkaar aangeschoven, nieuwe en oude potjes door elkaar.

De geur is ook anders, een vieze geur, bitter. Ik volg de geur tot op de grond waar een plastic ding ligt. Ik ga op mijn hurken zitten en raak het plastic ding met mijn vingertoppen aan, hij zit vol met koud, geel water. Ik til de bedsprei op en het plastic ding blijkt een zak te zijn die vastzit aan een plastic slang die omhoog en omhoog gaat en dan uit het zicht verdwijnt.

Als er iets niet klopt, dan voel ik dat het eerst op mijn huid.

Ik laat snel de bedsprei los en ga staan.

Ik spits mijn oren of ik *Red*, papa of B.J. hoor, maar het enige wat ik hoor is mama's ademhaling. Ik kijk weer naar de grond, naar de plastic zak en weet dat het plas is, haar plas.

Ik zucht diep en schuif mijn hand in de hare. Ik knijp in haar vingers, maar ze knijpt niet terug, haar hand blijft zacht en slap.

Mama zegt dat als je iets niet begrijpt, je in jezelf op zoek moet gaan naar iets waarin je kunt geloven. Mama zegt dat datgene waarin je gelooft ontstaat door de dingen die je voelt en meemaakt.

Ik kijk weer naar de koffer, naar de plas, en probeer er niet naar te kijken, alleen maar naar haar gezicht, haar perfecte, witte Sneeuwwitje-gezicht.

Opeens weet ik het.

Mama gelooft in mij en ik geloof in haar en als ik nu maar gewoon blijf staan en haar hand vasthoud, dan wordt ze vanzelf wakker, dan heeft ze die speciale blik weer in haar ogen en wordt ze vast weer beter.

Ik knijp mijn ogen dicht en probeer datgene waarin ik geloof via mijn vingers haar vingers in te duwen. Ik doe mijn ogen weer open, maar haar ogen zijn nog steeds gesloten en haar vingers zijn slap.

Wanneer je in iets gelooft, echt in iets gelooft, dan mag je nooit en te nimmer opgeven. Dat heeft mama me niet verteld, maar ik weet nu dat het zo is.

Ik laat haar hand los en ga op de grond zitten. Ik leun met mijn schouder tegen de California King en pak weer haar hand vast.

Als mama vijf dagen thuis is, knijpt ze in mijn hand en kijkt ze me met grote ogen aan, met die speciale blik voor speciale mensen weer in haar ogen.

'Ik heb over je gedroomd,' fluistert mama.

Mama knijpt in mijn hand, haar botten, mijn vingers.

'Ik droomde dat je me kwam redden,' zegt mama.

'Dat heb ik ook gedaan,' zeg ik.

Mama glimlacht.

'Je hebt heel lang geslapen,' zeg ik.

'Hoe lang?' zegt ze.

'Vijf dagen,' zeg ik.

'Waar is iedereen?' zegt mama.

'Papa is aan het werk,' zegt ik. 'B.J. is ergens buiten met zijn skateboard.'

Mama schraapt haar keel, het geluid komt diep uit haar borst.

'Ik heb je gemist,' fluistert mama.

'Ik jou ook,' zeg ik.

'Ik heb jou meer gemist,' zegt mama.

'Wedden van niet?' zeg ik.

Mama glimlacht en in haar donkere ogen ligt die speciale blik die alleen voor mij bestemd is.

Mama wil haar duster, de perzikkleurige zijde valt over haar armen en om haar heupen.

Ze wil een sigaret en ik trek de rommella open en haal er een pakje Parliament en een doosje lucifers uit.

Mama wil een glas water en ik laat het water stromen tot het lekker koud en precies goed is.

Mama in bed met haar rug tegen de kussens, in haar perzikkleurige zijden duster en met een witte sigaret tussen haar vingers, en alles is weer net als vroeger, maar ook anders.

Mama is zo mager dat je haar botten kunt zien. Mama zei vroeger altijd dat je niet mager genoeg kunt zijn, maar ze zegt nu dat ze wegteert.

Haar lange haar zit helemaal in de war en ik borstel alle krullen glad zoals zij het graag wil.

Mama doet haar ogen dicht als ik haar haar borstel en begint te glimlachen: een langzame, droevige glimlach.

'Jij bent mijn grote meid,' zegt mama.

'Je mooiste geschenk,' zeg ik.

Mama knikt, de donkere ogen gesloten.

'Waarom noem je me eigenlijk zo?' zeg ik. 'Je mooiste geschenk?'

Mama zegt heel lang niets, haar donkere wimpers liggen tegen de blauwe holtes onder haar ogen.

'Omdat het een mooi verhaal is,' zegt mama.

Mama opent haar ogen en doet haar hoofd achterover om me aan te kijken.

'Ik ben nooit aan reizen toegekomen,' zegt mama. 'Ik heb altijd willen reizen.'

Mama's ogen schieten heen en weer, in de kamer is het stil en donker.

'Ik dacht dat ik doodging,' fluistert mama. 'Maar toen kwam jij en toen wist ik het.'

'Wat?'

Mama maakt haar lippen vochtig, strijkt met het puntje van haar tong langs haar bovenlip. Ze legt haar hand tegen haar wang, dunne vingers tegen een mager gezicht.

'Wat zeg je?' zegt mama.

'Wat wist je toen?' zeg ik.

Mama kijkt naar de dichtgetrokken gordijnen, haar gesloten lippen trillen.

'Kun je een geheim bewaren?' zegt mama.

'Wat?' zeg ik.

'Kun je me dat beloven?' zegt mama.

'Ik kan een geheim bewaren,' zeg ik. 'Dat beloof ik.'

Mama knippert met haar ogen, duwt de dekens van zich af en trekt haar perzikkleurige nachtpon omhoog.

Mama's buik is wit, bij haar navel zitten rode en paarse strepen, alsof iemand haar daar met een mes gesneden heeft. Ik bijt zo hard op mijn lip dat het pijn doet en kijk naar mama's gezicht en dan weer naar de strepen op haar buik.

'Erg, hè?' zegt mama.

Mama strijkt met haar hand over de strepen, tot aan een dikke paarse streep die zo dik is als een dikke, vette regenworm en dichtgenaaid is met zwart draad.

'Een carrière als mannequin van bikini's kan ik nu wel vergeten,' zegt ze.

Mama schudt haar hoofd en begint te lachen, een lach die in een hoest overgaat. De strepen trillen en haar buik trilt en ze houdt op met lachen.

'Je mag er wel aankomen,' zegt ze, 'het is alleen maar een lelijk litteken nu.'

De paarse streep ziet er ontstoken en pijnlijk uit, maar hoe langer ik ernaar kijk, des te minder eng hij eruit gaat zien. Ik leg de borstel op de California King en strijk met mijn vinger over een oud litteken, van het ene naar het andere uiteinde.

'Waarom zijn er zoveel?' zeg ik.

Mama zuigt haar longen vol lucht en haar buik is plat en strak.

'Stomme dokters,' zegt mama. 'Ze krijgen het maar niet voor elkaar om het goed te doen.'

Ik strijk over de littekens en hoef mijn vinger niet eens op te tillen om van de ene naar de andere streep te komen.

'Papa zegt dat je deze keer beter wordt,' zeg ik.

Mama schudt haar hoofd en kijkt naar haar buik. Ze legt haar hand op mijn hand en tilt hem op. Ze schuift de perzikkleurige zijde weer over haar buik en haar ogen zijn nat van de tranen. Ze doet haar hoofd opzij.

'Wie wil er nu nog van me houden met al die littekens op mijn lijf?' zegt mama.

De tranen in haar ogen, de klank van haar stem, de manier waarop ze kijkt, het is zo droevig allemaal.

'Ik hou van jou,' zeg ik.

Mama's gezicht glimlacht en ze slaat haar arm om mijn schouder. Ik leg mijn hoofd op haar buik, doe mijn ogen dicht en huil en huil, zij huilt en ik huil en op het laatst gaat ons huilen in elkaar over.

Iedere dag slaapt mama minder lang, maar het gaat nog steeds niet goed met haar. Ze kan zich kleine dingen niet herinneren, zoals welke dag het is, of grote dingen, zoals welke pillen ze moet innemen. Het ergste is nog dat mama zich niet meer herinnert hoe ze uit bed en naar de wc moet komen.

Mama huilt als ze in bed naar de wc gaat, niet hard maar met snikjes en jammergeluidjes. Mama zit dan op de California King terwijl de tranen over haar mooie Sneeuwwitjegezicht stromen en wijst naar het bed.

B.J. noemt het een grote boodschap.

Papa noemt het stront.

Ik noem het poep.

Als mama de California King bevuilt dan ruikt het in de slaapkamer naar poep en huilt ze tot papa de lakens verschoond heeft en zij weer gewassen is. Daarna strijkt papa lucifers af en ruikt het in de kamer naar poep en verbrande lucifers.

Maar plassen doet ze in een zak.

De zak zit vast aan een plastic slangetje en dat slangetje gaat omhoog naar de plek waar mama van die zwarte haartjes heeft die lijken op de poten van een langbeenspin. Ik haat spinnen.

Als mama het vergeet moet iemand anders de zak leeggooien, want anders stroomt alles over het vloerkleed en ruikt de hele kamer naar plas. Meestal vergeet mama het niet, maar soms moet papa het doen en soms doe ik het. B.J. gooit nooit de zak leeg. Nooit.

Als ik de zak moet leeggooien, kijk ik naar de plek waar het slangetje aan de zak vastzit, nooit naar de plek waar het slangetje aan haar vastzit. Na het leeggooien van de zak moet je hem schoonmaken en dan weer vastmaken, en je moet het snel doen zodat ze niet per ongeluk door het slangetje plast en alles op het vloerkleed terechtkomt.

Met ingehouden adem maak ik het slangetje los van de zak, ga meteen naar de badkamer en laat hem leeglopen in de wc, een bittere plaslucht slaat in mijn gezicht.

Ik trek de wc door en spoel de zak om met heel heet water. Papa zegt dat het water bijna je handen moet verbranden, zodat alle zieke moffen in de zak doodgaan. Ik vind het leuk als hij dat zegt: zieke moffen in plaats van ziektestoffen. Papa zegt dat het een grap uit de oorlog is, maar zo grappig kan die grap niet zijn, want we zijn zelf van Duitse afkomst.

Ik sta in de badkamer, laat het hete water in de zak lopen en kijk naar mezelf in de spiegel. Ik vind mezelf er niet leuk uitzien. Ik heb te veel sproeten, mijn mond trekt scheef als ik glimlach en mijn neus is veel te groot. Ik glimlach, hou op met glimlachen en trek een gek gezicht.

Papa zegt dat je de zak driemaal moet omspoelen. Ik draai de zak om, laat hem leeglopen en vul hem weer met water. Er stijgt damp op tussen de ik die wacht en de ik in de spiegel.

Nog één keer heet water eruit en nieuw heet water erin, mijn handen zijn rood en tintelen. Na de derde spoelbeurt is het een en al damp, de ik in de spiegel is verdwenen en de plasgeur eindelijk ook.

Het is een droom met stemmen maar zonder beelden, een droom waarin mama schreeuwt en papa schreeuwt en waarin, wanneer ik mijn ogen opendoe, het schreeuwen gewoon doorgaat.

Buiten voor het raam hangt een witte maansikkel aan een donkerblauwe hemel, sterren zijn er ook. B.J.'s hoofd zit voor de maansikkel, alleen zijn hoofd steekt over de rand van het bovenste bed, zijn stem is niet meer dan een gefluister.

'Ze hebben ruzie,' fluistert B.J.

Als ik de gang in kijk, zie ik de koelkast, de voorkant van de wasmachine, de droogtrommel, de badkamer, en een dun streepje licht onder de dichte deur van hun slaapkamer.

'Wie is het?' schreeuwt mama.

Papa's stem is zacht, ik kan niet horen wat hij zegt.

'Je liegt,' schreeuwt mama.

B.J.'s hoofd is verdwenen, voor het raam is alleen nog de maansikkel te zien met hier en daar de vage omtrek van een wolk.

'Je hebt niet eens hier geslapen vannacht,' schreeuwt mama.

'Ik zei toch dat ik op kantoor zou blijven,' roept papa

'Waarom heb je dan niet gebeld?' zegt mama.

'Hij heeft wel gebeld,' zegt B.J.

'Ik heb gebeld, Janet,' zegt papa.

Er valt iets, het geluid van brekend glas.

Ik duw het laken met madeliefjes en de roze donsdeken weg, zet mijn voeten op de vloer en loop acht passen de gang in.

'Hé,' fluistert B.J.

Naast hun slaapkamerdeur blijf ik staan en ga met mijn rug tegen de muur staan. Er wordt heen en weer gelopen, de deur gaat open en papa komt naar buiten. Mama huilt met snikjes en jammergeluidjes, papa doet de deur met een klik achter zich dicht en loopt de donkere keuken in.

Papa heeft zijn nette schoenen nog aan, en een wit overhemd met opgerolde mouwen. Hij bukt zich, opent de deur van het kastje onder het aanrecht en laat iets in de afvalemmer vallen.

'Papa?' zeg ik.

Papa schrikt even en gaat dan rechtop staan, hij ziet er groot uit in de kleine keuken. Drie passen en papa knipt de lamp aan, het licht is zo fel dat ik een hand voor mijn ogen moet doen.

'Jezus,' zegt papa, 'je laat me schrikken. Wat doe je hier?'

'Heeft ze haar bed vuilgemaakt?' zeg ik. 'Moet ik je soms helpen?'

Papa bukt zich en legt zijn handen op mijn armen. Zijn vingers voelen koud aan door mijn nachthemd en hij kijkt als iemand die zich in de nesten heeft gewerkt maar dat probeert te verbergen, grote ogen, de wenkbrauwen opgetrokken, de lippen stijf op elkaar en overal lijntjes van vermoeidheid.

'Nee, Juniper,' zegt papa, 'dat hoeft niet, alles is in orde.'

'Heeft ze haar glas gebroken?' zeg ik.

'Ja,' zegt papa, 'maar het was een ongelukje, er is niets aan de hand. Ga maar gauw weer naar bed.'

Papa beweegt zijn handen op en neer over mijn armen om me warm te maken, maar ik ben helemaal niet koud. Hij gaat staan, legt zijn hand op mijn hoofd en loopt zo met me naar de slaapkamer. B.J. ligt in zijn bed te woelen, de dekens zijn van hem af gegleden. Papa fluistert tegen B.J. dat hij weer moet gaan slapen, dat alles in orde is, en stopt dan mij weer in in het onderste bed, trekt het laken met madeliefjes en de roze donsdeken helemaal omhoog tot onder mijn kin.

'Goed zo?' fluistert papa. 'Lig je lekker?'

Papa's gezicht in het donker is hoeken en schaduwen en hij heeft nog steeds die ongeruste blik in zijn ogen. Ik leg mijn hand op zijn hand, zijn huid voelt koud aan.

'Jullie moeten geen ruzie maken,' zeg ik.

Papa trekt niet meer aan de dekens en kijkt me heel lang aan.

'We maken geen ruzie,' zegt papa.

'Zo klonk het wel,' zegt B.J.

B.J.'s stem klinkt helder in het donker en papa schuift heen en weer op het bed, kijkt omhoog naar het donker en dan weer naar mij. Papa zucht diep en schudt zijn hoofd.

'Sorry, jongens,' zegt papa, 'maar er is echt niets aan de hand, geloof me nou maar. Mama is alleen wat van streek, maar alles is nu weer in orde.'

Papa gaat staan en trekt B.J.'s dekens recht.

'Ga maar weer slapen,' zegt papa, 'er is niets aan de hand.'

Zondagmorgen is uitslaapmorgen. Geen slaperige hoofden, geen opschieten, het is al laat, geen school. De zon schijnt onze kamer binnen en in het bovenste bed ligt B.J. te snurken, diepe snurkgeluiden door zijn neus. B.J. slaapt door alles heen.

Ik hoor het geluid van papa's schoenen in de keuken, ruik *That Man*-eau de cologne in de gang en hoor dan de voordeur dicht vallen.

De onderkant van B.J.'s bed bestaat uit houten latten en de bruine hoes om zijn matras perst zich tussen de latten door.

Red slaat aan, proest en sputtert, en papa laat de motor brullen.

Ik stap uit bed en loop de gang in.

De deur van mama en papa's slaapkamer staat open, het is er donker, op een oranje lichtpuntje na, en ik weet dat ze een sigaret rookt.

'Mama?' zegt ik. 'Mag ik binnen komen?'

'Natuurlijk,' zegt mama.

'Mag ik een lamp aandoen?' zeg ik.

'Natuurlijk,' zegt ze. 'Maar niet het grote licht.'

Ik tast in het donker naar het knopje van de schemerlamp op het nachtkastje en druk hem in. Het lamplicht valt over haar pillen heen, over haar opgetrokken knieën onder de dekens en de asbak op haar schoot. Mama's ogen zijn schaduwen en haar gekrulde haar is naar achteren geduwd. Ze tikt met haar sigaret tegen de asbak, haar hand trilt.

'Is alles goed?' zeg ik.

Mama's donkere ogen schieten heen en weer, ze doet haar sigaret tussen haar lippen, het uiteinde begint te gloeien, en legt de sigaret dan in het gleufje van de asbak zodat hij er niet af kan vallen. Ze schraapt haar keel en haalt even haar neus op.

'Nou, eerlijk gezegd zijn we er allemaal wel een beetje zat van, van dit hele gedoe,' zegt mama.

'Mama?' zeg ik.

Mama knippert een paar keer met haar ogen, kijkt me aan, haar donkere ogen half dichtgeknepen, en steekt dan haar hand uit en strijkt mijn haar naar achteren.

'Hoe kom jij aan dat lange haar?' zegt mama.

Ik zit op de rand van de California King, het matras zakt door onder mijn billen.

'Het is altijd zo lang geweest,' zeg ik.

'Nee, dat kan niet kloppen,' zegt mama.

Ze strijkt nog meer haar uit mijn gezicht, haar handen op mijn wangen, haar vingers zijn koud.

B.J. loopt op blote voeten van onze kamer naar de badkamer, doet de deur achter zich dicht. Mama schrikt van het geluid en kijkt naar de deur, haar opengesperde ogen schieten heen en weer.

'Wat was dat?' zegt ze.

'B.J.,' zeg ik.

'B.J.?' zegt ze.

Mama kijkt me met grote ogen aan, alsof het haar niets zegt. Ik raak met mijn vingers haar hand aan.

'Je weet wel,' zeg ik, 'Bryan.'

De wc wordt doorgetrokken en B.J. loopt naar de deur en kijkt de kamer in. Hij blijft in zijn pyjamabroek in de deuropening staan en schuift een lok haar over zijn voorhoofd.

'Goedemorgen, Bryan,' zegt mama.

Mama noemt B.J. nooit Bryan. Hij kijkt me met grote ogen aan en ik schud mijn hoofd.

'Kom eens bij me, jongen,' zegt mama.

B.J. laat de deurknop los, doet een stap de kamer in en bijft dan staan.

'Waar is papa?' zegt B.J.

'Kom eens hier,' zegt mama.

B.J. komt schoorvoetend dichterbij, kijkt mij aan, kijkt mama aan, maar met een onzekere blik in zijn ogen, alsof hij niet van plan is al te dichtbij te komen, maar het eigenlijk wel wil.

Mama maakt een keelgeluid, haar armen gaan omhoog en naar beneden, de asbak op haar schoot wipt op en neer, en ik steek mijn hand uit om hem vast te houden.

'Dacht ik het niet,' zegt mama. 'Kijk nou toch. Moet je dat haar zien.'

B.J. strijkt met zijn hand over zijn gezicht en schuift de lokken opzij.

'Wat is er met mijn haar?' zegt B.J.

'Wat ermee is?' zegt mama. 'Het hangt in je ogen, en dat van haar hangt tot halverwege haar rug.'

Mama doet heel zakelijk en serieus nu, en B.J. lacht, houdt op met lachen en strijkt zijn haar uit zijn ogen. B.J. kijkt me aan en ik bijt op de zijkant van mijn duim.

Mama legt haar ene hand op mijn schouder, de andere op B.J.'s schouder en kijkt ons recht aan, haar ogen schieten niet meer heen en weer.

'Haren knippen,' zegt ze, 'dat gaan we doen. Waar is de schaar?'

Het duurt even voordat mama er klaar voor is, want ze moet eerst nog naar de badkamer.

B.J. heeft de schaar in zijn hand en ik heb een handdoek en zo staan we te wachten terwijl zij langzaam naar de badkamer loopt, langzaam haar perzikkleurige duster aantrekt over haar witte zijden nachtpon en langzaam naar het bed terug loopt.

'Mama?' zeg ik. 'Wil je niet liever de witte duster?'

Mama's ene hand ligt op de duster en met de andere houdt ze de plastic plaszak vast. Ze wankelt een beetje en trekt aan haar perzik-kleurige duster om haar witte nachtpon heen.

'Nee, waarom?' zegt mama.

Ik bijt op mijn lip en kijk naar B.J., maar B.J. haalt alleen zijn schouders op.

Langzaam en voorzichtig gaat mama op de rand van de California King zitten, een cirkel van licht valt over haar knieën, haar voeten, over de botten in haar voeten. Ze bukt zich langzaam, legt de plaszak op de grond naast haar voet en kijkt dan naar ons, van de een naar de ander, haar handen liggen op haar knieën.

'Jij eerst, jongen,' zegt mama.

B.J. kijkt naar de plaszak, trekt een vies gezicht, draait zich om en gaat langzaam zitten. B.J. zit op de grond tussen mama's benen en kijkt naar de plaszak, schuift een stukje opzij en kijkt er weer naar. Mama pakt de handdoek, legt hem om B.J. schouders, doopt de zwar-te kam in een glas water en begint B.J.'s donkere haar te kammen.

Ik ga in kleermakerszit op de grond zitten.

'Hou op met dat gedraai nu,' zegt mama.

'Ik draai niet,' zegt B.J.

'Dat doe je wel,' zegt mama. 'Maak je nou maar geen zorgen om die zak, hij zal je heus niet bijten.'

'Dat doe ik helemaal niet,' zegt B.J.

Mama pakt B.J.'s hoofd met beide handen vast en duwt zijn hoofd naar voren.

'Het is lang geleden dat ik je haar geknipt heb,' zegt mama.

'Carson,' zegt B.J.

'Inderdaad,' zegt mama. 'Vroeger knipte ik je haar altijd een keer per maand, weet je nog?'

B.J. probeert te knikken, maar mama houdt zijn hoofd vast en draait hem van links naar rechts zodat ze beide kanten van zijn gezicht en zijn nek kan zien.

Opeens begint ze te knippen, het wordt stiller dan stil in de kamer, alleen het gezoef van de bladen van de schaar is te horen. B.J. blijft heel stil zitten, kijkt naar de vloer, en mama knipt in een rechte lijn langs zijn nek, de zijkant van zijn gezicht en zijn voorhoofd, de pony valt net over zijn wenkbrauwen heen. Ze knipt met vaste hand, alsof ze precies weet wat ze doet, alles in kaarsrechte lijnen. Ik kan me niet meer herinneren wanneer ze mijn haar voor het laatst geknipt heeft, hier of in Carson City, maar aan de manier waarop ze knipt en B.J. haar haar gang laat gaan, kan ik zien dat ze het eerder gedaan moet hebben.

Mama houdt op met knippen, schudt haar armen even los en zucht diep.

'Ik was vergeten hoe moe je hiervan wordt,' zegt mama.

B.J. kijkt op, kijkt met zijn donkere ogen naar de muur achter me en de kamer rond.

'Wil je stoppen?' zegt B.J. 'Wil je even uitrusten?'

Mama schudt haar hoofd en zucht nog eens diep, op haar bovenlip zitten een paar zweetdruppeltjes.

'Nee, nee,' zegt mama, 'dat moet er nog bijkomen dat ik je haar niet meer in een keer zou kunnen knippen.'

B.J. perst zijn lippen op elkaar, zijn ogen zijn op de vloer gericht, zijn handen liggen op de afgeknipte plukjes haar op het vloerkleed. B.J.'s haar hangt over zijn oren, in de nek is het iets korter, een pony op zijn voorhoofd, het ziet er keurig netjes uit.

Mama houdt op B.J.'s haar te kammen, legt haar handen op zijn schouders en buigt zich naar voren, met de zijkant van haar Sneeuwwitje-gezicht naar het gebruinde gezicht van B.J. toe. Mama doet iets wat ze al heel lang niet meer heeft gedaan, ze geeft B.J. een zoen in zijn nek, beroert met haar lippen zijn huid en sluit haar ogen.

B.J.'s gezicht wordt rood, zijn ogen schieten onzeker heen en weer en hij legt zijn kin op zijn borst. Mama laat hem los en gaat

rechtop zitten, schouders naar achteren, kin ingetrokken, de houding van een dame. Ze veegt de haren van zijn schouders en uit
zijn nek.

'Klaar, knappe kerel van me,' zegt mama.

B.J. gaat vlug staan en trekt de handdoek van zijn schouders, zijn
ogen zijn op mama gericht, alsof hij haar voor het eerst ziet, niet
weet wie ze is. Hij geeft haar de handdoek en voelt aan zijn hoofd,
langs de onderkant van zijn pas geknipte haar en laat zijn hand even
rusten op de plek waar mama hem een zoen heeft gegeven.

'Bedankt,' zegt B.J.

Mama glimlacht en strijkt door zijn pony.

'En hou het netjes nu, hè,' zegt mama.

'Oké,' zegt B.J.

'Ga je dan nu maar aankleden,' zegt mama, 'en ga ontbijten.'

B.J. kijkt alsof hij niet goed weet wat hij moet doen, loopt de kamer uit, kijkt nog één keer achterom en dan is hij verdwenen.

Mama veegt de haren van haar nachtpon, kleine plukje haar van
B.J. vallen op de grond.

'Nu ben jij aan de beurt, Jenny,' zegt mama.

'Maar ik vind mijn haar mooi zoals het is,' zeg ik.

'Nee, nee,' zegt mama. 'Er zit geen model meer in. Ga zitten.'

Met ingehouden adem ga ik op B.J.'s afgeknipte haren zitten en
ze legt de handdoek om mijn schouders. Mama's knieën zitten aan
weerszijden van mijn schouders, knokige botten onder witte zijde,
en ik zit stijf rechtop en hou de punten van de handdoek als een
vuist met mijn vingers omklemd.

Zoals ik nu zit, kan ik niets zien, alleen haar schaduw op het groene vloerkleed. Mama draait mijn hoofd van de ene naar de andere
kant en begint dan mijn haar te kammen met de zwarte kam die ze
in het glas water heeft gedoopt.

Mijn haar is donkerbruin, lang, tot over mijn schouders en bijna
steil, alleen aan de uiteinden krult het. Je kunt alles doen met lang
haar, een paardenstaart maken, vlechten, vastzetten met speldjes. Ik
vind mijn haar mooi zoals het is.

Mama pakt mijn haar, alles met een hand, en ik zie de schaduw
van haar arm, van de hand met de schaar. Ik adem in en een, twee,
drie, mijn haar ligt op de grond.

Ik adem uit en de tranen springen in mijn ogen, mijn lange haar ligt als een levenloos ding op het vloerkleed. Ik raak het aan, het is koel en zacht.

B.J. komt de gang in lopen en begint stom te grijnzen, zelfs zijn donkere ogen doen mee.

'Wauw,' zegt B.J. 'Je hebt zowat een kale kop.'

'Niet overdrijven,' zegt mama.

'Nou ja, hartstikke kort dan,' zegt B.J.

Mama knipt en knipt, kortere plukken haar vallen om mijn benen, mijn nek wordt koud. Ik kijk naar het vloerkleed, de schaduw van haar armen, de schaduw van de schaar.

'Je ziet eruit als een vent,' zegt B.J.

'Jongens die overal iets op aan te merken hebben, kunnen we hier niet gebruiken,' zegt mama, 'wegwezen, jij, laat de dames met rust.'

B.J. begint smalend te lachen en loopt naar de keuken, cornflakes vallen in een kom, de deur van de koelkast wordt opengetrokken.

Mama kamt en knipt en draait mijn hoofd van de ene naar de andere kant.

Het is niet het einde van de wereld, maar het voelt wel zo, mijn maag een gapend gat waar het einde van de wereld doorheen valt.

Mama buigt haar hoofd naar voren tot naast mijn oor, de warme klank van haar stem, de geur van sigaretten.

'Kort haar is veel netter,' zegt mama. 'Heel Europees ook.'

'Europees?' zeg ik.

'Je moet er goed uitzien als we bij de koningin op bezoek gaan,' zegt mama.

'De koningin?' zeg ik.

'St,' zegt mama.

Haar stem is haar stem niet meer en ik bijt hard op mijn lip.

B.J. roept dat hij gaat skateboarden en mama zegt dat hij voorzichtig moet zijn en dan houdt mama me eindelijk de spiegel voor. De voordeur slaat met een klap dicht, ik hou de spiegel met beide handen vast en zie niet mezelf in de spiegel, maar iemand anders. Mama plukt aan mijn schouders en veegt de haren eraf, kleine natte plukjes haar vallen op de grond.

'Pixie,' zegt mama,' dat is jouw stijl.'

'Al mijn haar is weg,' zeg ik.

'Pixie,' zegt mama, 'weet je nog?'

Overal op het vloerkleed liggen plukjes haar, als grassprieten, ze kleven aan mijn nachthemd, aan de handdoek, aan de California King en aan de voorkant van haar nachtpon. Mama's krullende haar staat alle kanten op, er zitten zweetdruppeltjes op haar bovenlip, haar donkere ogen zijn groot. Mama doet haar hand voor haar mond en ademt snel in.

'Weet je dat niet meer?' zegt mama.

Mama schuift met haar voet over mijn haar dat op de handdoek en op de grond ligt, haar donkere wenkbrauwen samengetrokken. Mama steekt haar hand uit om mijn haar aan te raken, maar bedenkt zich en legt hem met de handpalm naar bover op haar witte nachtpon, de perzikkleurige duster hangt open.

'Ik weet het nog wel,' fluistert mama, 'jij niet?'

'Ja, ja,' zeg ik, 'ik weet het alweer. Zal ik nu gaan opruimen?'

Mama schuift langzaam en voorzichtig naar achteren, haar ogen schieten heen en weer, gaan open en dicht, open en dicht.

'Ik ben zo moe,' fluistert mama, 'ik ga nu eerst een dutje doen.'

Ik schuif de plaszak weg zodat het slangetje niet knakt en veeg de haren van mama's nachtpon, van haar voeten, van de California King.

Ik hark met mijn vingers het vloerkleed aan, graai B.J.'s haar en mijn haar bij elkaar en leg het op de witte handdoek, een bruin nest van haar, lang en kort, overal waar je kijkt ligt haar.

In de badkamer schud ik alle haren in de afvalbak en kijk in de spiegel, maar ik ben ik niet meer. Pixie. Europees.

'Wil je een nieuw glas water voor me halen?' zegt mama.

Mama rommelt tussen haar potjes met pillen en ik pak het glas water van het nachtkastje, neem het mee naar de badkamer en giet het leeg, plukjes haar stromen weg in de wasbak. Ik leg de kam op de wastafel, spoel het glas driemaal om en vul hem met koud water.

Als ik terugkom in de kamer, heeft mama een potje met groene pillen in haar schoot omgekeerd, het zijn er wel dertig. Mama laat het lege potje op het bed vallen, neemt een tweede potje en kijkt aandachtig naar het etiket. Ze schudt haar hoofd, zet hem terug en pakt een ander potje. Ze leest wat er op het etiket staat, opent het bruine potje en keert hem om. Er vallen rode pillen bovenop het hoopje groene pillen, het klinkt als het geklater van water en ze zien eruit als snoepjes, als kralen waar je een halsketting van kunt rijgen.

'Wat doe je?' zeg ik.

Mama kijkt op, donkere, rustige ogen in een mooi Sneeuwwitje-gezicht. Ik zet het glas op het nachtkastje. Mama kijkt weer naar het hoopje pillen in haar schoot, graait erin en laat ze tussen haar vingers door vallen.

'Mama?' zeg ik.

'Net Kerstmis,' zegt mama.

Ze pakt een groene pil en een rode pil en legt ze naast elkaar in de palm van haar hand.

'Waar is de groene voor, mama?' zeg ik.

'Om te slapen,' zegt mama.

'Waar is de rode voor?' zeg ik.

'Wat?' zegt mama.

'De rode pil,' zeg ik.

Ze doet haar hoofd schuin alsof ze luistert, en haar stem is zo zacht dat ik me naar voren moet buigen om haar te verstaan.

'Wees eens lief,' zegt mama, 'en ga spelen.'

Mama stopt de twee pillen in haar mond, neemt een slokje water en doet haar hoofd achterover.

Mijn hart bonst in mijn oren, mijn hoofd prikt en mijn maag draait, alsof ik over moet geven. Er klopt iets niet en ik zou iets moeten doen, maar ik weet ik niet wat.

Mama neemt nog twee pillen, een rode, een groene, en kijkt me aan, haar ogen schieten heen en weer. Ik leg mijn hand in mijn nek en probeer het tintelende gevoel weg te wrijven.

'Ga nu maar spelen,' zegt mama. 'Dan kan ik even rusten.'

Ik slik en wrijf met mijn hand over mijn neus en in mijn ogen. Ik kijk naar haar, naar de pillen in haar schoot.

'Weet je het zeker?' zeg ik.

'Ja,' zegt mama.

Het is stil in mama's kamer, het geluid van pillen die tegen elkaar aan tikken, en mijn neus kriebelt, als een bloedneus zonder bloed. Mama neemt nog twee pillen, slokje, hoofd achterover, doorslikken.

Met langzame passen loop ik achteruit naar de deur en doe hem open. Het zonlicht uit de voorkamer valt over de keukenvloer en doorsnijdt de schaduwen in haar donkere kamer.

'Doe je wel de deur goed dicht, lieverd?' zegt mama.

De klok boven het fornuis heeft de kleine wijzer op tien en de grote wijzer op twaalf. Tien uur. Ik kijk in onze slaapkamer, de hand in mijn nek, de korte haartjes prikken in mijn vingers.

Geen B.J.

Voor haar deur blijf ik staan en hou mijn adem in. Het is stil aan de andere kant van de deur, stil in haar kamer.

Tien passen door de keuken.

Vijf naar de voordeur.

Mijn hand op de koude, ijzeren deurknop, draaien, trekken.

Buiten op de stoep knijp ik mijn ogen half dicht tegen het zonlicht en trek de deur achter me dicht.

De wind waait, zoals altijd, de zon schijnt, zoals altijd.

Ik haat het hier.

Ik loop naar het trottoir, kijk heuvel op, heuvel af, niets.

Geen B.J.

Ik ga op de stoeprand zitten, trek mijn knieën op, sla mijn armen eromheen en wil het haar uit mijn gezicht strijken, maar er is geen haar en mijn nek is koud. Ik ga staan en aan de voet van de heuvel rijden auto's heen en weer over Highway 101. Achter de snelweg ligt het strand en de zee.

Geen B.J.

Heuvel op, een rij huizen, auto's die langs de straat staan geparkeerd.

Geen B.J.

Hij heeft zijn skateboard waarschijnlijk mee naar het park genomen om daar zijn rondjes te draaien en sprongen te maken. Ik loop de heuvel op, mijn armen zwaaien heen en weer en ik probeer adem te halen, maar krijg niet genoeg lucht. Boven aangekomen, kijk ik naar beneden, voor alle zekerheid.

Geen B.J.

Het park is bomen en gras, kleine kinderen, grote mensen.

Geen B.J.

Bij de vijver zijn eenden en ganzen, witte zwanen, en daarnaast nog alle andere vogels.

Geen B.J.

Ik ren het park door, naar het zebrapad, druk op de knop tot rood groen wordt en ren de hele weg terug naar Nummer Een.

Thuis staat de klok op halfelf en ik draai de knop van mama's deur om en duw de deur een stukje open. Mama leunt tegen de kussens, gezicht opzij, de ogen gesloten. Ze haalt diep en luidruchtig adem, de mond een beetje open. Alles is goed met haar, er is niets aan de hand, ik doe de deur dicht.

Misschien klopt dat met die pillen toch wel, omdat ze er altijd heel veel van moet innemen.

Het is stil in Nummer Een, alleen het aanslaan van de koelkast-motor is te horen.

De telefoon hangt aan de muur naast de keukentafel, het snoer zit helemaal verdraaid. Ik trek een stoel onder de tafel vandaan, klim er-op en neem de hoorn van de haak. Het nummer van papa's werk staat op een stukje papier dat op de telefoon is geplakt. Ik draai het nummer, de schijf draait na ieder cijfer een heel eind in het rond.

Met beide handen hou ik de hoorn vast en hoor de telefoon aan de andere kant drie keer overgaan.

Geen papa.

Mama ligt nog steeds in precies dezelfde houding te slapen, mond open, ogen gesloten, de ademhaling diep en luidruchtig.

Elf uur.

Ik ga weer buiten op de stoeprand zitten en kijk de heuvel af.

Geen B.J.

Papa's telefoon op kantoor rinkelt en rinkelt, ik laat hem honderd keer overgaan voordat ik neerleg.

Mama slaapt nog steeds, ziet er nog steeds hetzelfde uit en haalt adem alsof ze heel diep slaapt. Of toch niet? Ik hou mijn gezicht vlak voor haar mond, haar adem strijkt langs mijn wang.

Alles is goed met haar, er is niets aan de hand.

Twaalf uur.

Ik ga weer buiten op de stoeprand zitten en kijk de heuvel af. Heuvel op hoor ik het geluid van skateboardwieletjes. B.J. komt over het midden van 28th Street aanrijden, wijde s-bochten makend, de knieën gebogen en de armen naar opzij uitgestoken. Hij heeft een bruine papieren zak in zijn hand.

Achter in mijn keel begint het pijn te doen, mijn armen en be-nen verstijven van angst en ik ben nog nooit zo blij geweest B.J. te zien.

B.J. neemt een voet van zijn skateboard en remt af langs de stoep-rand.

'Waar was je?' zeg ik.

B.J. wipt zijn skateboard het trottoir op, alles normaal, net als altijd, en misschien ligt het gewoon aan mij, maak ik me zorgen om niets.

'In de buurt,' zegt hij.

B.J. geeft zijn skateboard een duwtje, waarna hij uit zichzelf naar de voordeur rolt, en gaat op de stoeprand zitten, opent de papieren zak en kijkt erin. Hij haalt er een pakje Twinkies uit en scheurt met zijn tanden de verpakking los.

'Er klopt iets niet,' zeg ik. 'Er klopt iets niet met mama.'

B.J. spuugt een hoekje van de Twinkie-wikkel uit en vist met twee vingers een Twinkie uit de verpakking.

'Ik meen het,' zeg ik. 'Er klopt iets niet. Ik bedoel, ik denk dat er iets niet klopt.'

B.J. duwt de Twinkie in zijn mond, de witte vulling loopt tussen zijn vingers door. B.J. slaat zijn ogen ten hemel en zegt iets wat ik niet versta.

De zoete geur van de Twinkie, de wind, de zon, de gedachte aan een Twinkie, mama niet in orde, en mijn maag draait zich en ik krijg water in mijn mond. Papa zegt dat water in je mond een waarschuwing is en wanneer je een waarschuwing krijgt, dan moet je meteen naar de badkamer rennen.

Ik ren het trottoir over, het huis in, naar de badkamer, doe de wc-bril omhoog en wacht. Ik spuug in het water, in het schone wc-water, in de wc-pot zit een grijze rand.

Papa noemt het braaksel.

B.J. noemt het kots.

Ik noem het overgeefsel.

Ik haat het als ik moet overgeven, je krijgt er een vieze smaak van in je mond, een brandende gevoel van in je keel, en je staat op je benen te trillen na die tijd. Het water in de wc-pot wordt geel, met geel water dat uit mij komt, en ik huil en hoest en huil tot alles eruit is.

Ik haal de rug van mijn hand onder mijn neus langs en veeg de tranen van mijn gezicht af aan mijn t-shirt. Ik ga staan, trek de wc door en doe de bril weer naar beneden.

Ik draai de kraan open en hou mijn handen eronder, neem drie slokjes water en spuug het uit. Ik kijk in de spiegel en zie kort haar, een bleek gezicht en donkere, grote ogen.

Eén uur.

Ik loop heel stil mama's kamer binnen en alles is nog hetzelfde, alleen haar ademhaling hoor ik niet, alsof er helemaal geen lucht meer uit haar komt. Mama's hand en gezicht zijn koud, te koud.

De regel is dat je haar nooit en te nimmer wakker mag maken, maar ik leg mijn handen op haar schouders, de perzikkleurige zijde voelt zacht aan onder mijn vingers.

'Mama?' fluister ik. 'Mama, is alles goed met je?'

Haar hoofd valt achterover alsof hij niet aan haar hals vastzit en ik leg mijn handen om haar gezicht, jukbeenderen, wallen onder haar ogen, en probeer haar hoofd weer naar voren te doen.

'Mama?' schreeuw ik.

B.J. houdt in de deuropening het zonlicht tegen, in zijn mond-hoeken zit wit suikerglazuur.

'Er is iets mis,' schreeuw ik.

Ik laat haar gezicht los en mama's hoofd valt opzij. Ik pak haar hand en knijp erin, maar er gebeurt niets, botten en kou is alles wat ik voel.

'Kom nou,' roep ik, 'je moet haar wakker maken.'

B.J. legt zijn hand op mijn schouder en duwt me weg. B.J. gaat dicht bij mama staan, maar raakt haar niet aan, draait alleen zijn hoofd opzij om naar haar ademhaling te luisteren, ademhaling die er niet is. B.J. raakt met de rug van zijn hand haar gezicht aan, maar zo lang-zaam en voorzichtig dat het lijkt alsof hij haar helemaal niet aan-raakt.

'Ze is koud,' zegt B.J.

B.J. pakt mama's handen en stopt ze onder de dekens, heel voor-zichtig alsof ze van glas zijn.

'Wat doe je?' schreeuw ik. 'Waar ben je nou mee bezig?'

B.J. trekt de bedsprei en de deken omhoog maar ze glijden van haar perzikkleurige zijden duster af.

'Ze heeft het koud,' zegt B.J.

'Koud?' schreeuw ik, 'ze wordt niet meer wakker. Ze heeft er veel te veel van ingenomen.'

'Veel te veel van WAT?' schreeuwt B.J.

'PILLEN' schreeuw ik.

'Schreeuw niet zo,' schreeuwt B.J.

'Schreeuw jij niet zo,' schreeuw ik. 'Ik heb je overal gezocht, ik heb papa gebeld, honderd keer heb ik hem laten rinkelen, ze is al zo sinds tien uur en nu wil ze niet meer wakker worden.'

Ik pak de lege potjes van de California King en keer ze om.

'Kijk dan, ze heeft ze allemaal ingenomen,' zeg ik.

B.J. kijkt me heel lang aan, knippert met zijn ogen, kijkt naar mama en dan weer naar mij.

B.J.'s gezicht wordt rood, van zijn nek tot aan zijn wangen, en hij rent naar de keuken.

Mama beweegt zich helemaal niet meer. Ik ren hem achterna.

B.J. houdt de hoorn van de telefoon in zijn hand en kijkt naar papa's telefoonnummer.

'Bel de telefoniste,' schreeuw ik, 'draai een nul.'

B.J. draait de schijf in het rond, kijkt naar mij en bijt op zijn onderlip, zijn ogen zijn nog donkerder dan anders.

De angst doet mijn armen en benen verstijven en kruipt langs mijn nek omhoog, mijn hart bonst in mijn keel. B.J.'s armen beven, hij kijkt naar de vloer en praat en huilt tegelijk.

'Help,' zegt B.J., 'help, mijn moeder is ziek, we hebben hulp nodig.'

Een keer, honderd keer, een keer, en alle keren ertussenin. Hoe vaak papa me ook vraagt wat er die dag verder nog gebeurd is, ik kan me er niets meer van herinneren.

Ik weet nog dat mijn haar geknipt werd, dat er een heleboel pillen waren, dat ik moest overgeven en tegen B.J. schreeuwde, maar wat er daarna gebeurd is, herinner ik me niet meer. Als ik mijn ogen stijf dichtknijp en mezelf ertoe dwing, zie ik alleen felle lampen, hoor ik geschreeuw en krijg ik het gevoel dat ik zelf al die pillen heb ingenomen en dat ik degene ben die wegzweeft.

B.J. zegt dat het een vergissing was.

Papa zegt dat het een overdosis was.

Ik zeg niets omdat ik het niet weet.

Papa zegt dat mama heeft geprobeerd zichzelf ziek te maken en dat ze daarom naar een speciaal ziekenhuis moet met speciale dokters die zorgen voor mensen die proberen zichzelf ziek te maken.

Mama is nu in dat speciale ziekenhuis en papa belt met Carson City, hij praat met zijn hoofd in zijn hand. Papa praat met opa Ed alsof er niets gebeurd is, over zijn werk en dat B.J. en ik groeien als kool. Na opa Ed, praat papa met oma Maggie en zegt dan dat hij niet meer weet hoe het verder moet, dat het geld bijna op is en alles hem tegenzit. Na oma Maggie belt papa met tante Carol en ook zij praten heel lang met elkaar. Als papa de telefoon neerlegt, zegt hij dat iemand ons zal komen helpen.

Hoofdstuk vijf

Steve heeft lang, donker haar en bakkebaarden. B.J. zegt dat Steve onze neef Steven uit Carson City is, maar dat kan helemaal niet. Die Steven was een van die wilde bende neven en nichten waar Andy, Mark, Bobbie Lou, Tracy en Faith Ann ook deel van uitmaakten. Die Steven had kort haar, een fris gezicht en droeg witte overhemden.

'Steven blijft bij jullie tot mama weer beter is,' zegt papa.

'Steven klinkt zo burgerlijk,' zegt Steve. 'Zeg maar gewoon Steve, hoor.'

Steve's baard bestaat uit hier en daar wat plukjes donker haar en lijkt op een kat die net gevochten heeft. Steve draagt zijn donkere haar in een paardenstaart en heeft een gescheurde spijkerbroek en een geknoopverfd t-shirt aan.

'Wat is er met jou gebeurd?' zegt papa. 'Je ziet er zo anders uit.'

Steve kijkt naar zichzelf en begint te lachen, een hoog lachje dat overgaat in gehoest, als een kat die een haarbal ophoest.

'Klopt helemaal, oom Bud,' zegt Steven. 'Ik wil me volledig omturnen.'

'Omturnen?' zegt papa. 'Laten verloederen zul je bedoelen.'

Steve knikt, lacht als een kat, hoest als een kat.

'Dat zei die ouwe van me ook al,' zegt Steve. 'Die is zo verschrikkelijk burgerlijk.'

'Wat is burgerlijk?' zeg ik.

B.J. kan zijn ogen niet van Steve afhouden en heeft zijn lippen opgetrokken tot een luie grijns, de moedervlek op zijn bovenlip beweegt mee.

'Burgerlijk is bekrompen,' zegt B.J.

'Heel bekrompen,' zegt Steve.

B.J. lacht en wrijft met zijn handen langs zijn benen, alsof zijn handen vies zijn. Steve lacht met zijn hoofd achterover, kattenlach, kattenhoest. Papa kijkt naar B.J. en Steve, schraapt zijn keel en steekt zijn hand uit naar Steve.

'Nou ja, ik blij dat je er bent, jongen,' zegt papa.

Steve lacht weer en begint papa dan heel vreemd de hand te schudden, helemaal verdraaid, handpalmen en vingers schieten alle kanten op. Papa's wenkbrauwen gaan de lucht in en hij kijkt verbaasd naar zijn hand die alle kanten op geslagen wordt.

B.J. moet zo hard lachen dat hij van de bank valt.

Steve zit op de lange groene bank, de armen over de rugleuning, de benen gespreid. Papa zit op de grote paarse druif, de ellebogen op de knieën, en doet onder het praten zijn handen telkens tegen elkaar, van elkaar en weer tegen elkaar. Ik zit naast papa, zo dichtbij dat ik zijn lichaamswarmte kan voelen. Ik trek mijn knieën op, sla mijn armen eromheen en maak mezelf zo klein mogelijk.

Papa vertelt Steve wanneer B.J. en ik naar school gaan, wanneer we thuiskomen, wanneer we eten, wat we wel en wat we niet mogen. Geen televisie kijken voordat het huiswerk af is, dat soort dingen.

Steve luistert alleen maar, zijn ogen zijn donker, bijna zwart, zijn lichaam lijkt gehuld in schaduwen.

B.J. kijkt naar Steve en knikt wanneer Steve knikt, slaat zijn armen over elkaar wanneer Steve zijn armen over elkaar slaat, lacht wanneer Steve lacht, zelfs als het niet grappig is.

Papa zegt dat hij het in verband met de belastingaangiftes erg druk heeft, dat hij tot 's avonds laat moet doorwerken, en misschien wel de hele nacht, en wijst dan naar een rijtje telefoonnummers op een velletje papier naast de telefoon.

Steve knikt, knippert even met zijn ogen en knikt nog een keer.

Het gevoel dat mama nog steeds bij ons is, is helemaal weg nu, alsof ze hier nooit geweest is. Ik strijk met mijn hand over mijn nek en waar eerst haar zat, zit nu niets meer en dan weet ik weer dat ze hier wel geweest is, dat mijn haar weg is, bewijst dat.

Papa praat, Steve knikt en dan kijkt Steve met zijn donkere ogen naar mij. Hij kijkt me alleen maar aan en ik sla mijn ogen neer.

In tante Carols huis in Carson City was een roze meisjeskamer en een blauwe jongenskamer, meisjes apart, jongens apart. Ik zag Steve nooit, alleen tijdens het eten en zelfs dan praatte ik niet met hem.

Ik zwaai met mijn benen heen en weer maar heb het gevoel dat Steve nog steeds naar me kijkt. Ik kijk op, om er zeker van te zijn. Steve glimlacht een beetje en ik sla mijn ogen weer neer, prikkels in mijn nek, over mijn hoofd en in mijn neus.

Zo gaat het nu sinds Steve er is.

's Morgens geen slaperige hoofden meer, geen opschieten, geen te laat komen. Papa heeft een wekkerradio voor ons gekocht die 's morgens om zeven uur afloopt zodat we nog een uur de tijd hebben om ons aan te kleden, te eten en naar school te lopen.

Als het alarm van de wekkerradio afgaat, stap ik uit bed en kijk omhoog naar B.J. die nog als een blok ligt te slapen. Als hij zich beweegt of iets zegt, dan weet ik dat hij wakker is. Als hij stil is, weet ik dat hij slaapt. Vanmorgen is B.J. stil.

'Je moet opstaan,' zeg ik.

'Ga weg,' zegt B.J.

Ik loop acht passen door de gang naar mama en papa's slaapkamer en kijk naar binnen. De California King is keurig netjes opgemaakt en het is koud in de kamer, alsof er die nacht niemand geslapen heeft.

B.J. zegt dat papa veel moet werken omdat hij anders geen miljonair wordt.

Steve zegt dat papa zich ook aan het omturnen is.

Ik zeg niets, ik wou maar dat papa thuiskwam, in ieder geval 's nachts.

Ik loop de keuken door en de woonkamer in. Steve ligt op de lange groene bank te slapen, een blauwe deken over zich heen, een blauw kussen onder zijn hoofd.

Ik ga de badkamer in, doe het licht en de ventilator aan en trek de deur achter me dicht. Het geluid van de ventilator is het enige geluid in de badkamer en ik vind het leuk zoals hij zoemt en koele lucht verspreidt. Bij het licht van de lamp en het gezoem van de ventilator begin ik me op te kalefateren, ik borstel zorgvuldig mijn haar en hou mijn gezicht vlak voor de spiegel om er zeker van te zijn dat alle slaapsmurrie uit mijn ooghoeken verdwenen is.

Als ik klaar ben, doe ik het licht en de ventilator weer uit en doe de deur open.

Het is stil in Nummer Een, iedereen slaapt nog, en ik loop via de keuken naar de woonkamer, alleen het geklepper van mijn schoenen op het linoleum is te horen.

Steve slaapt op zijn rug, zijn handen liggen op zijn borst, zijn mond staat open. Van zo dichtbij ruikt zijn adem naar tabak en kun je de haartjes in zijn neus zien zitten. En als je lang genoeg blijft staan en alleen maar kijkt, schrikt hij vanzelf wakker.

'Hé,' zegt Steve. 'Wat krijgen we...?'

'We moeten zo naar school,' zeg ik.

Steve duwt zich op zijn ellebogen omhoog, gaat rechtop zitten, benen uit elkaar. De blauwe deken valt tussen zijn benen, zwarte haren, knokige knieën, boxershort.

'Jezus,' zegt Steve, 'ik schrik me het apelazerus als je dat doet.'

Steve wrijft over zijn gezicht en in zijn ogen en ik blijf staan en kijk naar hem. Steve slaat de deken om zijn benen en laat zich terugvallen in de kussens. Hij kijkt hoe ik naar hem kijk.

'Ik vind jou maar een enge chick, hoor,' zegt Steve.

'B.J. slaapt nog,' zeg ik. 'We komen te laat.'

'Oké, oké,' zegt Steve, 'geen paniek.'

Steve schraapt zijn keel en schreeuwt naar B.J. dat hij zijn bed uit moet komen. Dan staat Steve op van de bank, zet de televisie aan en begint de zenders af te zoeken.

Ik loop naar de keuken, duw een plak brood in de broodrooster en eet hem staande op.

Als Steve de zender met tekenfilms van Dick Tracy gevonden heeft, houdt hij op met zoeken en dan komt B.J. ook zijn bed uit. B.J. loopt met zijn armen naar voren uitgestoken, zijn ogen halfgesloten en hij zet zijn voeten met een klap neer. B.J. ziet eruit als Frankenstein in pyjamabroek met cowboys en indianen. Als Steve B.J. zo ziet lopen, begint hij te lachen en dan begint B.J. ook te lachen, op dezelfde manier als Steve.

De eerste klas is net als de kleuterschool, alleen duurt het de hele dag.

In mijn klas staan vier tafels tegen elkaar geschoven om er één grote tafel van te maken. Mijn tafel staat naast die van een mollig jongetje dat Charlie heet, tegenover me zit Emily en Bobby zit naast haar. Bobby draagt een bril.

Mijn onderwijzeres heet mevrouw Cabbage en sommige kinderen beginnen te lachen als ze dat zegt, maar mevrouw Cabbage vindt het niet erg dat ze mevrouw Koolraap heet en lacht gewoon mee.

In de eerste klas maken we bordjes met onze naam erop en een tekening eromheen. Mevrouw Cabbage zegt dat we iets moeten tekenen waar we iedere dag met plezier naar kijken, iets waar we dol op zijn of veel van houden.

Ik schrijf met langzame bewegingen mijn naam in hoofdletters op. Aan de zijkant teken ik een ovaal gezicht, donkere ogen, donker, gekruld haar, helderrode lippen en een vleugje kleur hoog op de jukbeenderen. Er blijft alleen nog ruimte voor een hals, een lange, slanke hals.

'Ben jij dat?' zegt mevrouw Cabbage.

Mevrouw Cabbage draagt een gebloemde rok en een gebloemde blouse en mama heeft gelijk, al die bloemen is veel te druk.

'Nee, mijn moeder,' zeg ik.

'O,' zegt mevrouw Cabbage.

Charlie tekent een honkbalknuppel en een bal, Emily tekent madeliefjes en Bobby tekent vier ijsco's. Mijn bruine kleurpotlood is op de grond gevallen en ik doe mijn arm tussen mijn knieën door naar beneden, schouder naar voren, en probeer erbij te komen.

'Hij is niet goed gelukt,' zeg ik, 'mijn moeder ziet er in het echt veel mooier uit.'

Mevrouw Cabbage kijkt naar de tekening en schudt haar hoofd.

'Nee, nee,' zegt mevrouw Cabbage, 'die tekening is heel mooi, ik heb alleen nog nooit gezien dat een kind een tekening van zijn moeder op het naambordje maakt.'

Ik ga rechtop zitten, schouders naar achteren, kin ingetrokken, de houding van een dame. Charlie, Emily en Bobby proberen ook naar mama te kijken en mevrouw Cabbage legt haar hand op haar hart.

'Hij is prachtig,' zegt mevrouw Cabbage, 'jouw moeder boft maar.'

Mevrouw Cabbage geeft me een klopje op mijn schouder en loopt dan om de andere tafels heen. Mama kijkt me vanaf de tekening aan en ik wou dat ik beter kon tekenen.

Het meisje dat boven ons woont, is Strand-Barbie-mooi, blond haar, blauwe ogen, lange, bruine benen. Ze komt om ongeveer dezelfde tijd thuis van haar werk als wij van school thuiskomen.

Vanaf de lange groene bank bij het raam kijk ik haar net zo lang na als ze de trap op loopt tot haar bruine benen uit het zicht verdwenen zijn.

'Wat een stuk,' zegt Steve. 'En nog vrijgezel ook.'

B.J. kijkt naar Steve en Steve kijkt naar B.J. en ze beginnen allebei te lachen alsof dat een grap is.

Steve, B.J. en ik zitten in de woonkamer naar de tv te kijken. Tv kijken voordat je je huiswerk gemaakt hebt, is tegen de regels, maar Steve zegt dat voor de buis hangen 'oké' is zolang iedereen zijn mond er maar over dichthoudt.

Steve zit op de grond met zijn rug tegen de zijkant van de grote paarse druif, een dunne sigaret tussen zijn duim en wijsvinger geklemd. Hij maakt zijn eigen sigaretten met witte vloeitjes uit een doosje en losse tabak uit een zakje. Steve inhaleert diep en luidruchtig en begint dan te praten terwijl de rook nog in zijn longen zit.

'Wat betekent vrijgezel, B.J.?' zeg ik.

'Niet getrouwd, domkop,' zegt B.J.

'Man, laat je toch bij je naam noemen,' zegt Steve.

B.J. lacht als Steve zo praat, zo hard zelfs dat hij er de hik van krijgt, en Steve lacht ook en geeft B.J. een klap op zijn schouder.

'Nee, echt, ik meen het,' zegt Steve. 'Dat slaat toch nergens op.'

B.J. perst zijn lippen op elkaar alsof hij serieus wil blijven, maar barst dan toch in lachen uit. Steve doet zijn ogen dicht en laat zich onderuitzakken tot hij languit op de vloer ligt, met zijn gezicht naar het plafond.

'B. J.,' zegt Steve, 'hoe verzin je het, wreed gewoon.'

B.J. houdt op met lachen en kijkt naar mij. Ik weet niet waar Steve het over heeft, begrijp hem sowieso meestal niet, en haal mijn schouders op.

Er is iets met Steve, ik weet niet precies wat, maar ik word er onrustig van, zoals wanneer je in de keuken een zwarte harige spin over het linoleum ziet rennen terwijl je dacht dat er helemaal geen spinnen zaten. Ik mag Steve wel, geloof ik, hij is tenslotte mijn neef, maar ik vertrouw hem niet erg, en als hij weer zo naar me kijkt, dan zie ik aan zijn ogen dat hij dat weet.

'Hé, Jenny,' zegt Steve, 'waarom ga je niet even wieberen, even buiten spelen of zo?'

'Waarom?' zeg ik.

'B.J. en ik moeten het even over dat B.J.-gedoe hebben,' zegt Steve.

'Nee,' zeg ik. 'Ik ga niet weg.'

B.J.'s mond hangt open en zijn hoofd gaat langzaam en op een vreemde manier op en neer.

Steve gaat rechtop zitten en kijkt me aan, een glimlach om zijn lippen.

'Een pittige chick ben jij,' zegt Steve.

B.J. lacht met hoge uithalen en slaat met zijn hand op zijn been.

Ik sla mijn armen over elkaar en trek mijn kin in.

De sigaret tussen Steve's duim en wijsvinger is niet meer dan een peukje. Hij drukt het brandende uiteinde uit en stopt de peuk in zijn plastic tas. Steve praat met zijn hoofd naar beneden, zijn stem afwezig en dromerig.

'Eng gewoon,' zegt Steve, 'zo'n pittige chick.'

Steve gaat staan, magere benen in een broek met uitlopende pijpen, en legt zijn hand op de grote paarse druif.

'Als die enge chick niet weg wil,' zegt Steve, 'dan verkassen wij wel naar jouw kamer.'

B.J. gaat nu ook staan, legt ook zijn hand op de grote paarse druif, en dan gaan ze vlak bij elkaar staan, alsof ze anders niet rechtop kunnen blijven staan. Steve slaat zijn arm om B.J. heen, ze leunen tegen elkaar aan, lopen zo de keuken door en verdwijnen dan de hoek om.

Daarna het geluid van de deur die gesloten wordt, een klik, en dan is het stil. Op de televisie is een interview met Dinah Shore en ze heeft een zachte, lome stem, opeens voel ik me doodmoe. Ik ga op de lange groene bank liggen, doe mijn handen tussen mijn knieën, maak me zo klein mogelijk en sluit mijn ogen, de zachte, lome stem van Dinah Shore in mijn hoofd.

De regel is dat acht uur bedtijd is, maar ik ben de enige die zich hier aan de regels houdt.

B.J. en Steve blijven op en kijken tv. Ze lachen constant en Steve rolt en rookt zijn sigaretjes.

Als het acht uur is, poets ik mijn tanden, doe mijn nachthemd aan en kruip met *Sneeuwwitje* in het onderste bed.

Omdat er niemand is om me voor te lezen, heb ik gekozen voor een boek met alleen tekeningen, maar dat geeft niet want papa zegt dat tekeningen in een boek het belangrijkste over het verhaal vertellen.

De eerste tekening is van de koningin die een wit hoedje in elkaar naait. De volgende tekening is van Sneeuwwitje op blote voeten in het bos met allemaal wilde dieren om haar heen. Sneeuwwitje draagt een blauwe jurk, ze ziet er bang uit en kijkt met grote ogen achterom naar het bos. De dieren zijn tussen de bladeren van de bomen en de struiken getekend, negentien dieren in totaal.

Het is een ingewikkelde tekening en ik kijk er heel lang naar. Daar is Sneeuwwitje, uit huis gegooid, aan de dood ontsnapt, en nu is ze alleen en heeft ze niemand meer die voor haar zorgt. Maar misschien is ze toch niet echt alleen en zullen de dieren haar, als ze heel voorzichtig doet, laten zien hoe ze in hun wilde wereld kan overleven. Maar als Sneeuwwitje niet voorzichtig is, zullen de dieren haar misschien pijn doen, maar daar lijkt het niet op. Alle dieren hebben grote, angstige ogen, Sneeuwwitje-ogen, en misschien komen ze in werkelijkheid uit Sneeuwwitje zelf, als een droom over alle goede en minder goede dingen in haar leven.

Het idee dat al die dieren een deel zijn van Sneeuwwitje, bevalt me wel en ik sla het boek dicht, de harde kaft schuurt langs mijn armen, mijn borst.

Ik hoor vanuit de woonkamer de televisie, ik hoor B.J. en Steve's kattenlach, kattenhoest.

Ik vraag me af waar mama vanavond is, of zij ook heel voorzichtig is.

Ik leg mijn boek onder het bed, draai me om zodat ik met mijn rug naar de muur kom te liggen, sla mijn armen om het kussen heen en sluit mijn ogen.

De volgende dag moet ik na school bij de vijver op B.J. wachten, maar B.J. is er niet. De eenden en ganzen kwaken om stukjes droog brood, de zwanen zwemmen in het rond en zijn alleen maar mooi. Ik wacht en wacht, maar B.J. laat zich niet zien.

Ik weet niet hoe ik erbij kom, maar ik weet dat B.J. me vandaag niet op komt halen. Ik kijk nog één keer in het rond en loop dan in mijn eentje naar huis.

B.J. zit op de stoep voor Nummer Een, de voordeur is dicht, en gek genoeg ben ik blij hem te zien.

'Hé,' zeg ik. 'Waar was je nou?'

B.J. krast met een steen de J van zijn skateboard, het puntje van zijn tong steekt uit zijn mond.

'Is er misschien iets gebeurd?' zeg ik. 'Je zou me komen ophalen.'

B.J. heeft zijn kin ingetrokken, zijn donkere ogen kijken omhoog naar mij, zijn gezicht staat op onweer.

'Je bent er nu toch,' zegt B.J., 'er is je toch niets overkomen?'

B.J. krast en krast, de J is bijna verdwenen.

'Wat ben je aan het doen?' zeg ik.

B.J. gooit de steen op het trottoir, pakt een dikke zwarte vilstift en trekt het dopje eraf.

'B.J. is verleden tijd,' zegt B.J.

'Hoezo? Wat is er mis met B.J.?' zeg ik.

B.J.'s gezicht wordt donkerrood, niet van boosheid maar van iets anders. B.J. schrijft de letters RYAN achter de B.

'Dat snappen jongens alleen,' zegt B.J. 'Volgens Steve snappen jongens dat alleen.'

B.J. doet het dopje weer op de viltstift en houdt hem in zijn vuist geklemd.

'Vanaf nu,' zegt B.J., 'mag niemand me meer B.J. noemen.'

'En papa dan?' zeg ik.

'Niemand,' zegt B.J. 'Nooit meer.'

Als B.J. boos is, is het mis, en ik ga staan en loop naar de voordeur.

'Je kunt niet naar binnen,' zegt B.J.

'Waarom niet?' zeg ik.

'Daarom niet,' zegt B.J.

Ik sta op de stoep, draai aan de deurknop, maar die wil niet draaien. De *I love California*-sleutelring ligt niet onder de deurmat, er ligt alleen zand.

'Steve,' roep ik, 'doe de deur open.'

'Hou je een beetje gedeisd, wil je?' zegt B.J.

'Praat hem niet zo na,' zeg ik.

B.J. haalt zijn schouders op, ik sla met mijn vuist op de deur.

In huis is het geluid van mensen te horen, hoge en lage stemmen, en dan een doffe bons, alsof er iets valt. B.J. klopt het zand van zijn spijkerbroek af en zet zijn voet op het skateboard, boven op het woord Bryan.

De deur gaat op een kier open, Steve staat in de deuropening, hij draagt alleen een spijkerbroek, geen shirt.

'Laat me erin,' zeg ik.

'Hé,' zegt Steve, 'nu al thuis?'

'Nu al?' zeg ik. 'Het is hartstikke laat.'

Ik duw tegen de deur aan, maar Steve houdt hem tegen. De deur blijft op een kier, om hem heen hangt een geur van plakkerig zoete rook.

'Hé,' zegt Steve, 'hou je gedeisd. Bryan, zeg es tegen die enge chick dat ze zich een beetje gedeisd houdt.'

B.J. doet zijn handen opzij en haalt zijn schouders op.

'Ik heb het geprobeerd,' zegt B.J., 'maar ja, je weet hoe dat gaat, hè.'

Ik kijk naar B.J., kijk naar Steve in de deuropening.

Steve is bakkebaarden, puntneus, puntogen en puntkin. Hij kijkt even achterom en dan weer naar mij.

'Ik heb bezoek,' zegt Steve, 'ga dus nog even wieberen, ergens anders een uurtje de tijd doden. Zou dat lukken?'

'Wat?' zeg ik.

Steve doet zijn hand in zijn achterzak, haalt zijn portefeuille te voorschijn en haalt er wat geld uit. Hij steekt een opgerold biljet van een dollar door de kier naar buiten.

'Geef dit aan Bryan,' zegt Steve, 'en haal even een pakje Marlboro voor me, het wisselgeld mogen jullie houden.'

B.J. steekt zijn hand uit, zijn arm leunt zwaar op mijn schouder, en pakt het bankbiljet aan.

'Geen probleem,' zegt B.J.

'Geen probleem?' zeg ik. 'Waar wou je die kopen dan? Er is hier in de buurt helemaal geen winkel. En bovendien mogen we helemaal geen sigaretten kopen, daar zijn we niet oud genoeg voor.'

Steve kijkt me heel lang aan, zijn ogen staan rustig.

'Wat ben jij een lastpak, zeg,' zegt Steve.

'Wegwezen nu, Bryan,' zegt Steve, 'en neem haar mee. Oké?'

'Oké,' zegt B.J.

En opeens doet Steve de deur voor mijn neus dicht. De sleutel wordt omgedraaid en wij staan buiten en hij is binnen.

Ik sla met mijn vlakke hand op de deur, mijn arm prikt tot aan mijn elleboog.

'Hé,' roep ik.

B.J. wil zijn hand op mijn schouder leggen, maar ik trek mijn arm weg zodat hij me niet aan kan raken.

'Wat is dit?' zeg ik. 'Waarom mogen we niet naar binnen?'

'Hou je gedeisd,' zegt B.J.

'Praat hem niet zo na,' zeg ik.

De wind waait langs de heuvel omhoog, waait het haar in zijn gezicht. B.J. legt zijn hand op zijn voorhoofd, knijpt zijn ogen half dicht en strijkt zijn haar uit zijn gezicht.

'Steve is binnen met dat grietje van boven,' zegt B.J., 'ze zijn met elkaar aan het rotzooien.'

'Rotzooien?' zeg ik.

'Aan het stoeien,' zegt B.J.

'Stoeien?' zeg ik.

B.J. kijkt naar beneden, één voet op zijn skateboard, en ik zie alleen de bovenkant van zijn hoofd, donker steil haar. Dan kijkt hij me weer met donderwolk-ogen aan.

'Wegwezen nu,' zegt B.J. 'Ga ergens een uurtje de tijd doden.'

'Praat hem niet zo na,' zeg ik.

'Dan niet,' zegt B.J. 'Doe waar je zin in hebt. Ik ben weg.'

B.J. duwt zijn skateboard van het trottoir, alle wieletjes op de weg, en rijdt de heuvel af, het geluid van rollende wieletjes op het asfalt. B.J. rijdt het hele eind naar beneden zonder te vallen, maakt een scherpe bocht naar links en dan is hij uit het zicht verdwenen.

Ik kijk de heuvel op, de heuvel af, draai me om en kijk naar de voordeur van Nummer Een. Ik loop naar de stoeprand, naast Nummer Een staat een groen huis, daarnaast een blauw huis en daarnaast een grijs huis. Ingleside Drive is bovenaan 28th Street, ik kijk naar links en naar rechts en steek dan de straat over.

Ik steek nog twee straten over, ga de hoek om en glij met mijn hand over een wit hek dat voor een grijs huis langs loopt. Achter het hek staat een zwart hondje te blaffen. Het klinkt grappig omdat het meer op keffen lijkt maar hij het toch heel hard en serieus probeert te doen, ik moet erom lachen. De hond springt en blaft maar door en ik ga op mijn hurken zitten.

'Stil maar,' zeg ik en ik steek door de spijlen van het hek mijn hand uit naar het hondje. 'Zie je wel, er is niks aan de hand.'

De hond rent heen en weer, snuffelt aan mijn vingers, loopt achteruit en begint weer te blaffen.

'Je kunt haar rustig aaien, hoor,' zegt een stem. Ik trek mijn hand terug en ga staan.

De stem is van een mevrouw met blond haar dat ze in een paardenstaart draagt waar een sjaaltje omheen geknoopt is. Haar lippenstift is glanzend roze, de mooiste kleur roze die ik ooit gezien heb. De mevrouw doet het hek open, hij zwaait naar binnen open, de tuin in. Het hondje komt aanrennen en springt tegen me op, zijn voorpootjes komen niet verder dan mijn knieën.

'Dit is Chloe,' zegt de mevrouw.

Ik kniel neer bij Chloe en laat haar mijn gezicht likken, hondenadem op mijn gezicht. Ik doe mijn hoofd achterover en krabbel haar met beide handen achter de oren. De mevrouw kijkt toe, haar ogen gaan schuil achter de glazen van haar zonnebril.

'Wat een grappige naam,' zeg ik. 'Chloe.'

'Ja, grappig, hè,' zegt de mevrouw.

De stem van de mevrouw is hoog en zoet, als van een bloem, als bloemen konden praten.

'Wij hebben poezen gehad,' zeg ik. 'De ene heette Moshe en de andere Diana.'

De mevrouw zet haar zonnebril af, knielt neer en begint Chloe te aaien.

'Ah, Moshe Dayan,' zegt de mevrouw. 'Dat is een Israëlische legeraanvoerder. Hij heeft de oorlog tegen Egypte aangevoerd.'

'O, ja?' zeg ik.

'Ja,' zegt ze.

Haar ogen zijn groen, blauw en grijs, als het water van de zee wanneer de zon ondergaat.

'Ik vind uw lippenstift mooi,' zeg ik.

De mevrouw perst haar lippen op elkaar.

'Vind je?' zegt ze. 'Hij is nieuw, met parelmoerglans.'

'Prachtig,' zeg ik. 'En hij past precies bij de kleuren in uw sjaaltje. Perfect gewoon.'

De mevrouw raakt het sjaaltje om haar paardenstaart aan, haar ogen op mij gericht.

'Woon je hier in de buurt?' zegt ze.

'In de volgende straat,' zeg ik. ''28th Street nummer een, in een "triplex".'

Ze gaat staan, kijkt om zich heen en dan naar mij.

'Ben je helemaal alleen?' zegt ze.

'Ik ben aan het wandelen,' zeg ik. 'Ik moet een uurtje doodmaken.'

De mevrouw begint te lachen, de mobiel op haar veranda klingelt tegelijkertijd.

'Zo, zo, een uurtje doodmaken, hè' zegt ze.

'Ja, ik moet me een poosje gedeisd houden,' zeg ik.

De mevrouw lacht en doet haar hand voor haar mond om het lachen tegen te houden.

'Hoe oud ben je?' zegt ze.

'Zes,' zeg ik, 'bijna zeven. Ik zit in de eerste klas. Mijn juf heet mevrouw Cabbage, en dat is geen grapje, ze heet echt zo.'

De mevrouw begint zo hard te lachen dat ze zich vooroverbuigt en haar hand in de zij zet, en ik vind het leuk om iemand zo te laten lachen.

Chloe loopt snuffelend langs het hek en dan het trottoir op.

'Chloe,' zegt de mevrouw, 'kom terug.'

Het hondje loopt over het trottoir, het staartje achterop haar hondenlijfje kwispelt.

'Ik heet Gayle,' zegt ze.

Ze schudt me heel formeel de hand, haar hand is zacht en haar nagels zijn gelakt in dezelfde kleur roze als haar lippen.

Soms als je iemand ontmoet is het net of je die persoon al heel lang kent. Zo is het ook met Gayle.

Gayle zegt dat ze zin heeft in een glas limonade en vraagt of ik ook een glas wil. Ze was in de tuin aan het werk en was net van plan om even pauze te nemen. Omdat ik toch een uurtje moet doodmaken, zeg ik ja en ga naast Gayle op de stoep voor haar huis zitten. We drinken samen onze limonade op en praten en praten.

Ik vertel haar dat we uit Carson City komen en Gayle zegt dat haar man familie in Reno heeft wonen. Ik zeg dat papa met geld werkt, maar dat ik niet weet wat dat betekent, en Gayle zegt dat haar man bij een bank werkt en dat papa misschien ook bij een bank

werkt. En ik zeg: ik denk het niet. Ik zeg dat mijn lievelingspro-
gramma op tv *Bewitched* is en Gayle zegt dat dat ook haar lieve-
lingsprogramma is. Gayle zegt dat we veel gemeen hebben en dat
het leuk is om dingen gemeen te hebben met iemand anders.

Gayle kijkt op haar horloge, een klein, zilverkleurig klokje met
een smal bandje, zo klein dat ik niet eens in de gaten had dat het
een horloge was.

'Het is vier uur,' zegt Gayle, 'het uur is voorbij.'

'We hebben hem doodgemaakt,' zeg ik.

Gayle moet erom lachen en ik kijk in mijn glas, er zitten alleen
nog wat ijsklontjes in.

'Ik moet gaan,' zeg ik.

'Wacht er thuis iemand op je?' zegt Gayle. 'Je moeder misschien?'

Ik kijk naar de ijsklontjes, schraap mijn keel en denk en denk. Ik
wil niet over mama praten.

'Ja, hoor,' zeg ik. 'Ze doet alleen een dutje.'

'Moest je je daarom een poosje gedeisd houden?' zegt Gayle.

'Zoiets, ja' zeg ik.

Ik zet mijn glas op de grond. Chloe doet haar hoofd omhoog en
snuffelt.

'Bedankt voor de limonade,' zeg ik.

Gayle slaat haar armen om haar knieën, gaat mooi zitten, met haar
hoofd schuin en kijkt me aan.

'Geen dank,' zegt Gayle, 'en kom gerust nog eens langs. Je bent
altijd welkom.'

'Oké,' zeg ik.

'Misschien kunnen we eens op een middag samen naar *Bewitched*
kijken,' zegt Gayle. 'Maar dan wel eerst aan je moeder vragen.'

'Tuurlijk,' zeg ik.

Ik doe het witte hek open en daarna achter me dicht zodat Chloe
niet uit de tuin kan. Ik wuif naar Gayle en ze wuift terug zoals Miss
Amerika: elleboog, pols, elleboog, pols.

Iedere dag wordt er nu gerotzooid.

Iedere dag moeten B.J. en ik buiten blijven.

Iedere dag ga ik naar Gayles huis. We zitten op haar veranda en
ze vraagt dan altijd naar mama, of ze het goed vindt dat ik alleen
buiten ben, dat soort dingen. Ik zeg tegen Gayle dat mama veel moet

rusten en dat ze het goed vindt en daarna mag ik van Gayle blijven en soms mag ik meehelpen in de tuin. Gayle laat me zien hoe je de kopjes van dode bloemen eraf knipt, hoe je onkruid met wortel en al uit de grond trekt zodat het niet terugkomt, en hoe je slakken vindt die zich in de schaduw verborgen houden om ze daarna in een blikje te doen.

Als we in de tuin aan het werk zijn, vertelt Gayle me dat ze zelf graag een baby wil hebben, maar dat het erg lang duurt. Gayles ogen staan bedroefd als ze over baby's praat en ik wou dat ik iets kon bedenken om haar aan het lachen te maken. Diep vanbinnen, daar waar de geheimen zitten, hoop ik dat Gayle geen baby gaat maken omdat ze dan geen tijd meer heeft om met mij te praten, maar ik heb er meteen spijt van dat ik zo denk. Ik vertel Gayle alles over mevrouw Cabbage, dat ze gebloemde rokken met gebloemde blouses draagt, dat haar kleren bij elkaar vloeken in plaats van bij elkaar passen, en daar moet Gayle dan om lachen en lachen en de bedroefde blik is verdwenen.

Gayle maakt de lekkerste tosti's met ham ter wereld. Ze zegt dat het geheim van een lekkere tosti is om het simpel te houden en de juiste mayonaise te gebruiken.

'Je moet Best Foods nemen,' zegt Gayle. 'In het oosten van het land noemen ze het Hellman's.'

Gayle en ik zitten in haar keuken. Alles is er wit, de kastjes, de keukenapparatuur, zelfs de vloer is wit. Gayle zegt dat wit een heldere, rustgevende kleur is. Ze staat aan het aanrecht, smeert Best Foods op een plakje geroosterd brood, legt er dunne plakjes roze ham bovenop, legt er een tweede plak brood bovenop en snijdt hem schuin doormidden. Ik vind het prachtig hoe ze dat doet.

Na het doorsnijden legt Gayle de lekkerste tosti ter wereld op een mooi bordje dat beschilderd is met een rode roos en een groen randje. Daarna legt Gayle twee partjes sinaasappel naast de beste tosti ter wereld en zet het bordje op de witte keukentafel.

Gayle gaat tegenover me zitten en legt haar kin in haar handen.

'Hij ziet er zo mooi uit op het bordje,' zeg ik. 'Mama zegt ook altijd: "Het moet er mooi uitzien, dat is het belangrijkste."'

'Zo te horen heeft je moeder een heel goede smaak,' zegt Gayle.

'Ja, dat klopt,' zeg ik. 'Ze is een en al stijl.'

Gayle glimlacht als ik dat zeg.

'Neem jij er geen?' zeg ik.

'Nee,' zegt Gayle. 'Ik heb al gegeten.'

Het is onbeleefd om te gaan eten als degene tegenover je niet eet, en ik weet niet goed wat ik moet doen. Ik kijk naar de beste tosti ter wereld en dan naar Gayle.

'Toe maar,' zegt Gayle.

'Mama zegt dat het onbeleefd is,' zeg ik.

'Het is wel goed,' zegt Gayle.

Heel voorzichtig pak ik de ene schuine helft van de tosti van het bordje, kruimels plakken aan mijn vingers, en bijt het puntje eraf, ham en mayonaise en geroosterd brood in mijn mond.

Gayle bijt op haar lip alsof ze ergens aan zit te denken.

'We worden al aardig dikke maatjes, hè?' zegt Gayle.

Het is onbeleefd om met volle mond te praten, dus ik knik alleen.

'Ik zat er namelijk aan te denken,' zegt Gayle, 'dat het misschien wel een goed idee is om eens bij jou op bezoek te komen, dan leer ik je moeder ook meteen kennen.'

Er schieten broodkruimels in mijn luchtpijp en ik begin hard te hoesten.

Gayle gaat snel staan, vult een glas met water en zet het op tafel.

'Gaat het?' zegt Gayle.

Ik drink het water op, een kriebelig gevoel in mijn keel, tranende ogen.

'Dat kan niet,' zeg ik.

'Wat?' zegt Gayle.

Ik veeg met mijn hand over mijn mond en pers mijn lippen op elkaar.

'Je kunt niet op bezoek komen,' zeg ik. 'Mijn moeder slaapt.'

'Is ze ziek?' zegt Gayle.

Ik vind Gayle aardig, heel aardig, maar nu lieg ik tegen mijn vriendin en ik zie aan haar gezicht dat ze weet dat ik lieg. In mijn nek en op mijn hoofd kriebelt het en ik voel tranen komen. Ik knijp boven in mijn neus, maar kan ze niet meer terugdringen.

Gayle staat op uit haar witte stoel, knielt voor me neer en legt haar handen op mijn knieën. Haar vingers zijn zacht en ze ruikt naar bloemen, tuinaarde en mayonaise. Gayle geeft me een servet en ik druk hem tegen mijn ogen.

'Het geeft niet,' zegt Gayle. 'Vertel me maar wat er echt aan de hand is.'

De natte servet in mijn handen, Gayle met haar warme, zachte handen op mijn knieën, haar gezicht zo ernstig en bezorgd, en ik weet niet wat ik moet doen.

'Sorry dat ik heb gelogen,' zeg ik.

Gayle streelt mijn knie, legt haar hand op mijn arm.

'Het geeft niet,' zegt Gayle.

Gayle kijkt me vriendelijk aan, met een afwachtende blik in haar ogen. En dan komt alles eruit, over Steve, over het rotzooien, en over mama in dat speciale ziekenhuis waar ze ik weet niet hoe lang moet blijven. Ik vertel haar over papa, dat hij heel gewoon en tegelijk bloedmooi is, maar dat ik hem haast nooit meer zie en niet weet waarom. Ik vertel alles wat ik weet, vanaf Mary Street tot nu, en het lijkt of de zee vanuit mijn mond de witte keuken binnen stroomt. Gayle houdt mijn hand vast en luistert tot alle woorden eruit zijn.

Gayle kijkt me heel lang aan en laat dan mijn hand los, ze gaat weer op haar stoel zitten en legt beide handen op haar hart.

'Goeie genade,' zegt Gayle.

Het is stil in de keuken, zo'n stilte die alles zegt. Het leukste aan Gayle is dat ze zo normaal is en altijd vrolijk. Mijn verhaal is droevig en niet normaal en ik heb er nu al spijt van dat ik het haar verteld heb. Kon ik maar zeggen dat het een grapje was, dan kon het tussen Gayle en mij weer worden zoals voor die tijd. Normaal.

Ik ga rechtop zitten, schouders naar achteren, kin ingetrokken. Mijn maag speelt op en ik weet dat het tijd is om te gaan. Ik ga staan, neem mijn bord mee naar Gayles aanrecht en spoel hem af. Gayle schraapt haar keel, gaat ook staan en zegt dat ik dat niet hoef te doen.

Ik veeg mijn handen af aan mijn spijkerbroek en kijk om me heen, naar Gayle, naar alles. Ik kom hier nooit meer terug, nooit meer, dat weet ik gewoon, ook al kan ik het niet uitleggen.

Gayle en ik lopen naar de deur en ik loop de veranda op, de hemel is roze en blauw in het licht van de ondergaande zon.

'Als ik je ooit ergens mee kan helpen, dan zeg je het maar,' zegt Gayle.

Gayles stem klinkt anders, bedroeft en rustig en verkeerd. Ik knik en kijk naar mijn voeten, loop het trapje af, het tuinpad over, het hek door. Ik doe het hek behoedzaam achter me dicht, voel Gayles ogen in mijn rug en kijk nog één keer achterom en wuif, met een glimlach op mijn gezicht alsof er niets aan de hand is.

Gayle steekt ook haar hand op, wuift als Miss Amerika en laat dan haar arm tegen haar been vallen.

Als ik thuiskom, staat *Red* langs het trottoir geparkeerd en staat de voordeur half open. Binnen hoor ik geschreeuw, van papa, Steve en B.J., maar het is vooral papa die schreeuwt.

Trammelant, en ik blijf buiten voor de deur staan en hou me heel stil, hou zelfs mijn adem in. Papa zegt dat Steve moet vertrekken en B.J. zegt dat het niet Steve's schuld is en papa zegt dat het hem een rotzorg zal zijn wiens schuld het is, maar dat hij seks en drugs en god mag weten wat nog meer in zijn huis niet toestaat.

Ik leun met mijn hele gewicht tegen de deurlijst en probeer naar binnen te kijken, maar ik zie alleen schaduwen.

'Ach, laat maar, joh,' zegt Steve. 'Oom Bud heeft gelijk, het wordt sowieso tijd om op te krassen.'

'Maar ik dacht dat je het hier helemaal te gek vond,' zegt B.J. 'En we zouden nog samen gaan surfen.'

'God allemachtig,' roept papa, 'ben jij nou een kerel.'

Papa's stem verwaait in de wind. B.J.'s stem is laag en lijkt diep uit zijn keel te komen en wat hij zegt, kan ik haast niet geloven.

'Ik wou dat je mijn vader niet was,' zegt B.J.

In Nummer Een is het nu stiller dan stil, ijselijk stil.

Mijn ogen prikken en de tranen rollen warm over mijn wangen. Ik veeg ze weg, loop het pad af, het trottoir op en ga op de stoeprand zitten. Met mijn gezicht in de wind, naar de ondergaande zon toe, met gesloten ogen.

Steve vertrekt op woensdag en B.J. heeft voor onbepaalde tijd huisarrest. B.J. mag naar school, maar moet meteen na school thuiskomen, geen strand, geen skateboard, geen televisie. Papa zegt dat ik B.J. in de gaten moet houden en hem moet vertellen als B.J. zich niet aan de regels houdt.

Ik vind het niet leuk om te klikken.

B.J. zegt dat klikken klote is.

Nu Steve vertrokken is, is volgens B.J. alles klote, zijn huisarrest is klote, ik ben klote, papa is klote. B.J. zegt dat als iets klote is, dat heel erg is.

'Dus als jij "klote" zegt,' zeg ik, 'dan vloek je eigenlijk?'

'Nee,' zegt B.J. 'Het is een soort schelden.'

B.J. en ik zijn in de woonkamer en de televisie staat aan met het geluid uit. Papa heeft niet gezegd: geen televisie met het geluid uit, dus volgens B.J. mag dit wel.

' "Godverdomme" zeggen of: "krijg de klere", dat is vloeken,' zegt B.J.

'Je mag niet vloeken,' zeg ik. 'Als je vloekt moet je je mond met zeep omspoelen.'

'Dat moet jij weten,' zegt B.J. 'Al die regels. Veel te bekrompen allemaal.'

B.J. maakt een vuist van zijn hand, doet zijn middelvinger omhoog en vouwt de twee vingers aan weerszijden van de middelvinger naar binnen.

'Probeer dit eens,' zegt B.J.

Ik maak een vuist en doe mijn middelvinger omhoog, net als B.J.

'Je doet het niet goed,' zegt B.J.

B.J. kruipt op zijn knieën naar me toe en pakt mijn hand. Hij vouwt alle vingers naar binnen, behalve de middelvinger.

'Zo,' zegt B.J. 'En nu zelfverzekerd omhooghouden.'

Ik steek mijn arm de lucht in en B.J. doet hetzelfde, onze middelvingers wijzen naar het plafond.

'Krijg de klere,' zegt B.J.

Ik laat mijn arm zakken, vouw mijn vingers weer naar buiten.

'Dat mag je niet zeggen,' zeg ik.

'Waarom niet?' zegt B.J.

B.J. houdt zijn middelvinger omhoog, wijst naar het plafond.

'Krijg de klere, klotegriet van boven,' zegt B.J.

B.J. draait zijn hand en wijst met zijn vinger naar de televisie.

'Krijg de klere, klote-tv,' zegt B.J.

De telefoon rinkelt en B.J. draait zijn hand weer en wijst met zijn vinger naar de keuken.

'Krijg de klere, klotetelefoon,' zegt B.J.

B.J.'s middelvinger ziet eruit als de loop van een kanon waar ieder moment een kogel uit kan komen.

De telefoon rinkelt weer en B.J. laat zijn arm zakken, loopt naar de keuken en neemt de hoorn van de haak.

'Hallo,' zegt B.J.

Papa belt iedere dag om te zeggen hoe laat hij thuiskomt. B.J. zegt ja en uh-huh en oké, slaat dan zijn ogen ten hemel en kijkt naar het plafond. B.J. houdt de hoorn in mijn richting en gooit zijn hoofd in de nek.

'Hij wil met jou praten,' zegt B.J.

Ik kom van de grote paarse druif af en loop de keuken in. B.J. houdt de hoorn tegen zich aangedrukt.

'Niet klikken,' fluistert B.J.

Ik hou de hoorn met beide handen vast. B.J. steekt zijn middelvinger de lucht in en wijst naar alles wat los en vast zit, naar de koelkast, het aanrecht, de pot met pindakaas die open op de keukentafel staat.

'Hé, Juniper,' zegt papa. 'Is alles goed daar?'

'Ja,' zeg ik. 'Alles is goed.'

'En gedraagt B.J. zich een beetje?' zegt papa.

B.J. draait zijn hand en duwt zijn middelvinger in de pot met pindakaas.

'Ja,' zeg ik. 'Hij gedraagt zich.'

B.J. stopt zijn middenvinger in zijn mond, zuigt de pindakaas eraf, steekt hem dan weer in de lucht en zegt: 'Krijg de klere,' met het geluid uit en ik weet niet of het voor papa bedoeld is, voor mij, of voor alles en iedereen.

Hoofdstuk zes

B.J. zegt dat mama een heel jaar is weg geweest. Papa zegt eerder tien maanden. Mama zegt niets.

Ze komt op een zaterdag thuis en ziet eruit zoals vroeger, alsof ze weer beter is. Ik ben zo blij dat ze thuis is dat ik dicht tegen haar aankruip, zo dicht dat het voelt alsof ik in haar zou kunnen kruipen.

Mama zit op de grote paarse druif, rookt de ene na de andere Parliament-sigaret en tikt de as in een van papa's zitzak-asbakken. Ze heeft een oranje broek aan, een bruin truitje met een patroon van oranje en rode bladeren en grappige, witte plastic tennisschoenen, die verpleegsters ook wel dragen.

Papa zit op de lange groene bank en rookt de ene na de andere Marlboro-sigaret.

Mama kijkt naar het vloerkleed, naar haar hand die op de grote paarse druif ligt, naar het puntje van haar sigaret. Papa kijkt uit het grote raam.

B.J. zit in het midden van de woonkamer, de lippen op elkaar, zijn donkere ogen op papa, op mama, en dan weer op papa gericht.

Mama is zo lang weg geweest, dat het eigenlijk feest zou moeten zijn, maar er klopt iets niet. Schouder tegen schouder, arm tegen arm, zo schuif ik steeds dichter naar haar toe en mama moet erom lachen en slaat haar arm om me heen.

'Maak je maar niet ongerust,' zegt mama. 'Ik ga nergens heen.'

Papa begint ook te lachen, ze lachen allebei, kijken elkaar aan en dan, opeens, lachen ze niet meer, glimlachen ze niet meer.

Mama tilt haar kin op, neemt een trekje van haar Parliament-sigaret en knijpt haar ogen half dicht. Papa kijkt naar zijn handen, naar de Marlboro-sigaret tussen zijn vingers en drukt hem uit in zijn zitzak-asbak.

Ik bijt op de nagel van mijn duim. Mama legt haar hand op mijn hand.

'Niet doen,' zegt mama. 'Nagelbijten is een slechte gewoonte.'

B.J. bijt ook op zijn nagel, op die van zijn middelvinger, doet zijn vinger dan op de 'krijg de klere'-manier omhoog en daarna weer snel naar beneden en probeert niet te lachen.

'Nou,' zegt papa, 'ik moet nog wat dingen op kantoor doen, dus...'

'Ga je weg?' zegt B.J.

Papa wrijft zich in de handen, het geluid van droge huid die langs elkaar schuurt.

'De rekeningen moeten betaald worden, jongen,' zegt papa.

De zon schijnt door het grote raam naar binnen, de kamer is gevuld met licht. Mama neemt weer een trekje van haar Parliamentsigaret en knijpt haar ogen dicht tegen het zonlicht, haar hele gezicht vertrekt.

'Moet ik je nog ergens mee helpen voordat ik ga?' zegt papa.

Mama blaast de rook in een dunne rechte lijn uit.

'Nee, dank je,' zegt mama. 'Mijn kinderen helpen me wel.'

Papa gaat staan en doet zijn handen in zijn zakken.

'Oké, goed dan,' zegt papa.

Mama knikt, haar ogen op mij gericht, alsof papa al weg is.

B.J. kijkt naar papa, naar mama, en dan weer naar papa, alsof hij niet weet wat hij doen moet. De rode kleur op B.J.'s huid kruipt langs zijn hals omhoog naar zijn wangen en hij gaat staan en volgt papa naar de deur.

'Wanneer kom je terug?' zegt B.J.

Papa haalt zijn sleutels uit zijn zak en opent de deur.

'Later,' zegt papa.

B.J. staat tussen de grote paarse druif en de voordeur in, zijn tot vuisten gebalde handen tegen zijn benen aangedrukt.

'En wij dan?' zegt B.J., 'en mama dan?'

Mama steekt haar hand uit en pakt B.J. bij zijn mouw.

'Laat hem maar gaan,' zegt mama. 'Het geeft niet.'

Papa staat in de deuropening, zonlicht en wind komen Nummer

Een binnen, en hij kijkt ons een voor een aan, kijkt nog eens naar mama en schudt zijn hoofd.

Als papa de deur achter zich heeft dichtgedaan, slaakt mama een diepe zucht. Ze laat B.J.'s mouw los en leunt zwaar tegen me aan.

'Zo,' zegt mama, 'dat was dat.'

Als het licht in het klaslokaal uitgaat, leg ik mijn armen op het tafeltje en mijn hoofd op mijn armen.

Het licht gaat uit omdat we naar een film gaan kijken die 'Chemische Verbindingen, Atomen en Moleculen' heet, want dat is wat we doen in de tweede klas: we kijken naar heel veel films. Over het scherm zweven ronde dingetjes die op gekleurde zeepbellen of knikkers lijken. De man in de film zegt dat de hele wereld is opgebouwd uit atomen en dat atomen die samen komen moleculen heten. De ronde dingetjes zweven naar elkaar toe en veranderen steeds van vorm. De man zegt dat atomen en moleculen zo klein zijn, dat je ze alleen door een microscoop kunt zien. Daarna splitsen de ronde dingetjes zich op en zweven ze weg over het scherm en dan is de film afgelopen.

Als het licht weer aangaat, ga ik rechtop zitten en knipper met mijn ogen tot ze weer aan het licht gewend zijn.

'En dan gaan jullie nu zelf een molecule maken,' zegt mevrouw Evans.

Mevrouw Evans heeft een doos met gekleurde tandenstokers en een zak met gesuikerde gomballen. Ze loopt de klas door en legt op elk tafeltje wat. Ik krijg vijftien gomballen en tien tandenstokers.

'De gomballen niet opeten,' zegt mevrouw Evans, 'eerst je molecule maken en hem mij laten zien.'

Mevrouw Evans is lang en dun en praat met een hoge stem. Ik vind haar lang niet zo leuk als mevrouw Cabbage. Ik pak een gombal, rood snoep onder wit suiker, en probeer de miljoenen moleculen te zien die niet te zien zijn. Ik knijp in het snoepje tot hij plat is, laat hem los en hij neemt vanzelf zijn ronde vorm weer aan. Ik laat hem op mijn tafeltje vallen en kijk hoe hij in het rond draait. Gomballen, korrels suiker, triljoenen moleculen.

Mevrouw Evans blijft bij mijn tafeltje staan.

'Je moet eerst een molecule maken, hoor,' zegt mevrouw Evans, 'eerder mag je het snoepje niet opeten.'

'Ik begrijp het niet,' zeg ik.

Mevrouw Evans knielt naast mijn stoel neer.

De klok aan de muur heeft de grote wijzer op elf en de kleine wijzer op drie, de school gaat bijna uit.

'Wat begrijp je niet?' zegt mevrouw Evans.

'Nou,' zeg ik. 'Dat van die miljoenen en miljoenen moleculen waar alles uit opgebouw is en die zo klein zijn dat je ze alleen door een microcoop kunt zien. Als dat zo is dan bestaan deze tandenstokers en deze snoepjes dus ook uit moleculen. Maar hoe kan ik nu een molecuul maken van iets dat al molecuul is? Dat kan toch niet?'

Mevrouw Evans kijkt me heel lang aan, haar ogen knipperen en knipperen. Uiteindelijk kijkt ze naar de klok.

'Weet je wat, Jenny,' zegt mevrouw Evans. 'Blijf maar even na als de les is afgelopen.'

Mevrouw Evans klapt in haar handen en dat betekent dat de schooldag voorbij is. Alle kinderen schuiven hun stoeltje onder hun tafeltje, pakken hun broodtrommeltje en jas en gaan weg.

Ik wil ook weg, maar ik weet dat dat niet kan.

Mevrouw Evans zit achter haar lessenaar en schrijft iets op een velletje papier, dan vouwt ze het papiertje dubbel en doet er een veiligheidsspeld doorheen. Ze kijkt naar me en maakt een gebaar met haar vinger, wat betekent dat ik bij haar moet komen.

Ik schuif mijn stoel aan en loop tien passen naar haar lessenaar.

'Wil je dit thuis laten lezen?' zegt mevrouw Evans.

Mevrouw Evans speldt het briefje op mijn t-shirt met madeliefjes, precies op een steeltje.

'Ik kan het wel dragen,' zeg ik.

'Nee,' zegt mevrouw Evans, 'zo weet ik zeker dat je moeder het te zien krijgt.'

Niet zeggen dat mama ziek is, nooit en te nimmer. Papa zegt dat dat niemand iets aangaat, dat andere mensen dat toch niet begrijpen. Sinds Gayle weet ik dat hij gelijk heeft en weet ik ook dat ik mevrouw Evans niet kan vertellen wat er met mama aan de hand is.

Mevrouw Evans controleert nog een keer of het briefje goed vast zit en legt dan haar handen op haar knieën.

'Zeg maar tegen je moeder dat ze me moet bellen,' zegt mevrouw Evans. 'Zeg maar dat het belangrijk is.'

Dat akelige gevoel kruipt weer langs mijn nek omhoog.

'Heb ik iets verkeerds gedaan?' zeg ik.

'Nee,' zegt ze. 'Ik wil alleen even met je moeder praten.'

'Waarom?' zeg ik.

Mevrouw Evans zucht diep en laat de lucht door haar neusgaten naar buiten.

'Ik maak altijd een praatje met de ouders,' zegt mevrouw Evans. 'Dat is de normale gang van zaken. Ik heb dit jaar gewoon nog geen kans gezien om met jouw ouders te praten. Vergeet dus niet om het briefje aan je moeder te geven.'

Mevrouw Evans gaat staan en glimlacht als een onderwijzeres. Het maakt niet uit wat ze zegt, ik weet gewoon zeker dat ik iets verkeerds heb gedaan.

Als ik halverwege het park ben, blijf ik bij de vijver staan en ga op een bankje zitten. Eenden en ganzen zwemmen mijn kant op en trekken een v-vormig spoor door het modderige water van de vijver. De zwanen aan de overkant van de vijver zwemmen hun rondjes.

Hoewel ik weet dat het niet mag, maak ik de veiligheidsspeld los, het briefje valt van het steeltje in mijn schoot. Het briefje van mevrouw Evans is van dik papier dat drie keer gevouwen is, mama's naam staat erop. Ik hou het briefje in mijn hand en druk het plat tegen mijn handpalm.

Mama is pas een maand thuis, misschien nog niets eens een maand, en er zijn dagen bij dat ze zich goed genoeg voelt om uit bed te komen, zich aan te kleden en zelfs te koken. Maar er zijn ook dagen dat mama haar pillen inneemt, gaat slapen, meer pillen inneemt en weer gaat slapen. Soms bevuilt ze haar bed en dat vind ik nog het ergst van allemaal, vooral als ik de enige ben die thuis is om alles weer schoon te maken.

B.J. zegt dat mama nooit meer beter wordt, papa zegt er nooit meer iets over, belooft ons niets meer. Ik weet zeker dat ze weer beter wordt, daar zorg ik wel voor, maar een briefje van mevrouw Evans zou alles in de war kunnen schoppen. Mama zou er zelfs zieker van kunnen worden.

Het briefje van mevrouw Evans is in schuine letters geschreven en ik kan niet lezen wat er staat, zelfs de kleine woordjes niet. Misschien staat er wel dat ik te dom ben om een molecule te maken.

Een van de eenden heeft de kant bereikt, springt op de wal en waggelt mijn kant op. Ik scheur een hoekje van het papier af, maak er een propje van en gooi het in de lucht. De eend doet zijn kop omhoog, eet het papier op en kijkt weer naar mij.

'Dat is papier, dompie,' zeg ik.

De eend klappert met zijn vleugels en begint te kwaken.

Ik scheur nog een hoekje van het papier af, daarna nog een, verscheur dan het hele vel en voeder alles op aan de domme eenden. Aan de overkant van de vijver kijken de mooie witte zwanen niet eens mijn kant op. Zwanen zouden nooit papier opeten, daar zijn ze veel te slim voor. Dat vind ik het leuke van zwanen.

Als ik thuiskom, is het helemaal mis. Mama ligt op de lange groene bank, gekleed in een lange broek met een lichtgeel truitje met v-hals. Haar haar is gekamd en haar gezicht is opgemaakt. Het is zo lang geleden dat ze zich heeft opgemaakt, dat ik blijf staan en alleen maar naar haar kijk, naar de kleur van haar huid.

'Daar is ze al,' zegt mama.

Mama zwaait met beide handen, haar vingers dansen in de lucht. Ze glimlacht, het lijkt alsof er een barst in haar gezicht zit.

'Doe de deur dicht, lieverd,' zegt mama, 'we hebben bezoek.'

Een vreemde mevrouw zit aan de andere kant van de lange groene bank, de knieën bij elkaar, gekleed in een blauw mantelpakje. Ik raak het madeliefje op mijn t-shirt aan, het steeltje, geen briefje.

'Kom eens hier, suffie,' zegt mama.

Mama glimlacht en kijkt naar de vreemde mevrouw.

'Ze is een beetje verlegen,' zegt mama.

Het is vier passen van de deur naar de bank en ik ga naast mama zitten, mijn gele maillot naast haar marineblauwe broek. Mama slaat een arm om me heen en glimlacht naar me.

De vreemde mevrouw heeft bruin haar in een knot en ze zou mooi zijn als ze die bril niet droeg, waardoor haar ogen enorm groot lijken, als kikkerogen onder water.

'Hallo, Jenny,' zegt de vreemde mevrouw. 'Je zult je wel afvragen wie ik ben.'

Mama gaat rechtop zitten en neemt haar arm van mijn schouder.

'Deze aardige mevrouw is mevrouw Axton. Ze is van het Districtsbureau,' zegt mama.

De vreemde mevrouw heeft een klembord op schoot liggen met een vel wit papier erop en legt beide handen op het papier.

Mama slaat haar benen over elkaar en het valt me op dat haar plaszak niet op de grond ligt, hij is nergens te bekennen. Mama tikt me op de schouder, schudt haar hoofd alsof ze wil zeggen dat ik niet langer naar haar plaszak moet zoeken en pakt haar pakje Parliament.

'Wilt u misschien een sigaret?' zegt mama.

Mevrouw Axton schudt haar hoofd en schrijft iets op haar vel papier. Mama legt het pakje sigaretten weg alsof ze van mening veranderd is.

Mevrouw Axton houdt op met schrijven, schraapt haar keel en begint gemaakt te glimlachen, zoals grote mensen wel vaker doen.

'Jenny,' zegt mevrouw Axton, 'ik ben hier omdat een van jullie buren naar ons bureau heeft gebeld.'

'Gebeld?' zeg ik.

'Ik was het net aan het uitleggen,' zegt mama met hoge stem, veel te hoge stem.

Mama schraapt haar keel, een kuch die diep uit haar keel lijkt te komen.

'Ik was net aan het uitleggen dat ik in het ziekenhuis lag,' zegt mama, 'en dat Steven op jullie paste.'

Dat akelige gevoel kruipt weer langs mijn nek omhoog en mevrouw Axton schrijft nog iets op haar vel papier.

Mama legt haar hand op mijn knie en knijpt er even in. Haar gezicht is van haar jukbeen tot aan haar kin één lange lijn. Van zo dichtbij kan ik ook zien dat ze te veel poeder op heeft en dat haar lippenstift niet goed zit.

'Ik wil je graag een paar vragen stellen, Jenny,' zegt mevrouw Axton.

Mama kijkt me aan en glimlacht stijfjes. Mama's ogen bewegen snel, te snel, ze schieten heen en weer, van mij naar mevrouw Axton.

'Het is goed, liefje,' zegt mama.

Mevrouw Axton zet het puntje van haar pen op het papier en kijkt met haar enorme ogen naar mij, naar mama en dan weer naar mij.

'Hoe oud ben je?' zegt mevrouw Axton.

'Zeven,' zeg ik.

'Werkelijk?' zegt mevrouw Axton.

'Ze is erg groot voor haar leeftijd,' zegt mama.

'En heel volwassen,' zegt mevrouw Axton.

Ik probeer te glimlachen, maar mijn gezicht wil niet meedoen, het lijkt meer op een zenuwtrek, alsof ik jeuk aan mijn lip heb. Mevrouw Axton bergt haar glimlach weer op en ik doe hetzelfde.

'Ik wil je wat vragen over de periode toen je moeder in het ziekenhuis lag,' zegt mevrouw Axton. 'Ben je toen ooit alleen gelaten?'

'Alleen?' zeg ik.

'Ja,' zegt mevrouw Axton, 'ben je ooit alleen gelaten hier in huis?'

'Nee,' zeg ik.

'Nooit?' zegt mevrouw Axton.

'Nooit,' zeg ik.

Mevrouw Axton schrijft op haar vel papier.

'Was je neef altijd hier?' zegt mevrouw Axton.

'Nee,' zeg ik.

'Nee?' zegt mevrouw Axton.

'Nee, toen Steve weer thuis was, was hij niet meer hier,' zeg ik.

Mevrouw Axton legt haar armen gekruist over het papier, buigt zich naar voren en begint dom te glimlachen.

'Dus toen was je wel alleen?' zegt mevrouw Axton.

'Nee,' zeg ik.

'Wie paste er dan op je?' zegt mevrouw Axton.

'B.J.,' zeg ik.

'Je broer?' zegt mevrouw Axton. 'Je broer die negen is?'

'Klopt,' zeg ik.

'Bijna tien,' zegt mama, 'en ook heel volwassen voor zijn leeftijd.'

Mevrouw Axton schrijft, het geluid van pen op papier.

Mama pakt haar sigaretten alsof ze weer van mening veranderd is en gaat gemakkelijk zitten. Ze bijt op haar onderlip, lippenstift op haar tand.

Ik leun tegen mama aan, ze kijkt naar me.

Ik doe mijn vinger heen en weer over mijn tand en mama doet haar vinger heen en weer over haar tand en wrijft de rode kleur eraf. Mama leunt achterover, kijkt naar haar vinger, naar de rode lippenstiftvlek en glimlacht dan naar me. Haar donkere ogen zijn weer rustig, ze legt haar arm om mijn schouder en drukt me tegen zich aan.

Mevrouw Axton schraapt haar keel.

'Ik heb nog een paar vragen,' zegt mevrouw Axton, 'goed?'

'Toen je hier was met je neef Steve en je broer B.J.,' zegt mevrouw Axton, 'bleef je toen binnen of ging je naar buiten?'

Mevrouw Axton praat overdreven langzaam zoals grote mensen wel vaker doen als ze denken dat je dom bent. Ik praat langzaam terug.

'Meestal-speel-ik-binnen,' zeg ik. 'Maar-soms-speel-ik-ook-buiten.'

Mama begint te lachen, een klein lachje, en doet haar hand voor haar mond.

Mevrouw Axton kijkt naar haar vel papier zonder iets op te schrijven en zucht diep. Mevrouw Axton drukt telkens op het knopje van haar pen en rolt hem tussen haar vingers heen en weer.

'Goed,' zegt mevrouw Axton, 'dan wil ik je nog één vraag stellen, maar denk eerst goed na en geef dan eerlijk antwoord.'

Mama's lichaam verstijft naast me, ze houdt haar adem in en ik ga rechtop zitten.

'Stel dat er een schaal met koekjes op tafel staat,' zegt mevrouw Axton, 'zou je dan om een koekje vragen of wacht je tot je er een krijgt aangeboden?'

Ik vind het maar een stomme vraag want er staan helemaal geen koekjes op tafel. En eigenlijk wil ik dat tegen mevrouw Axton zeggen. Ik wil tegen haar zeggen dat al haar vragen stomme vragen zijn en dat ze weg moet gaan omdat mama ziek is.

'Jenny?' zegt mevrouw Axton.

'Ik begrijp het niet,' zeg ik.

'Het is heel eenvoudig,' zegt mevrouw Axton. 'Stel je voor dat er een schaal met koekjes op tafel staat, chocoladekoekjes bijvoorbeeld, koekjes die je lekker vindt. Vraag je dan om een koekje of wacht je tot de gastvrouw je een koekje aanbiedt?'

Eigenlijk is het helemaal geen vraag, het voelt meer als een test. Ik weet niet wat ik moet zeggen want ik ben dol op chocoladekoekjes en zou er waarschijnlijk om vragen. Aan de manier waarop de vraag in de lucht blijft hangen, aan de manier waarop mama en mevrouw Axton naar me kijken, weet ik dat wat ik zou willen doen waarschijnlijk verkeerd is.

'Ik wacht?' zeg ik.

Mama slaakt een diepe zucht, ze leunt zwaar tegen me aan.

'Natuurlijk wacht je,' zegt mama. 'Jenny weet wel hoe het hoort.'

Mevrouw Axton kijkt naar mama, kijkt naar mij.

Ik haat mevrouw Axton. Ik haat haar dikke glazen en haar kikkerogen. Ik haat het zoals ze daar stil zit in haar blauwe mantelpakje met bijpassende kousen en met haar stomme pen.

Opeens gaat mevrouw Axton staan en zegt dingen als: 'Sorry dat ik u moest lastig vallen,' en: 'bedankt dat u even tijd voor me heb willen vrijmaken.'

Mama gaat ook staan, ze loopt heel langzaam, haar hand op mijn schouder. Mevrouw Axton zegt dat ze er zelf wel uit komt en bedankt mama nogmaals, en mama tovert haar gastvrouwenglimlach te voorschijn, haar donkere ogen schieten heen en weer.

Als mevrouw Axton weg is, gaat mama op de bank zitten, ze beeft over haar hele lichaam.

'Mama,' zeg ik.

Mama pakt mijn armen vast en drukt haar nagels in de zachte huid.

'Weet je wie dat was?' zegt mama. 'Die vrouw wilde je komen weghalen.'

Ze schudt me een, twee, drie keer door elkaar, hoofd in mijn nek, en haar gezicht lijkt op een schreeuw, de tranen trekken strepen door het poeder.

'Nooit,' schreeuwt mama, 'nooit ergens om vragen, aan niemand, vooral niet aan een vreemde.'

Haar stem galmt na in mijn oren en door Nummer Een.

'Je kunt niemand vertrouwen,' schreeuwt mama, 'helemaal niemand.'

'Mama,' fluister ik. 'Je doet me pijn.'

Mama's ogen schieten heen en weer, van mijn gezicht naar mijn armen, van mijn armen naar haar handen. Ze laat me los en doet haar handen voor haar gezicht. Mijn armen gloeien daar waar haar vingers zich in mijn huid gedrukt hebben en het lijkt wel alsof ze mijn armen nog steeds vasthoudt.

Wit zonlicht komt door het raam naar binnen en valt over het vloerkleed in de woonkamer. Mama laat haar handen zakken en kijkt naar haar voeten.

'O, nee,' zegt ze.

'Waar is je plaszak?' zeg ik.

'In de badkamer,' zegt mama.

Ze doet haar hoofd schuin en haar ogen staan bedroefd.

'Ik wilde hem hier niet hebben met die vrouw erbij,' zegt mama. 'Ik dacht dat ik het wel zolang kon ophouden.'

'Het geeft niet,' zeg ik.

Ik loop naar de gang en haal een handdoek uit de kast.

Mama slaat haar armen om haar middel en kijkt naar het plasje urine op het groene vloerkleed.

Ik leg de handdoek om haar voeten en druk erop, de handdoek wordt warm en nat onder mijn vingers.

Ik kijk naar de voordeur. Geen B.J. Geen papa.

Ik rol de handdoek op en help haar te gaan staan. Mama en ik lopen met langzame passen door de keuken naar haar slaapkamer en de geur is meer dan van plas alleen. De geur is bitter en sterk en ik weet dat ze ook gepoept heeft.

We praten niet, maar doen gewoon wat we altijd doen. Ik trek de vieze kleren uit, spoel ze om in schoon water en doe ze in de wasmachine. Ik was haar, wrijf over haar huid tot die weer wit en schoon is zoals voor die tijd. Ik knijp altijd mijn neus dicht om niets te hoeven ruiken, maar dat lukt nooit.

Als ze haar nachtpon aan heeft en onder de dekens ligt, maak ik de plastic zak aan het slangetje vast.

De plaszak ligt in de badkamer, ik spoel hem om met heet water, daarna nog een keer en daarna nog een keer. Drie keer omspoelen en dan zijn alle zieke moffen dood.

Mama ligt met haar hoofd diep in de kussens, donkere krullen om haar gezicht, krullen op het witte kussensloop.

Ik kijk niet naar haar gezicht, kijk naar de vloer, naar het plastic slangetje.

'Het spijt me zo,' zegt mama.

'Het was een ongelukje,' zeg ik.

Ik maak de zak vast aan het slangetje en zet hem rechtop zodat hij niet kan lekken.

'Dat kan iedereen overkomen,' zeg ik.

'Nee,' zegt mama, 'dat bedoel ik niet.'

Haar donkere ogen kijken me rustig aan.

'Ik ben zo bang,' fluistert mama.

Mijn keel doet pijn en ik slik.

'Het geeft niet,' zeg ik. 'Je voelt je straks wel weer beter.'

Mama drukt haar vuist tegen haar mond en begint te hoesten. Haar schouders komen omhoog van de kussens als ze hoest, het geluid lijkt heel diep uit haar borst te komen. Ik leg mijn handen op haar schouders, voel zijde en botten onder mijn vingers. Mama veegt met haar hand haar mond af, alle lippenstift eraf, en laat zich terugvallen in de kussens.

'Ik wil niet dat je je me zo herinnert,' zegt mama, 'zo zwak en ziek.'

'Je bent niet zwak,' zeg ik.

Ik sta naast haar bed en kijk naar haar nachtkastje, naar de potjes met pillen. Ik open het potje met Darvon-tabletten en neem er twee uit, meer niet. Ik open het potje met Thorazine-tabletten en neem er twee uit, meer niet.

'Jenny?' zegt mama.

'Je hebt alleen wat rust nodig,' zeg ik.

Ik steek mijn hand uit en ze kijkt me aan, haar donkere ogen dwalen over mijn gezicht. Ze kijkt me aan alsof ze nog iets wil zeggen, maar kijkt dan naar mijn hand. Mama houdt haar hand op, de handpalm naar boven.

Ik doe mijn hand open en laat de pillen op haar handpalm vallen.

'Wat ben je toch een brave meid,' zegt mama. 'Zonder jou had ik het nooit gered.'

Ik draai de doppen weer op de potjes en schuif ze allemaal naar de rand van het nachtkastje.

'Red,' zeg ik.

'Wat?' zegt ze.

'Je bedoelt "red",' zeg ik, 'zonder mij red je het niet.'

Mama kijkt me aan, een lege blik in haar ogen, en knikt dan alsof ze weet wat ik bedoel.

'Inderdaad,' zegt ze. 'Zonder jou réd ik het niet.'

Mama slaakt een diepe zucht en kijkt naar de pillen in haar hand. Ze stopt ze in haar mond, pakt het glas met water, drinkt, sluit haar ogen en slikt.

Ik neem het glas uit haar hand en zet het terug op het nachtkastje.

Mama en ik, pillen en water, iedere dag, altijd. Ik weet niet anders en het kan me ook niet schelen, want ze is hier en ze is mijn moeder en zonder mijn moeder houdt alles op. Ik wil tegen haar zeggen dat ze weer beter wordt, dat vandaag gewoon een slechte dag was, dat het mijn schuld is en dat ik morgen beter mijn best zal doen.

Mama's ogen blijven gesloten en haar gezicht is kalm, hier en daar is nog een randje poeder te zien. Ik kijk heel lang naar haar, kijk alleen maar, en trek dan de dekens omhoog tot over haar schouders en stop haar in, en mama glimlacht dan, een slaperig glimlachje, en gaat op haar zij liggen.

Aan de overkant van de straat, tegenover Nummer Een, ga ik op de stoeprand zitten en leg mijn kin op mijn knieën. Mijn schaduw valt over het zwarte asfalt.

Het is warm buiten maar ik heb het koud.

B.J.'s schaduw valt over mijn schaduw heen en ik kijk omhoog naar hem, mijn hand boven mijn ogen vanwege de zon.

'Waar ben je geweest?' zeg ik.

B.J. gaat zitten, hij ruikt naar het strand.

'Ze was weer ziek,' zeg ik.

Mijn schaduw en B.J.'s schaduw liggen op straat, zijn schaduw is breder dan die van mij.

'Poep en plas,' zeg ik.

Ik veeg mijn gezicht af aan mijn schouder.

'Huil je?' zegt B.J.

'Nee,' zeg ik.

De wind waait de heuvel op, mijn haar waait in mijn ogen, in mijn mond. Ik trek een lange haar uit mijn mond.

'Je bent niet relaxed genoeg,' zegt B.J.

'Relaxed?' zeg ik.

'Ja,' zegt B.J. 'Je bent veel te gespannen. Dat heeft Steve me verteld. Hij zegt dat jij anders bent dan wij, nerveuzer.'

'Steve is niet goed wijs,' zeg ik. 'Papa zegt ook dat Steve niet goed wijs is.'

B.J. gooit zijn hoofd in zijn nek alsof ik hem net een klap heb gegeven.

'Dat heeft hij niet gezegd,' zegt B.J.

'Wel waar,' zeg ik. 'Dat zei hij tegen me toen Steve weg was. Hij zei: "Dat joch is niet goed wijs." '

B.J. doet zijn lippen op elkaar, bijt erop en schraapt zijn keel.

'Papa heeft het mis,' zegt B.J., 'Steve is een ontzettend toffe gozer.'

'Ja, ja,' zeg ik. 'Steve, Steve, Steve. Het zal wel.'

B.J. is weer stil en bijt op de binnenkant van zijn wang, wat hij altijd doet wanneer hij nadenkt. B.J. buigt zich voorover, zijn gezicht vlak voor mijn gezicht.

'Steve weet het van jou,' zegt B.J.

'Wat?' zeg ik. 'Wat weet hij van mij?'

B.J. kijkt de heuvel op, de heuvel af en kijkt dan met zijn donkere ogen naar mij.

'Dat je geadopteerd bent,' fluistert B.J.

'Dat ik wat ben?' zeg ik.

'Geadopteerd,' zegt B.J. 'Je bent niet echt een van ons.'

De wind waait uit zee de heuvel op, de lucht voelt warm aan. Ik adem in en de warme lucht zit in mijn keel, in mijn hele lichaam.

B.J. praat en zijn woorden tollen door mijn hoofd. Hij zegt dat Steve hem heeft verteld dat mijn echte ouders zigeuners zijn die bij het circus werken, maar dat die me niet wilden hebben en me daarom in een vuilnisbak of zo hebben gelegd en dat ze toen zijn weggegaan en dat niemand ze ooit heeft teruggezien.

Mijn schaduw ligt plat en donker op straat. Ik beweeg mijn hoofd heen en weer, mijn schaduwhoofd beweegt mee.

B.J. praat en praat, zijn stem is enkel nog geluid, in mijn oren, over mijn hoofd.

Ik beweeg mijn vingers, doe de middelvinger omhoog en vouw de anderen naar binnen. Mijn schaduwhand zegt ook 'krijg de klere'.

B.J. houdt op met praten en in 28th Street is alleen het geluid van de wind nog te horen.

'Klootzak,' fluister ik.

Ik zet mijn handen neer en duw mezelf van de stoeprand omhoog.

'Wat ga je doen?' zegt B.J.

Het zijn twaalf passen naar de overkant van de straat, acht passen naar de voordeur en ik buk me, pak de *I love California*-sleutelring onder de mat vandaan en maak de voordeur open.

'Je mag het niet vertellen,' schreeuwt B.J.

Als ik in Nummer Een ben, sla ik de deur zo hard als ik kan dicht en draai de deur op slot.

Mama ligt in haar kamer te slapen en ik sta in de deuropening en kijk naar de omtrek van haar lichaam onder de dekens. Ik wil haar wakker maken en haar vragen of het waar is, maar ik blijf staan, alleen het geluid van mijn adem is te horen.

Er wordt op de deur gebonsd, het is B.J. en hij schreeuwt dat ik hem binnen moet laten.

De telefoon hangt aan de muur boven de keukentafel en het snoer zit helemaal verdraaid. Ik klim op een stoel, neem de hoorn van de haak en hou hem tegen mijn oor.

B.J. staat voor het grote raam en slaat met zijn vuisten tegen het glas.

'Nee,' schreeuwt B.J. 'Niet doen.'

Ik draai papa's nummer en luister hoe hij overgaat, mijn vinger zit vast in het verdraaide snoer.

Het glas trilt van B.J.'s vuisten en ik kijk naar mama's kamer, de deur is gesloten.

Een vrouwenstem zegt 'hallo' en ik vraag naar Bud Lauck. De vrouw zegt 'een ogenblikje' en dan komt er muziek uit de telefoon, rustige pianomuziek.

'Hallo?' zegt papa.

'Papa?' zeg ik.

'Juniper?' zegt papa. 'Is er iets gebeurd? Is alles goed met je? Is alles goed met je moeder?'

B.J. schreeuwt: 'Krijg toch de klere, jij,' en zijn gezicht is rood aangelopen.

'Papa,' zeg ik. 'Kom je thuis? Kun je nu meteen naar huis komen?'

'Ik kan nu niet naar huis,' zegt papa. 'Ik moet werken. Wat is er dan?'

'Alsjeblieft?' zeg ik.

'Is je broer daar ook?' zegt papa. 'Geef me B.J. maar even.'

B.J.'s handen liggen plat tegen het glas, hij heeft zijn voorhoofd er ook tegenaan gedrukt en kijkt me met grote ogen aan.

'Jennifer,' zegt papa. 'Wat is er aan de hand?'

'B.J. zegt dat ik geadopteerd ben,' zeg ik. 'B.J. zegt dat Steve hem dat verteld heeft.'

Het blijft stil aan de andere kant van de lijn, maar het zou helemaal niet stil moeten zijn. Papa zou nu moeten zeggen dat het niet waar is, dat het een leugen is, dat ik de telefoon neer moet leggen en de hele zaak moet vergeten.

'Papa?' zeg ik.

'Ik kom eraan,' zegt papa.

Papa hangt de telefoon op, verbreekt de verbinding, er klinkt gezoem in mijn oor. Ik blijf staan en kijk naar de telefoon alsof er nog iets gaat gebeuren, en dan houdt het gezoem op, houdt alle geluid op.

Het echte verhaal gaat zo. Er was geen circus, er waren geen zigeuners en er was geen vuilnisbak. Papa zegt dat er twee jonge mensen waren die een vergissing hadden begaan en daarom hun baby moesten afstaan. Papa zegt dat hun vergissing iets goeds was, omdat mama en papa mij daardoor mee naar huis konden nemen.

Papa en ik zitten bij Dairy Queen, twee ijscoupes met warme karamelsaus voor ons op de plastic tafel en dit is de eerste keer dat ik geen ijs door mijn keel krijg. Ik zit aan mijn kant van de tafel en kijk naar papa die praat, niet mijn papa, niet echt.

Papa houdt mijn hand vast, zijn vingers om mijn vingers, en zegt dat ze echt geboft hadden dat ze mij mochten hebben en dat ze dolblij waren toen ze me mee naar huis konden nemen. Papa zegt dat mama nog een baby wilde, maar dat ze geen kinderen meer kon krijgen nadat Bryan was geboren en de dokters de tumor in haar ruggengraat hadden ontdekt. Papa zegt dat ik voorbestemd was om mama's dochter te worden, dat ze daarna vijf jaar lang niet ziek is geweest en dat iedereen wist dat dat door mij kwam, omdat ik haar geluk bracht. Tenminste, voor zolang het duurde.

Papa zegt dat geadopteerd zijn niet betekent dat hij daarom minder van me houdt, dat mama daarom minder van me houdt.

Het is een leugen, ik weet dat het een leugen is. Al die tijd, zij en ik, een leugen.

Zij en ik.

Er zijn geen schaduwen in Dairy Queen. Er hangen van die lange, dunne lampen die een spierwit licht verspreiden. Op tafel smelt het ijs met karamelsaus in de rood met witte coupes, de rode plastic lepels steken uit het ijs omhoog.

Papa zegt dat hij me eigenlijk had willen vertellen dat ik geadopteerd was als ik wat ouder was geweest, dat Bryan het me niet had mogen vertellen, maar dat hij blij is dat de waarheid nu boven tafel is.

De waarheid.

Ik kan niet naar papa kijken, hou mijn hoofd afgewend, mijn ogen gericht op de afvalbak, op het raam.

Mijn echte ouders moeten daar buiten ergens zijn. Misschien staan ze bij de frisdrankautomaat, misschien bestellen ze net een hamburger, misschien zitten ze in die auto die net wegrijdt.

'Juniper?' zegt papa. 'Luister je?'

Papa is niet meer dezelfde, zal nooit meer dezelfde zijn. Papa, niet mijn papa.

De afstand tussen ons is niet groter dan de breedte van een rode Dairy Queen-tafel, maar het lijkt wel een kilometer, oneindig lang.

'En hoe gaat het nu verder?' zeg ik.

Papa wrijft met zijn hand over zijn kin.

'Wat bedoel je?' zegt papa.

Ik kijk naar mijn handen die in mijn schoot liggen, mijn handen, mijn schoot, alleen ik aan mijn kant van de tafel. Misschien zijn mijn echte ouders nu oud genoeg, misschien willen ze me nu wel terug, misschien moet ik ze gaan zoeken.

'Bij wie hoor ik nu?' zeg ik.

Papa houdt zijn hoofd schuin, schuift zijn stoel naar achteren en komt aan mijn kant van de tafel zitten. Papa slaat zijn arm om me heen, *That Man*-eau de cologne, de geur van sigaretten.

'Jij hoort bij ons,' zegt papa.

Al die tijd, al die speciale blikken voor speciale mensen, en toch heeft ze nooit iets gezegd, niet één keer, en nu weet ik niet meer wie ik ben en bij wie ik hoor en is het in mijn hoofd één grote warboel.

Zelfs als je niet wilt huilen, huil je toch en dat is nog het ergste van alles. Midden in Dairy Queen, met al die mensen om me heen, spierwit licht, gesmolten ijs, en ik kan niet meer ophouden met huilen. Papa haalt zijn zakdoek uit zijn jaszak, duwt hem in mijn handen en wiegt me in zijn armen.

Die avond wil ik naar mama toe, maar ook weer niet. Papa zegt dat mama zich niet goed voelt en dat we er morgenvroeg wel met z'n allen over zullen praten.

Ik wil er helemaal niet over praten, de volgende morgen niet, nooit niet.

Ik lig in mijn bed, boven me de houten latten van B.J.'s bed, net als altijd. Het is stil daar boven, veel te stil, en ik weet dat hij behoorlijk in de rats zit.

Buiten voor het raam is een volle maan met flarden witte wolken te zien. Het witte maanlicht schijnt door de wolken heen, waardoor het net lijkt alsof ze van vloeipapier zijn gemaakt.

Papa vraagt of ik nog in *Sneeuwwitje en de Zeven Dwergen* wil lezen.

Ik wil niet lezen, ik wil nooit meer lezen.

Papa zegt dat alles er morgen beter uit zal zien.

B.J. houdt zich stil, ik hou me stil.

Papa doet het licht uit en zegt welterusten.

Het is stil in onze kamer, stil in Nummer Een, in de woonkamer wordt de televisie aangezet.

B.J. ligt in zijn bed te woelen.

Ik haat B.J., omdat hij altijd alles beter weet, omdat hij altijd gelijk heeft. Ik kijk omhoog en het liefst zou ik B.J. dwars door die lattenbodem heen willen laten voelen hoe erg ik hem haat.

Ik draai me op mijn zij, het kussen in mijn armen, tegen me aangedrukt.

Ik zal altijd geadopteerd blijven, ik zal altijd anders blijven, daar verandert een nachtje slapen ook niets aan.

Het is midden in de nacht, alles is in diepe rust, als papa me opeens wakker schudt.

'Opstaan,' zegt papa. 'Kom snel je bed uit.'

Papa zegt hetzelfde tegen B.J.

'Mam?' zegt B.J.

'Nee,' zegt papa, 'ik ben het. Mama is ziek, we moeten haar naar het ziekenhuis brengen. Kom. Opstaan nu.'

Niets klopt meer midden in de nacht. Je hoofd tolt, je verstand staat stil en alles lijkt onwerkelijk. B.J. trekt een groot T-shirt aan en daaroverheen een sweater met een capuchon. Ik trek mijn spijkerbroek aan, stop mijn nachthemd bij mijn broek in en ren de gang op.

Papa roept naar B.J. dat hij de voordeur open moet doen.

Papa draagt mama de slaapkamer uit, mama is half in een blauwe deken gewikkeld, haar hoofd ligt tegen zijn brede borst, en papa draagt haar alsof ze niets weegt.

Mama heeft haar citroengele zijden nachtpon aan, alleen de nachtpon. In hun kamer hangt weer die vreselijke geur, een mengsel van poep en plas en overgeefsel. Ik hou mijn hand voor mijn neus en mijn mond. De citroengele duster ligt als een gele plas op de grond, ik pak de duster op en druk de zachte stof tegen me aan.

Papa roept dat ik moet komen en ik ren de voordeur uit met de citroengele zijde in mijn armen.

'We passen er nooit allemaal in,' zegt B.J.

Papa zet mama in de lage stoel voorin.

'Jawel,' zegt papa, 'stap maar aan mijn kant in.'

B.J. loopt om *Red* heen en gaat in de bagageruimte achter papa's stoel zitten.

'Wat doen we met haar duster?' zeg ik.

Papa gaat op zijn hurken zitten, wikkelt de blauwe deken om mama's knieën en klikt de veiligheidsgordel vast om haar middel.

'Het is veel te krap,' zegt B.J.

'Er is ruimte genoeg,' zegt papa.

'Wat doen we met haar duster?' zeg ik.

Papa doet voorzichtig de deur dicht.

'Niet nu,' zegt papa. 'Stap maar vast in, dan doe ik de voordeur nog even dicht.'

B.J. heeft gelijk, er is nauwelijks ruimte achterin, ik zou er misschien net voor de helft in kunnen. Bovendien wil ik helemaal niet naast B.J. zitten, niet zo dicht tegen hem aan.

Mama beweegt haar hoofd heen en weer, haar krullen vallen alle kanten op.

'Nee,' zegt mama, 'ik wil thuis blijven.'

Papa rent het pad af, de sleutels in zijn hand.

'Instappen, Jenny,' zegt papa.

'Ze kan er niet meer bij,' zegt B.J.

'Vooruit, instappen,' zegt papa.

Ik wurm me naar binnen, duw met mijn schouder tegen B.J. aan en hij duwt terug.

Papa schuift zijn stoel naar achteren, mijn knieën in het leer, en schuift hem dan weer een stukje naar voren.

'Zie je wel, gelukt,' zegt papa terwijl hij de deur dichttrekt. 'We zitten erin.'

'Bud,' zegt mama. 'Ik wil niet weg. Alsjeblieft, Bud.'

Papa legt zijn hand op haar hand, pakt een tip van de blauwe deken en trekt hem om haar schouders heen.

'Ik weet het,' zegt papa, 'maar je bent ziek, je moet naar een dokter.'

Papa rijdt met zijn gezicht tegen de voorruit aan, beide handen aan het stuur. Hij rijdt door alle rode lichten heen, geeft geen richting aan als hij afslaat en rijdt met gierende banden de bocht om.

B.J. ademt in mijn haar, in mijn oor, langs de zijkant van mijn gezicht, vieze slaapadem. B.J. houdt zich stijf, alsof we elkaar dan minder aanraken en ik pak de achterkant van papa's stoel, duw mijn hoofd tegen het leer en knijp mijn ogen stijf dicht.

Papa rijdt hard de bocht om en de auto komt abrupt tot stilstand. Er staan ambulances onder wit licht geparkeerd en het is er stil, te stil.

Papa drukt met zijn hand op het stuur en begint lang en hard te toeteren, het is het enige geluid in de donkere nacht. Papa stapt uit *Red*, rent om de auto heen en opent mama's deur. Hij schuift zijn armen onder haar lichaam en kijkt naar ons.

'Jullie blijven hier,' zegt papa, 'en geen vin verroeren.'

Twee mannen in witte jassen komen naar buiten rennen, gaan om papa heen staan, beginnen door elkaar te praten, lage stemmen, een mengelmoes van woorden, en papa in het midden met mama in zijn armen. Ze is op blote voeten en haar nachtpon zweeft om papa's armen heen alsof ze weg wil zweven.

De schuifdeuren gaan open en ze gaan allemaal naar binnen. De schuifdeuren gaan weer dicht en ze zijn allemaal verdwenen.

In *Red* is het stil, B.J. gaat voorin zitten.

Ik heb het gevoel alsof B.J. nog steeds tegen mijn schouder leunt, ik ruik hem ook nog steeds en begin me af te kloppen, alsof ik hem weg wil vegen.

'Hou daarmee op,' zegt B.J.

'Val toch dood,' zeg ik.

Ik veeg hem nog een keer van mijn schouder af.

'Val jij dood,' zegt B.J.

B.J. zit onderuitgezakt in de stoel en trekt de deur dicht.

Mama's duster ligt op mijn schoot en ik duw mijn vingers in de citroengele zijde, de zachte stof glijdt als water over mijn handen.

De glazen schuifdeuren gaan weer open en papa rent naar buiten, de armen gebogen bij de ellebogen.

'Niets aan de hand,' zegt papa terwijl hij instapt, 'alles is in orde.'

Papa rijdt *Red* naar de parkeerplaats en stopt onder een witte cirkel van licht afkomstig van een straatlantaarn.

'Wat heeft ze?' zeg ik.

'Dat weet ik niet,' zegt papa.

Papa sluit zijn ogen en knijpt boven in zijn neus.

'Pap?' zegt B.J.

Papa knippert een paar keer met zijn ogen alsof hij is vergeten wat hij wilde zeggen.

'Jullie moeten in de auto blijven,' zegt papa, 'er mogen geen kinderen in het ziekenhuis komen.'

'Pap?' zegt B.J.

'Er is niets aan de hand,' zegt papa, 'alles is in orde.'

Papa doet de deur open en springt uit de auto.

'Papa,' roep ik.

Ik hou de citroengele zijden duster omhoog en hij neemt hem van me aan.

'Dank je, Juniper,' zegt papa.

Papa doet de deur dicht en B.J. en ik zijn weer alleen in de auto.

Buiten is een trottoir met een rij straatlantaarns, witte cirkels licht op het trottoir en op de parkeerplaats. Tussen de lichtcirkels in is het donker met nachtschaduwen.

Het is stil in *Red*, net als buiten, en ik laat mijn hoofd tegen het zijraampje rusten, koel glas tegen mijn voorhoofd.

Hoofdstuk zeven

Verjaardagen zijn de mooiste dagen van het jaar, mooier nog dan Kerstmis. Je mag op je verjaardag doen wat je wilt. 'Zolang het maar niet de spuigaten uit loopt,' zegt papa. Ik ga altijd naar Disneyland op mijn verjaardag.

B.J. slaapt op zijn verjaardag uit tot na elf uur en zegt dan dat hij tussen de middag wil ontbijten en papa zegt dat dat nog net niet de spuigaten uit loopt.

Papa, B.J. en ik gaan naar het International House of Pancakes en B.J. zegt dat hij wil uitkiezen waar we gaan zitten omdat het zijn verjaardag is.

Hij kiest een tafeltje uit bij het raam en papa zit naast B.J. Ik zit in mijn eentje aan de andere kant van de tafel. B.J. zit onderuitgezakt in zijn menukaart te kijken. Papa kijkt naar B.J., glimlacht en kijkt in zijn menukaart.

Het House of Pancakes is serveersters die met potten koffie rondlopen, ontbijtgeuren en het geluid van borden, bestek en pratende mensen.

Mama kwam thuis en ging toen weer weg, kwam weer thuis en moest toen weer naar het ziekenhuis. B.J. zegt dat ze alles bij elkaar zes keer in het ziekenhuis heeft gelegen sinds we verhuisd zijn naar Nummer Een, maar ik ben allang de tel kwijtgeraakt. De laatste keer dat ze wegging was in augustus maar nu is het nieuwe schooljaar alweer begonnen.

Papa legt zijn menukaart neer en legt zijn hand op B.J.'s hoofd.

'Tien jaar,' zegt papa.

B.J. trekt zijn hoofd weg, een boze blik in zijn donkere ogen, en kijkt het House of Pankcakes rond, alsof hij bang is dat iedereen naar ons zit te kijken.

'Sorry, vent,' zegt papa. 'Daar ben je nu natuurlijk te oud voor.'

De serveersters in het House of Pancakes dragen jurken die tot over de knie vallen met eroverheen een blauw schortje met een witte rand van kant. Onze serveerster schenkt papa een kop koffie in, glimlacht naar hem en strijkt haar haar naar achteren.

'Mijn zoon is vandaag tien geworden,' zegt papa.

'Pap!' zegt B.J.

De serveerster tovert een nog bredere glimlach om haar felrode lippen.

'Tien jaar,' zegt de serveerster. 'U bent nog veel te jong om al een zoon van tien te hebben.'

Papa begint te lachen en schudt zijn hoofd.

'Zo jong ook weer niet,' zegt papa.

De serveerster lacht en papa lacht.

'Nou, omdat jij vandaag jarig bent, is jouw ontbijt gratis,' zegt de serveerster.

Papa steekt zijn hand weer uit naar B.J. alsof hij hem een stomp tegen zijn schouder wil geven, maar B.J. duikt weg.

'Nou, hoe lijkt je dat?' zegt papa.

De serveerster zet de pot met koffie op tafel en haalt een blocnote te voorschijn. Ik bestel wafels met aardbeien en een grote dot slagroom erop, B.J. en papa bestellen eieren met spek en gebakken aardappelen met uitjes.

Als papa zijn eten op heeft, schuift hij zijn bord naar voren en roert in zijn koffie.

'Zo, en wat gaat het worden, grote kerel?' zegt papa. 'Knott's Berry Farm? Disneyland? Een zeiltochtje misschien? Jij mag het zeggen.'

B.J. houdt zijn vork in zijn vuist geklemd en zit over zijn bord heen gebogen te eten. Hij kijkt op naar papa en schudt zijn hoofd.

'Geen van allen?' zegt papa.

B.J. kijkt naar mij en dan naar de tafel, de ogen op zijn eten gericht.

'Hoe oud moet je eigenlijk zijn,' zegt B.J., 'om in het ziekenhuis toegelaten te worden?'

Papa perst zijn lippen op elkaar.

'Veertien,' zegt papa.

'Echt waar?' zeg ik.

B.J. roert de gebakken aardappels door zijn ei heen.

'Misschien kunnen we gewoon langsgaan,' zegt B.J., 'misschien kan ze even naar het raam komen.'

Papa kijkt naar B.J., kijkt hem alleen maar aan. Het is stil aan ons tafeltje, om ons heen restaurantgeluiden en ik heb geen idee waarom B.J. nu opeens naar mama wil, want dat wilde hij vroeger nooit. Papa kijkt naar mij en ik kijk naar papa en dan kijkt papa op zijn horloge.

'Oké,' zegt papa, 'waarom ook niet.'

Papa steekt zijn hand omhoog en knikt. De serveerster met de felrode lippen haast zich naar ons toe, de mondhoeken iets opgetrokken.

'Nu al klaar?' zegt de serveerster.

'Daar lijkt het wel op,' zegt papa.

Ze stapelt de borden op haar arm en steekt haar andere hand in haar zak. Ze haalt er een velletje papier uit en legt het omgekeerd op tafel.

'Nou, gefeliciteerd, knul,' zegt de serveerster, 'je bent al net zo knap als je papa.'

B.J. slaat zijn ogen ten hemel, zijn gezicht wordt vuurrood.

Papa haalt een biljet van tien dollar te voorschijn en legt hem boven op het velletje papier.

'Hou het wisselgeld maar,' zegt papa.

Papa parkeert *Red* onder een boom, de takken hangen over de hele parkeerplaats, streepjes wit licht schijnen door de bladeren. We blijven in de auto zitten, het is doodstil. Papa speelt wat met zijn sleutels alsof hij geen zin heeft om het ziekenhuis binnen te gaan.

'Waarom wilde je hiernaartoe? Had je daar een speciale reden voor?' zegt papa.

B.J. kijkt achterom naar mij en kijkt dan van me weg.

'Ik weet het niet,' zegt B.J. 'Ik wil haar gewoon vertellen dat ik jarig ben vandaag.'

Papa perst zijn lippen op elkaar, de mondhoeken opgetrokken.

'Ze weet wel dat je jarig bent, jongen,' zegt papa.

Papa legt zijn hand op B.J.'s schouder en laat hem daar liggen.

'Nou, zeg dan alleen maar dat ik in de auto zit,' zegt B.J.

'Meer niet?' zegt papa.

B.J. schudt zijn hoofd, zet zijn boventanden in zijn onderlip en kijkt door de voorruit naar buiten.

Ik wil tegen papa zeggen dat hij mama moet vertellen dat ik het weet van mijn andere moeder, maar dat me dat niets kan schelen omdat mama mijn moeder is. Ik wil dat hij tegen haar zegt dat ze gauw beter moet worden en dat alles weer goed zal komen als ze beter is.

Papa kijkt over zijn stoel heen naar mij en ik weet dat hij wacht tot ik iets ga zeggen. Alles wat ik wil zeggen tolt rond in mijn hoofd en mijn mond is kurkdroog.

'Zeg maar hallo van mij,' zeg ik.

'Goed,' zegt papa. 'Ik ben zo terug.'

Papa stapt uit de auto en doet de deur dicht, B.J. en ik blijven alleen achter. Papa loopt over het trottoir naar de glazen schuifdeuren en ze gaan voor hem open en sluiten achter hem als hij erdoorheen is gelopen.

B.J. slaakt een diepe zucht en slaat zijn armen over elkaar.

'Zeg maar hallo,' zegt B.J. 'Jezus, wat stom.'

'Hou je kop toch,' zeg ik.

'Hallo,' zegt B.J.

'Hou je kop,' zeg ik.

B.J. draait zich om in zijn stoel, zijn arm hangt over de rugleuning van de stoel. Ik schuif zo ver mogelijk naar achteren en trap naar zijn arm. B.J. balt zijn vuist en probeert me een stomp te geven. Ik trap weer tegen zijn arm.

De autodeur gaat open.

'Hé,' zegt papa, 'wat gebeurt hier?'

B.J. trekt zijn arm terug, draait zich weer om in zijn stoel.

'Niets,' zegt B.J. 'Waarom ben je al zo snel terug? Is er wat gebeurd? Hoe is het met haar?'

'Alles is in orde,' zegt papa. 'Ik heb goed nieuws.'

Papa doet alles met snelle bewegingen, sleutel erin, auto starten, schakelen. Hij kijkt achterom en rijdt *Red* achteruit.

Papa kijkt me glimlachend aan en zijn gezicht staat zo blij dat ik er kippenvel van op mijn armen krijg, alsof er een koele wind door de auto waait.

'Komt ze thuis?' zeg ik.

'Vandaag niet, Juniper,' zegt papa.

'Wat zei ze?' zegt B.J. 'Wist ze nog dat ik jarig was vandaag?'

'Natuurlijk wist ze dat,' zeg ik.

'Pap?' zegt B.J.

Papa rijdt de parkeerplaats over, stopt en kijkt naar links en naar rechts.

'Pap?' zegt B.J.

'Als we thuis zijn vertel ik jullie alles,' zegt papa. Papa's stem is rustig en ik draai me om zodat ik nog één keer naar het ziekenhuis kan kijken. Achter welk raam zou ze zijn? Zou ze ons zien? Zou ze naar ons zwaaien?

Ik zwaai terug, voor alle zekerheid.

Papa gaat rechtaf en rijdt in de richting van de snelweg, steeds verder weg van het ziekenhuis. Ik blijf zwaaien tot ik het ziekenhuis niet meer zie, voor alle zekerheid.

Het is midden op de dag, de zon schijnt over de zee, de golven hebben witte schuimkoppen. Als je je ogen half dichtknijpt, kun je ook de witte zeilen van de boten zien.

Papa, B.J. en ik gaan Nummer Een binnen en papa gaat met ons op de grote paarse druif zitten, B.J. aan de ene kant van hem, ik aan de andere kant. Papa slaat een arm om mij heen, slaat een arm om B.J. heen, en dan wordt het stil. Papa heeft dit nog nooit eerder gedaan, een akelig gevoel kruipt langs mijn nek omhoog.

'Mama is gestorven,' zegt papa.

Papa's stem is zo zacht dat het op gefluister lijkt. Ik kijk naar zijn gezicht, naar zijn mond, naar zijn kin.

'Wat?' zegt B.J.

'Jullie moeder is dood,' zegt papa.

De woorden kloppen niet, alsof ik ze begrijp maar ook niet begrijp.

Papa praat en zijn stem heeft een rustige, diepe klank. Hij zegt dat mama nu in de hemel is. Hij zegt dat ze haar hele leven lang vreselijk veel pijn heeft geleden maar nu geen pijn meer heeft.

'Het was tijd, het was haar tijd om te gaan,' zegt papa.

Papa's arm ligt zwaar op mijn schouder en ik krijg geen adem meer.

'Wees blij dat je nog zo jong bent. Jullie komen er wel overheen, jullie pakken de draad zo weer op,' zegt papa. 'Over een paar jaar zijn jullie het vergeten.'

'Vergeten?' zegt B.J. 'Ik zal het nooit vergeten.'

Mijn hoofd voelt zwaar en ik kijk langzaam omhoog. B.J. is gaan staan, zijn gezicht is rood tot aan zijn oren.

'B.J.,' zegt papa, 'kom eens hier, jongen. Zo bedoelde ik het niet.'

'Nee,' schreeuwt B.J. 'Het is mijn verjaardag, het is mijn verjaardag.'

B.J. slaat met zijn vuisten tegen zijn borst, harde slagen, en een stomp tegen zijn hart.

'Kom nou, B.J.,' zegt papa.

Papa steekt zijn hand uit, B.J. kijkt ernaar en slaat hem weg.

'Nee,' schreeuwt B.J.

Opeens rent B.J. naar de voordeur, trekt hem open en rent naar buiten. Papa rent ook naar buiten, roept 'B.J., B.J.', maar B.J. komt niet terug.

Het is een uur, twee uur, drie uur, en papa zegt dat hij misschien maar de politie moet bellen. Buiten voor Nummer Een kijkt hij de heuvel op, de heuvel af, de handen in zijn zij.

De wind waait het haar van zijn voorhoofd, zijn hele gezicht is te zien, de jukbeenderen, de vierkante kin. Ik kijk vanachter het raam naar hem en hij is zoals altijd, maar ook weer niet. Hij ziet eruit als iemand die ik ken maar nooit echt gekend heb.

Papa komt Nummer Een weer binnen, zijn haar helemaal in de war door de wind.

'We moeten toch wat doen,' zegt papa. 'Ik ga op het strand kijken, ga jij naar het park.'

'Hij gaat nooit naar het park,' zeg ik.

'Ga toch maar kijken,' zegt papa.

Papa loopt de heuvel af en ik loop de heuvel op.

Als ik boven ben, kijk ik naar beneden en papa is niet meer dan een stipje daar beneden bij het stoplicht. Ik zet mijn handen aan mijn mond en roep. Papa draait zich niet om, hij blijft bij het zebrapad staan en wacht tot het licht op groen springt.

Ik laat mijn handen zakken, de wind waait in mijn gezicht, en sluit heel even mijn ogen. Wind is alles wat ik voel en ik doe mijn ogen weer open.

Het park is bomen en gras.

Ik loop waar het pad in gras overgaat en het gras ziet eruit alsof alle eenden en ganzen erop gelopen hebben en alles eronder gepoept hebben. Ik buk me om het beter te bekijken, het zou modder kunnen zijn, het zou poep kunnen zijn, ik weet het niet.

'Het is niet wat je denkt,' zegt B.J.

B.J.'s voet rust op zijn skateboard en zijn schaduw valt lang over het pad. Ik hou mijn hand boven mijn ogen.

B.J. is kalm, de rode kleur is van zijn gezicht verdwenen en zijn stem is laag.

'Het lijkt op ganzenstront,' zegt B.J., 'maar het is modder en gras.'

'Papa zoekt je,' zeg ik.

'Het is gewoon modder,' zegt B.J.

'Hij is nu op het strand,' zeg ik.

B.J. drukt met zijn voet op het uiteinde van het skateboard en tipt hem omhoog. Hij klemt hem onder zijn arm en loopt naar de vijver.

'Hij gaat de politie bellen,' zeg ik.

B.J. blijft staan.

'Donder op,' zegt B.J.

'Papa wil dat je thuiskomt,' zeg ik.

B.J. laat zijn hoofd zakken, kin op zijn borst, de ogen donker vanonder zijn wenkbrauwen. Ik weet niet of hij boos is of bedroefd, maar ik blijf naast hem lopen. Ik weet niet wat ik moet doen, wat ik moet zeggen, en wil mijn hand op zijn arm leggen.

B.J. doet zijn hoofd achterover en kijkt me van opzij aan.

'Ze is niet jouw moeder,' fluistert B.J.

Ik laat mijn arm zakken, hand op mijn been, zijn woorden prikken in mijn nek.

'Wel waar,' zeg ik.

'Donder op,' zegt B.J.

B.J. zet zijn skateboard neer en rijdt weg. Ik blijf staan, mijn armen langs mijn zij, het doet pijn tussen mijn ogen.

Ik loop naar het midden van het park en blijf bij de rand van de vijver staan. Al het water is verdwenen, er is alleen nog een lege ronde betonnen bak met een rand van groen slijm, geen eenden, geen ganzen, geen zwanen.

De wind waait om mijn benen en om mijn hoofd en slierten haar waaien in mijn mond en in mijn ogen.

Zonder mama is alles zinloos geworden, je voelt je verloren, alsof je op het randje van de aarde staat en geen kant meer op kunt.

Ik heb negenendertig graden koorts volgens de thermometer en mijn Strand-Barbie is weg. Ik zoek overal, maar kan haar nergens vinden.

Papa zegt dat we geen tijd meer hebben om nog langer naar haar te zoeken. Hij zegt dat hij en B.J. die avond in Carson City moeten zijn voor de begrafenis morgen en dat ik bij Chuck en Suzy ga logeren, hoewel ik Chuck en Suzy helemaal niet ken.

Maar ik trek me er niets van aan wat hij zegt, ga badend in het zweet op de grond zitten en begin te huilen.

'Luister nou, Jenny,' zegt papa, 'je Barbie komt wel weer boven water, echt, maar we moeten nu gaan.'

Papa gaat op zijn hurken zitten en legt zijn ene hand op mijn rug, de andere op mijn hoofd.

'Je gloeit helemaal,' zegt papa. 'Kom, Juniper, ga je omkleden, dan breng ik je naar Chucks huis en kun je daar meteen onder de wol kruipen.'

'Nee,' roep ik, 'ik wil niet weg. Niet voordat ik haar gevonden heb.'

'Ik koop wel een nieuwe pop voor je,' zegt papa.

'Ik wil geen nieuwe,' roep ik.

Papa kijkt me met grote ogen aan en ik begin zo hard te huilen dat ik niet meer kan praten. Papa heeft er een hekel aan als je je zo laat gaan, maar ik kan er niets aan doen.

'Pap, ik heb echt overal gekeken,' zegt B.J. 'Ik weet niet waar ze hem heeft gelaten.'

Papa legt zijn hand lichtjes op mijn schouder.

'Oké,' zegt papa, 'zo is het genoeg. Niet meer huilen nu, begrepen?'

Mijn ogen zijn dik en opgezet en ik veeg mijn gezicht af aan mijn nachthemd. Papa stopt een zakdoek in mijn handen, maar ik laat hem op de grond vallen, naast mijn voet. Hij pakt hem weer op, drukt de witte stof tegen mijn gezicht aan en veegt de tranen weg.

'Ik weet dat je overstuur bent, maar laten we er geen drama van maken,' zegt papa.

Ik krab aan mijn wang, kijk naar papa, een snelle blik, en haal luidruchtig mijn neus op. Papa stopt de zakdoek in mijn hand en gaat staan.

'Kom, we gaan,' zegt papa, 'Chuck en Suzy zitten op ons te wachten.'

Chuck en Suzy blijken mijn peetouders te zijn, hoewel ik nog nooit van ze gehoord heb. Papa zegt dat zij de enigen zijn bij wie ik terecht kan nu ik ziek ben, zegt dat peetouders daarvoor zijn.

B.J. blijft in *Red* zitten en papa loopt met me mee naar de voordeur. Hij draagt een tas waar mijn kleren en mijn tandenborstel in zitten.

Suzy draagt een korte witte broek met een donzig truitje dat eruitziet alsof het van vogelveren gemaakt is.

'Ah, daar zijn jullie dan,' zegt ze, 'ik begon me al zorgen te maken.'

Papa pakt mijn hand en schudt aan mijn arm.

'Zeg eens dag,' zegt papa.

Ik laat papa's hand los en kijk naar beneden.

'Wat ben jij groot geworden,' zegt Suzy. 'Wat is ze groot geworden, Bud.'

Papa slaakt een diepe zucht.

'Sorry dat ik jullie hier zo mee overval,' zegt papa, 'maar Jenny kreeg opeens koorts. Ik kan haar toch moeilijk mee naar Carson nemen nu ze koorts heeft.'

'Natuurlijk niet,' zegt Suzy.

'Nee, echt,' zegt papa, 'ik ben jullie heel dankbaar, vooral omdat we elkaar al zo lang niet meer gezien hebben.'

Suzy lacht en lacht en legt haar ene hand op papa's arm en de andere op mijn schouder.

'Kom maar gauw binnen, gansje,' zegt Suzy, 'dan gaan we je meteen in bed stoppen en kun je wat uitrusten.'

Suzy doet de deur dicht en binnen is alles heel modern met veel ramen en hoge plafonds. Zo'n mooi huis heb ik nog nooit gezien. En aan de manier waarop papa kijkt, zie ik dat hij ook nog nooit zo'n mooi huis heeft gezien.

Mijn hoofd doet pijn en ik gloei helemaal. Ik leun tegen papa's been, mijn hoofd tegen zijn zij, en hij legt zijn hand op mijn schouder.

'Jenny is haar Barbie kwijt,' zegt papa.

'Nee toch?' zegt Suzy. 'Dat is ook wat.'

Suzy bukt zich, haar gezicht vlak voor mijn gezicht.

'Ze komt vast wel weer terug,' zegt Suzy.

'Ze is niet weggelopen, hoor,' zeg ik. 'Het is een pop.'

Papa lacht even en dan wordt het stil in het grote huis.

'Jenny is doodmoe,' zegt papa.

'Natuurlijk is ze moe, dat was toch ook te verwachten,' zegt Suzy terwijl ze weer rechtop gaat staan. Ze steekt haar arm uit en trekt me naar zich toe, ik kijk naar papa.

'Papa?' zeg ik.

Hij zet mijn tas neer en pakt mijn armen vast.

'Alles komt goed, Juniper,' zegt papa, 'Suzy zal goed voor je zorgen. Over twee dagen ben ik weer terug.'

Hij steekt twee vingers in de lucht alsof ik achterlijk ben.

'Ik weet wel wat twee is, papa,' zeg ik.

Papa laat zijn hand zakken en knikt naar me, zijn ogen staan ernstig.

'Goed uitrusten,' zegt papa, 'en snel weer beter worden.'

'Kom maar, lieverd,' zegt Suzy.

Suzy zwaait met haar hand naar papa.

'Kom op,' zegt Suzy, 'wij meiden redden ons hier wel alleen mee.'

Suzy en ik lopen een stoepje op en een gang door en als ik achterom kijk, zie ik papa niet meer, ik hoor alleen de deur open- en dichtgaan.

Suzy kwettert als een vogel, loopt een gang in, gaat twee treden omhoog, loopt een andere gang in. Ze zegt dat ze iets heel lekkers gaat klaarmaken voor het avondeten, dat ik het hier vast naar mijn zin zal hebben, en dat ik maar niet op de rommel moet letten. Maar als ik om me heen kijk, ziet alles er zo schoon uit dat het lijkt alsof er helemaal niemand woont. Suzy blijft staan en opent een deur.

In de kamer staat een tweepersoonsbed met een witte sprei eroverheen, een en al kant en franje, het lijkt meer op een wolk. Ze zet mijn tas bij het voeteneinde van het bed neer en zwaait met haar arm.

'Dit is het dan,' zegt ze, 'oost west, thuis best. Nou ja, voor een paar dagen dan.'

Suzy laat haar arm zakken en vouwt haar handen.

'Ik vind het zo erg van je moeder,' zegt Suzy, 'het was zo'n lief mens.'

Ik weet niet wat ik moet zeggen en sta daar maar in die grote kamer, mijn armen langs mijn zij.

'Zo,' zegt Suzy, 'moet ik je nog helpen met uitkleden en in bed stoppen?'

'Nee,' zeg ik.

'Goed, dan laat ik je nu alleen. Kruip er maar lekker in en probeer wat te slapen.'

Suzy loopt de logeerkamer uit en doet de deur achter zich dicht.

Er is een groot raam naast het bed en ik zou het zo open kunnen maken en naar buiten kunnen klimmen. Ik loop naar het raam en kijk naar buiten, het is een heel eind naar beneden voordat je bij de oprit bent. Misschien toch maar niet doen.

Ik schop mijn schoenen uit, klim boven op de witte wolk van kant en katoen en ga op mijn zij liggen, de handen tussen mijn knieën.

Er wordt op de deur geklopt, drie keer, en ik krijg nauwelijks mijn ogen open, zo zwaar zijn mijn oogleden. De deur gaat open en daar is papa, alleen zijn hoofd om de deur.

'Ben je nog wakker?' zegt papa.

'Papa?' zeg ik.

Papa komt de kamer binnen en doet de deur achter zich dicht. Hij houdt een grote doos achter zijn rug. Papa haalt de doos met een grote zwaai achter zijn rug vandaan en legt hem op bed.

'Verrassing,' zegt papa.

De doos is roze met rode letters en er ligt een grote pop in.

'Haar haar kan groeien,' zegt papa, 'kijk.'

Papa zit op de rand van het bed en wijst naar het plaatje op de doos waar een meisje aan het haar van de pop trekt en haar navel indrukt.

'En als je aan haar arm draait, wordt het weer kort,' zegt papa.

De pop heeft donkerbruin haar en een jurk aan die op een trui lijkt. Ik zet de doos rechtop en ze heeft ogen die op knikkers lijken en dichtgaan zodra je haar achteroverkantelt.

'Ik weet dat het geen Barbie is,' zegt papa, 'maar ik wilde je toch iets geven.'

Ik leg de pop tussen ons in op het bed en haar knikkerogen gaan dicht.

'Ze is heel mooi,' zeg ik, 'dank je wel, pap.'

Hij perst zijn lippen op elkaar, hij weet dat ik de pop niet leuk vind. Ik pak de doos en trek hem op schoot.

'Nee, echt,' zeg ik, 'ze is prachtig. Zo'n mooie pop heb ik nog nooit gehad.'

Papa glimlacht, vermoeide lijntjes rond zijn ogen, rond zijn mond.

'Zo,' zegt papa, 'nu maar weer onder de wol.'

Hij slaat de dekens terug en ik kruip tussen de lakens. Ik wou dat ik mijn Sneeuwwitje-boek had meegenomen, dan zou hij me kunnen voorlezen. Hij trekt de dekens omhoog tot over mijn schouders en geeft me een zoen op mijn voorhoofd, zijn lippen zijn droog. *That Man*-eau de cologne en sigaretten.

'Slaap zacht en gauw weer beter worden,' zegt papa.

Papa zet de grote pop in een hoek van de kamer en ik sluit mijn ogen.

Als papa terugkomt, haalt hij me bij Chuck en Suzy op. Papa zegt dat B.J. samen met tante Carol in het appartement is en dat tante Carol is meegekomen uit Carson City om mee te helpen het huis aan kant te maken.

Papa en ik zitten in *Red*, ik voorin waar B.J. altijd zit, en dan doe ik het handschoenenvakje open. Uit het donkere gat steken een paar bruine poppenbeentjes, de Strand-Barbie, mijn Barbie. Ze was niet weg. Ze heeft de hele tijd hier gelegen.

Soms weet je niet meer hoe het voelt om blij te zijn. Dan ben je zo bedroefd en terneergeslagen dat je helemaal vergeten bent hoe dat voelt.

Ik pak de benen van Strand-Barbie, ze heeft een groen met wit geruit zonnejurkje aan, en hou haar omhoog naar papa. Ik ben zo blij dat ik ervan moet huilen, tranen over mijn wangen en in mijn mond.

Papa start *Red* en zegt dat hij wist dat ze weer op zou duiken, dat ik me druk heb gemaakt om niks.

De wind waait door Nummer Een, het huis gevuld met licht, de gordijnen zijn opgeknoopt en alle ramen staan wijd open. Er zitten donkerbruine vlekken in het groene vloerkleed, zwarte brandgaatjes van sigaretten op het witte linoleum in de keuken, er liggen omgekrulde stukjes uitgedroogde kaas van taco's en hard geworden cornflakes die ooit van iemands lepel zijn gevallen.

Tante Carol zegt dat het huis een zwijnenstal is, dat ze niet begrijpt hoe we hier zo hebben kunnen leven.

B.J. houdt zich stil en ik hou me stil.

Papa gaat weg om skiboxen voor de auto op te halen.

Tante Carol is groot en dik, precies zoals ik me haar herinner, en ze is helemaal in het zwart gekleed. Wat wel veranderd is aan tante Carol is haar haar. Dat was eerst bruin en nu wit, grijs-wit, alsof ze een spook heeft gezien.

Tante Carol boent op haar knieën de vloer, stofzuigt het vloerkleed en wast de borden af, zelfs die die schoon in de kast stonden.

B.J. en ik zoeken onze eigen spullen uit, speelgoed en kleren. Tante Carol zegt dat we speelgoed dat stuk is en kleren die ons niet meer passen moeten weggooien.

In Nummer Een ruikt alles schoon en voelt alles schoon, alsof we hier nooit gewoond hebben. Tante Carol zegt dat alleen mama's kamer nog moet en gaat dan haar kamer binnen en doet de deur achter zich dicht.

Buiten op de gang leg ik mijn oor tegen de deur en luister, alleen het geluid van stromend water in de badkamer is te horen. Ik draai de deurknop om, ga naar binnen, doe de deur achter me dicht en ga met rug tegen de muur staan.

De gordijnen zijn opzij geschoven, de ramen staan open, de zon schijnt naar binnen. Tante Carol heeft de lakens van het bed getrokken, de kussenslopen van de kussens, en al het beddengoed ligt op een hoop in het midden van de California King.

Tante Carol draait de kraan dicht en komt met een stapel handdoeken over haar armen de kamer binnen.

'Vooruit, naar buiten,' zegt tante Carol, 'ga maar met B.J. spelen.'

Ik doe mijn armen over elkaar en ga wijdbeens staan.

'Je mag geen B.J. meer zeggen,' zeg ik.

Tante Carol staat aan het voeteneinde van de California King, met haar rug naar de zon, de omtrek van haar brede gestalte is duidelijk te zien. Ze spreidt haar armen en laat de handdoeken boven op de stapel vuil beddengoed vallen.

'Hij mag zich dan wel Bryan noemen,' zegt tante Carol, 'voor mij blijft hij B.J.'

Tante Carol veegt iets van haar handen wat er helemaal niet is en kijkt me aan, één oog dichtgeknepen alsof ze nadenkt, en dan herinner ik me opeens weer dat ze over magische krachten beschikt, dat ze de toekomst kan voorspellen door in je hand te kijken.

'Misschien is het beter als je de kamer verlaat,' zegt tante Carol.

'Waarom?' zeg ik.

Ze zet haar handen in haar zij, de vingers naar binnen gevouwd tot een vuist.

'Omdat,' zegt tante Carol, 'ik nu de spullen van je moeder ga uitzoeken, en daar kun je beter niet bij zijn.'

Ik druk mijn rug tegen de muur, mijn benen tegen het koele hout van het nachtkastje.

'Ik ben hier al die andere keren toch ook geweest,' zeg ik.

Tante Carol kijkt me heel lang aan en ik kan aan haar gezicht zien dat ze weet wat ik hier gezien heb, en dat ik verder niets meer hoef te zeggen. Ze opent mama's kast en neemt een doos van de bovenste plank.

'Nou, wat sta je daar nog,' zegt tante Carol, 'kom me maar helpen dan.'

Tante Carol en ik beginnen alles te sorteren, mijn handen en haar handen, mama's spullen liggen overal. Hoeden, handschoenen en al die mooie kleren die ze nooit meer heeft gedragen sinds we hiernaartoe verhuisd zijn. Tante Carol zegt dat ik alle kleren van de hangertjes moet halen, netjes moet opvouwen en van alle broeken, blouses en truitjes aparte stapeltjes moet maken.

Ik raak mama's spullen heel voorzichtig aan, mijn handen op de zijde van haar nachtponnen en dusters. Ik wil tante Carol vragen of ik iets mag houden, maar ze is zo stil en kijkt zo ernstig dat ik niets durf te zeggen.

Als we klaar zijn, liggen er overal stapeltjes kleren en schoenen en hoeden en sjaals en tasjes. De zon staat boven Nummer Een en het licht dat door de ramen naar binnen valt is helder wit maar ook vol schaduwen.

Tante Carol strijkt met haar hand door haar witte haar en trekt dan iets uit een stapel spullen die naast de kastdeur staat.

Ze houdt een wit boek en een zwart fluwelen zakje omhoog, om haar handen zweven kleine stofdeeltjes in het licht.

'Hier,' zegt tante Carol.

Ze legt het boek en het fluwelen zakje tussen ons in op de grond en gaat zitten, de benen onder zich gekruist.

Ik ga ook zo zitten en leg mijn handen in mijn schoot.

Tante Carol pakt het witte boek en houdt het heel voorzichtig in haar handen, alsof het een pasgeboren vogeltje is. Ze strijkt met haar vinger over de sierlijke gouden letters op de kaft.

'"Ons Huwelijk" staat er,' zegt tante Carol.

Ze pakt de onderkant van de kaft vast en tilt hem dan met één vinger omhoog. Op de eerste bladzijde staat een zwart-witfoto van mama in een prachtige witte bruidsjurk. Ze glimlacht en staat alleen op de foto, en ze heeft de mooiste ronde wangen en de pienterste, donkerste ogen van de hele wereld. Mama ziet er zo perfect uit dat het pijn doet om naar haar te kijken.

Tante Carol legt haar hand op de foto, sluit haar ogen en er verschijnt een bedroefde glimlach om haar lippen.

'Ze was net een prinses,' fluistert tante Carol.

Tante Carol doet haar ogen weer open en kijkt me aan.

Ik bijt op mijn lip, wend mijn hoofd af en kijk weer naar de zwart-witfoto.

Tante Carol pakt de onderkant van de bladzijde vast en slaat hem om.

De volgende foto is van mama met oma Rowena en opa Ivan. Ze staan voor een huis en in de schaduw van mama's jurk ligt een kat te slapen.

'De bruiloft was in Reno,' zegt tante Carol.

Tante Carol kijkt naar mij en ik kijk naar haar, het is stil in de kamer, zo stil dat het lijkt of de tijd stilstaat. Ze zucht diep, legt haar hand op de foto, pakt de onderkant van de bladzijde vast en slaat hem om.

Mama staat naast een auto en een man houdt de deur voor haar open. De wind waait mama's sluier de verkeerde kant op en ze glimlacht en houdt hem met haar arm tegen zodat hij niet wegwaait.

'Het was een zonnige dag,' zegt tante Carol. 'Maar er stond wel een harde wind.'

Tante Carol legt haar hand weer op de foto en slaat de bladzijde om.

Op de volgende foto staat papa in een witte smoking, samen met drie andere mannen, ook gekleed in een witte smoking. En mama in haar prachtige witte bruidsjurk, samen met drie vrouwen die gekleed zijn in korte, pastelkleurige jurken. Iedereen glimlacht.

'Dat is oom Charles, hij was die dag ceremoniemeester,' zegt tante Carol. 'En tante Ruth was bruidsmeisje.'

Tante Carol wijst de gezichten aan en ik knik alsof ik ze ken, hoewel ik me ze nauwelijks herinner.

Tante Carol legt haar hand op de foto, pakt de onderkant van de bladzijde vast en slaat hem om.

Op de volgende foto lopen mama en papa door het middenpad van de kerk. Papa kijkt blij, er zit een rimpel in zijn neus en precies in het midden van zijn vierkante kin zit een kuiltje.

Tante Carol kijkt omhoog naar het plafond en sluit haar ogen.

'Bud zei altijd dat hij een echte bofkont was dat Janet met hem getrouwd was,' zegt tante Carol.

Ze doet haar hoofd weer naar beneden en spert haar ogen open.

'Een bofkont,' zegt tante Carol, 'kun je je dat voorstellen?'

Tante Carol schudt haar hoofd, legt haar hand op de foto, pakt de onderkant van de bladzijde vast en slaat hem om.

Papa en mama staan achter een bruidstaart die uit drie lagen bestaat. Mama heeft een stuk taart in haar hand en papa heeft zijn mond open, zijn hand ligt op haar arm, zijn ogen lachen.

Ik kijk naar tante Carol, maar ze schudt alleen haar hoofd. Ze legt haar hand op de foto en slaat dan het boek dicht.

'Je moet er niet te veel van in één keer bekijken,' zegt tante Carol. 'Zoveel herinneringen kunnen pijn doen.'

Het zonlicht weerkaatst op het raamkozijn en een straal helder licht valt schuin de kamer binnen. Tante Carol schuift het boek naar me toe en pakt het zwart fluwelen zakje.

'Hou je handen eens op,' zegt ze.

Tante Carol maakt het koordje los en keert het zakje om boven mijn handen.

Als water uit een kraan glijdt er een lange sliert parels naar buiten gevolgd door een ring. Tante Carol tilt met een vinger de parelketting omhoog uit mijn hand zodat het zonlicht erop valt.

'Het zijn echte parels, hoor,' zegt tante Carol. Ze pakt de parels en beweegt ze over haar tanden heen en weer. Het geluid lijkt op dat van een steen tegen een steen en ze lacht en perst haar lippen op elkaar.

'Namaakparels voelen heel anders,' zegt ze.

Tante Carol draait de parelketting in het rond en legt hem dan terug in mijn handen. De parels voelen warm aan op mijn huid.

Daarna pakt ze de ring en houdt hem op het topje van haar vinger, een rij diamantjes schittert in het zonlicht.

'Dit is haar trouwring,' zegt tante Carol. 'Aan de binnenkant staat hun huwelijksdatum gegraveerd.'

'Echt?' zeg ik.

Tante Carol houdt de ring omhoog en tuurt ernaar alsof ze aan het lezen is. Ze knikt en laat de ring in mijn hand vallen.

Ik kijk naar tante Carol, naar de ring, naar de parels.

Ik laat de ring en de parelketting op het groene vloerkleed vallen en wrijf het gevoel van beide van mijn handen.

'Ik kan ze misschien beter niet aannemen,' zeg ik.

'Natuurlijk wel,' zegt tante Carol.

'U kunt ze misschien beter aan Bryan geven,' zeg ik.

Tante Carol kijkt me aan, de ogen bruiner dan bruin, het haar witter dan wit, de tante Carol die precies weet wat je denkt en wat je voelt. Ik wend mijn hoofd af en kijk naar de vloer.

Tante Carol pakt de ring en de parelketting, doet ze terug in het zwart fluwelen zakje en knoopt hem dicht met het koordje. Ze pakt mijn handen, legt het zakje erin en vouwt mijn vingers over het zakje heen.

'Nou moet je eens goed naar me luisteren,' zegt tante Carol.

Ik kijk naar haar gezicht, naar haar ogen, en ze schraapt haar keel.

'Jij bent Janets dochter,' zegt tante Carol, 'het is jouw taak om over haar sieraden te waken. Het is jouw taak om de herinnering aan haar levend te houden.'

Er hangt een bedrukte sfeer in de kamer en er prikken tranen in mijn ogen, maar ik wil niet huilen, niet nu, niet hier.

'Begrijp je me?' zegt tante Carol.

Ik kijk naar het vloerkleed, naar het bed, naar mijn handen in haar handen.

'Maar dat ben ik niet,' fluister ik, 'niet echt.'

Tante Carol schraapt haar keel en kijkt me recht in de ogen, haar stem is zacht.

'Dat ben je wel,' zegt tante Carol, 'jij bent haar dochter.'

Tante Carol en ik omringd door mama's spullen, en op dat moment weet ik dat het waar is. Ik ben mama's dochter, haar mooiste geschenk, de baby op wie ze gewacht heeft, de baby waar ze naar verlangde, de baby die haar leven weer zin gaf.

De tranen rollen over mijn wangen.

Tranen van verdriet.

Tranen van niet meer weten bij wie je hoort.

Tranen van waarheid.

DEEL DRIE

Los Angeles, Fountain Valley
en Huntington Beach
1971-1973

Het is donker, maar L.A. ziet er zelfs in het donker nog smerig uit. Onder de bruggen en op de zijkanten van gebouwen, overal is met spuitbussen op de muren geschreven. Bryan zegt dat het graffiti is, dat bendes met graffiti hun territorium afbakenen.

Papa wacht voor het stoplicht, de richtingaanwijzer is uit naar rechts.

'Je moet haar niet bang maken,' zegt papa.

'Maar het is waar,' zegt Bryan.

'Wat is een bende?' zeg ik.

'Jongens die er alleen maar op uit zijn om zoveel mogelijk moeilijkheden te veroorzaken,' zegt papa.

'Jongens die het op kleine meisjes voorzien hebben,' zegt Bryan.

'Zo is het wel genoeg,' zegt papa.

Papa slaat rechtsaf een straat in waar heel veel grote oude huizen staan die vlak tegen elkaar aan gebouwd zijn. Hij parkeert *Red* langs het trottoir, zet de motor af, en dan is het stil in de auto. Papa draait zich om in zijn stoel, kijkt naar Bryan, kijkt naar mij.

'Oké,' zegt papa. 'Ik wil dat jullie je voorbeeldig gedragen, is dat duidelijk?'

Bryan kijkt naar mij en ik kijk naar Bryan.

'Ik meen het,' zegt papa. 'Dit is een vriendin van me, een heel goede vriendin, en ik heb jullie meegenomen zodat jullie haar en haar kinderen kunnen leren kennen.'

Bryan draait zijn hand naar binnen alsof hij elk moment de 'krijg de klere'-vinger de lucht in zal steken en perst dan zijn lippen op elkaar om niet in lachen uit te barsten.

'Waarom?' zeg ik.

Papa kijkt me heel lang aan, doodse stilte in de auto, en begint dan te glimlachen.

'Omdat het tijd wordt,' zegt papa, 'dat we er wat nieuwe vrienden bij krijgen.'

Je voorbeeldig gedragen betekent: schouders recht, armen langs je zij en niet voor je beurt praten. Bryan en ik stappen uit *Red* en gaan naast elkaar staan, in de voorbeeldig-gedrag-houding. Papa knielt neer op één knie, maakt opnieuw Bryans veters vast en stopt mijn haar achter mijn oren. Papa gaat staan, de handen plat tegen zijn broek.

'Stop je overhemd bij je broek in, knul,' zegt papa.

'Pap,' zegt Bryan.

'Jenny, trek je kousen op,' zegt papa.

'Die horen zo,' zeg ik, 'het zijn slobkousen.'

Papa's heel gewone en tegelijk bloedmooie gezicht ziet er nu hypernerveus uit en als hij zo doet, word ik ook nerveus. Papa tilt zijn armen op, laat ze tegen zijn benen vallen en schudt zijn hoofd.

'Laten we maar gaan,' zegt papa.

Papa houdt onze hand vast, loopt het tegelpad op en daarna een steil trapje. Het is twintig passen alles bij elkaar en dan staan we voor een bruin huis met een brede veranda ervoor. Als er echt spookhuizen bestaan waar heksen wonen, dan zou dit er een kunnen zijn, zo donker en groot en eng ziet het eruit.

Nog voordat papa op de deur heeft geklopt, gaat deze al open en in de deuropening staat een mevrouw met een brede glimlach om haar lippen. Deze mevrouw ziet er precies zo uit als alle andere mevrouwen, alleen heeft ze wel die speciale blik voor speciale mensen in haar ogen.

'Eindelijk,' zegt de mevrouw, 'ik begon al ongerust te worden.'

Ik kijk naar Bryan en hij kijkt naar mij.

Papa glimlacht en de mevrouw glimlacht en papa duwt met zijn hand tegen onze rug zodat we wel naar binnen moeten.

De mevrouw doet een pas opzij om ons door te laten, ze heeft lang donkerrood haar dat sluik om haar smalle gezicht valt. Ze heeft groene ogen die zo licht zijn dat ze bijna blauw lijken, maar dat zijn ze niet, ze zijn groen. Alleen bij een kat heb ik eerder zulke ogen gezien.

De mevrouw doet de deur dicht en sluit de middagzon buiten. Het geluid van het sluiten van de deur is zo laag en hard dat het klinkt alsof we nooit meer naar buiten kunnen.

De mevrouw kijkt naar Bryan, naar mij en dan met die speciale blik naar papa.

Papa schraapt zijn keel en de mevrouw begint te lachen van ha, ha, ha, alsof ze nerveus is.

'Zo kinderen,' zegt papa, 'dit is nu mijn, eh, vriendin.'

De mevrouw schudt haar hoofd en haar haar zwaait als een gordijn voor haar gezicht heen en weer.

'O, Bud, mallerd,' zegt de mevrouw. Ze slaat met haar hand naar papa, een speels soort klapje. Papa's wangen worden rood van verlegenheid.

'Mannen,' zegt ze tegen Bryan en mij. 'Ik heet Deborah, maar zeg maar gewoon Deb, hoor.'

De manier waarop Deb en papa tegen elkaar praten en doen, daar is iets mee, iets vreemds, iets wat ik niet begrijp.

Alsof je buitengesloten wordt.

Alsof er iets staat te gebeuren, maar je weet niet wat.

Een akelig gevoel kruipt langs mijn nek omhoog, over mijn hoofd heen en in mijn neus.

Deb en papa lachen ergens om en Deb stelt voor dat we naar de woonkamer gaan. Ze loopt naar een openstaande deur en papa geeft ons weer een duwtje in de rug, duwt ons zo de grote kamer binnen.

Op de bank zitten drie kinderen die allemaal naar papa beginnen te zwaaien. Papa en die kinderen lijken wel een gezin, een gezin waar wij geen deel van uitmaken.

Deb zegt dat Christopher en de tweeling Kendall en Veronica haar kinderen zijn, alleen wordt Kendall Kenny genoemd en Veronica Ronny. Kenny en Ronny lijken sowieso net jongens, dus dat ze jongensnamen hebben is eigenlijk wel logisch.

Debs woonkamer staat vol met grote, oude meubels en het ruikt er muf. Bryan zit op het puntje van een grote stoel en ik zit met papa op een andere grote stoel. Deb zit op het puntje van de bank en praat met papa zoals grote mensen met elkaar praten. Deb zegt dat zo'n eerste kennismaking altijd wat pijnlijk is en papa zegt dat ze het moeilijkste gedeelte nu achter de rug hebben en daarna praten ze over een klant van papa die Smith heet.

Kenny en Ronny hebben allebei lichte ogen net als Deb, alleen zijn Kenny's ogen groener en Ronny's ogen blauwer. Ze hebben ook allebei rood haar en sproeten in het gezicht. Mama zegt dat als meisjes op jongens lijken het wildebrassen zijn en ik zie zo dat Kenny en Ronny dat ook zijn.

Christopher is heel anders dan Deb of Kenny en Ronny. Christopher heeft blond krulhaar, heel donkerbruine ogen en een rond gezicht dat bijna zo mooi is als dat van een meisje. Christopher heeft iets heel kalms over zich en hij zit zo stil, dat het lijkt alsof hij zich altijd voorbeeldig gedraagt.

Papa zegt dat Kenny en Ronny en ik even oud zijn.

Deb zegt dat de tweeling op 15 november acht wordt.

Papa zegt dat ik op 15 december acht word.

Deb klapt in haar handen als ze dat hoort en zegt dat we onze verjaardagen dan samen moeten vieren.

De tweeling kijkt naar Deb alsof ze gek geworden is, met open mond en vertrokken gezichten alsof ze net op een zuur citroensnoepje hebben gebeten.

'We doen al iets speciaals met Jenny's verjaardag,' zegt papa. 'Dat doen we ieder jaar. Dat is een soort traditie geworden.'

Deb trekt haar wenkbrauwen, halve boogjes die hoog op haar voorhoofd getekend lijken te zijn, nog hoger op.

'O, werkelijk?' zegt Deb.

Papa kijkt me aan en begint te glimlachen.

'Inderdaad,' zegt papa.

'Disneyland,' zeg ik, 'alleen papa en ik.'

Mijn stem klinkt veel te hard in het grote huis en ik doe meteen mijn mond weer dicht. Iedereen kijkt naar me. Bryan, Christopher, Deb, zelfs papa. Kenny en Ronny kijken ook, en dan steekt Ronny haar vinger in de keel en maakt een geluid alsof ze moet overgeven.

'Disneyland?' zegt Ronny. 'Disneyland is waardeloos.'

'Knap waardeloos,' zegt Kenny. Kenny lacht naar Ronny en Ronny lacht naar Kenny.

Bryan lacht ook, een snuivend geluid dat uit zijn neus komt.

Christopher lacht niet, die kijkt alleen maar om zich heen alsof hij wou dat hij ergens anders was. Ik wou ook dat ik ergens anders was.

'Nou,' zegt Deb, 'er komen nog genoeg andere gelegenheden om met z'n allen iets te doen.'

Deb kijkt papa aan met die speciale blik, maar ook met iets van gespannenheid in haar ogen. Papa kijkt naar Bryan en glimlacht en kijkt dan naar mij en glimlacht weer.

De maan aan de donkere hemel is kogelrond. Papa stuurt Bryan en mij naar de auto en blijft zelf bij de voordeur staan met Deb.

Bryan leunt met zijn achterwerk tegen *Red* aan en doet zijn armen over elkaar. Ik leun ook tegen *Red* aan, doe net als Bryan mijn armen over elkaar, maar het voelt niet goed. Ik maak mijn armen los en doe ze andersom over elkaar.

Bryan trapt met zijn voet tegen een graspol.

Ik trap ook met mijn voet tegen een graspol.

Het licht van de straatlantaarns valt in cirkels op straat en over de geparkeerde auto's. *Red* staat half binnen en half buiten zo'n cirkel geparkeerd. Bryan en ik staan in de donkere helft.

Op de veranda staan Deb en papa heel dicht bij elkaar, te dicht.

'Zijn ze aan het zoenen?' zegt Bryan.

'Dat kan ik niet zien,' zeg ik.

Deb strijkt met haar vingers door haar haar en papa raakt haar arm aan.

'Daar,' zegt Bryan. 'Dat was wel een zoen.'

'Waarom zoent hij haar?' zeg ik.

Bryan schraapt zijn keel en duwt zich van *Red* af.

'Ach, hou toch je kop,' zegt Bryan.

'Wat?' zeg ik.

Bryan doet de autodeur open, zijn kin is ingetrokken.

'Ik deed helemaal niks,' zeg ik.

'Stap nou maar in,' zegt Bryan.

In *Red* is het doodstil, ik kruip achterin en kijk door het achterraampje naar buiten.

Papa komt met snelle, lichte passen het steile trapje af, een brede glimlach om zijn lippen.

Ik draai me om en Bryan zakt onderuit in zijn stoel. Papa stapt in en doet de deur dicht, hij is helemaal buiten adem.

'Nou, dat ging prima, toch. Vonden jullie ook niet?' zegt papa.

Papa wrijft zijn handpalmen tegen elkaar.

'Vonden jullie haar aardig?' zegt papa. 'Ik zou het heel fijn vinden als jullie haar aardig vonden.'

Bryan kijkt naar mij, kijkt naar papa, kijkt het raam uit en haalt dan één schouder op.

'En jij?' zegt papa, 'jij vindt haar toch wel aardig?'

Het is stil in de auto, als een leegte tussen wat was en wat komt. Ik zou kunnen zeggen: 'Nee, helemaal niet.' Ik zou kunnen zeggen: 'Nee, ik vind Deb niet aardig.' Ik zou kunnen zeggen: 'Laten we zo snel mogelijk wegrijden van dit vreselijke huis, dat vreselijke mens en die vreselijke tweeling. Laten we hier nooit meer terugkomen.' Ik zou van alles kunnen zeggen, maar de dingen die ik wil zeggen blijven in die leegte hangen en daarom zeg ik helemaal niets.

'Ze is wel oké,' zegt Bryan.

Papa zucht en kijkt omhoog naar het dak van de auto.

'Dat is geweldig,' zegt papa, 'daar ben ik heel blij om.'

Opeens weet ik dat mijn kans verkeken is en papa kijkt me zelfs niet meer aan. Hij start *Red* en rijdt weg van Debs grote huis.

Hoofdstuk negen

Twee maanden later wonen we bij Deb in huis. Zonder reden, zo gaan de dingen nu eenmaal.

Papa zegt dat Debs huis nu ook ons huis is.

Ik zal haar huis nooit mijn huis noemen. Nooit.

De lucht boven Debs huis is eerder grijs dan blauw, alsof je er door een hordeur kijkt. Papa zegt dat de lucht vervuild is.

Debs huis heeft heel veel kamers, beneden om in te wonen, boven om in te slapen. Iedereen heeft zijn eigen slaapkamer behalve papa, die deelt zijn slaapkamer met Deb. De regel is: geen kinderen in die kamer. Bryan noemt die kamer de verboden kamer en ik haat het als Deb de deur dichtdoet, zij met papa in de kamer, ik erbuiten.

Bryan heeft een kamer op zolder, maar eigenlijk is het helemaal geen kamer want de wanden zijn niet af en er ligt een kale houten vloer. Er hangt daarboven een geur van oud stof en droog hout, maar Bryan zegt dat hem dat niks kan schelen omdat hij nu eindelijk een kamer voor zichzelf heeft.

Mijn kamer was eerst de logeerkamer en er staat een groot ijzeren bed in dat wit geverfd is. Er staat ook een toilettafel en die is ook wit geverfd. Als je uit het raam kijkt, zie je onder de vervuilde hemel zwart geteerde daken, antennes en schoorstenen. De huizen zijn zo dicht tegen elkaar gebouwd dat je van het ene op het andere dak zou kunnen springen zonder ooit de grond te raken. Daar zit ik soms aan te denken, om uit het raam te klimmen, over de daken te lopen, van huis naar huis te springen en nooit meer terug te komen. Ik denk eraan, maar ik doe het nooit.

Op mijn achtste verjaardag gaan papa en ik naar Disneyland.

Daar heb je het Haunted House, Future World en de Pirates of the Caribbean en we lunchen in het restaurant van de Pirates of the Caribbean. Nadat we geluncht hebben en overal in zijn geweest, lopen papa en ik hand in hand over het pad naar het Magic Kingdom. We praten niet, we lopen alleen maar en het is fijn om hem helemaal voor mij alleen te hebben.

Langs het pad zit een man op een vel wit papier te tekenen, bij zijn voeten staan potten met potloden, kwasten en verf. Voor de man zit een jongen met groene ogen. De jongen kijkt ernstig. Zijn moeder zegt dat hij moet lachen.

We gaan achter de man staan die tekent en onze schaduwen vallen schuin over het pad, een schaduw van mij en papa terwijl we elkaars hand vasthouden.

'Wil jij ook?' zegt papa.

De man tekent het gezicht van de jongen zonder een lach en de moeder van de jongen slaat haar ogen ten hemel.

'Waarom lach je nu niet even?' zegt de moeder.

Papa knijpt in mijn hand, de warmte van zijn huid op mijn huid, en ik kijk naar zijn gezicht.

'Doe het toch,' zegt papa, 'dat is een leuk souvenir voor later.'

'Souvenir?' zeg ik.

'Een herinnering aan deze verjaardag,' zegt papa.

De jongen staat op uit de stoel en glimlacht naar me. Een vriendelijke glimlach, maar wel een met veel zilver, want hij draagt een beugel.

Papa laat mijn hand los en mijn hand is weer van mij, koud waar hij die heeft aangeraakt. Hij haalt zijn portefeuille te voorschijn en knikt.

'Toe maar, Juniper,' zegt papa.

Papa geeft de man geld waarna deze naar me glimlacht, er zitten rimpeltjes in zijn ooghoeken.

'Gefeliciteerd,' zegt de man.

'Bedankt,' zeg ik.

De man wuift met zijn hand naar de stoel en ik vouw mijn jurk onder mijn benen en ga zitten. Ik heb een lange jurk aan met pofmouwtjes, gerimpeld in de taille en met een ruche langs de onderkant. Het is een bruine jurk met ook wat groen en blauw erin. Ik heb een blauw sjaaltje in mijn haar, dezelfde kleur blauw als het blauw in mijn jurk.

De man kijkt me heel lang aan. Zijn ogen zijn donkerblauw, het soort blauw waar je naar wilt blijven kijken, hoewel je je ogen allang had moeten afwenden. Ik wou dat ik zulke blauwe ogen had.

Papa staat met zijn armen over elkaar toe te kijken, maar duwt dan met zijn vingers zijn mondhoeken omhoog, duwt zijn lippen in een glimlach. Ik laat mijn mond glimlachen.

De man slaakt een diepe zucht, pakt een potlood en begint op het witte vel papier te tekenen.

Ik vraag me af of ik aan mijn neus mag krabben, of ik me mag bewegen.

Papa heeft zijn hand om zijn kin gelegd, wat hij altijd doet als hij ergens aandachtig naar kijkt. Zijn ogen staan ernstig en boven in zijn neus zit een rimpel.

'Ze ziet er zo volwassen uit,' zegt papa.

'Ik teken alleen maar wat ik zie,' zegt de man.

Ik blijf stil en stram zitten en kijk hoe de man tekent. Hij neemt het potlood van het papier en kijkt weer naar mij.

'Je mag je nu wel ontspannen,' zegt de man.

De man duwt zijn penseel in verschillende kleuren verf. Ik krab aan mijn neus, krab aan mijn oor, wrijf in mijn oog.

Opeens is de man klaar en hij leunt achterover in zijn stoel. Ik loop om hem heen naar waar papa staat en kijk naar mezelf in potlood en verf.

Mijn gezicht is ronde wangen, dunne lippen, maar niet te dun, en lichtbruine sproeten op de neus. Het gezicht lijkt op mij, alleen de ogen zien er zo volwassen, zo ernstig en verdrietig uit. Zo zie ik er helemaal niet uit, niet echt.

Papa legt zijn hand op mijn schouder en ik kijk naar zijn gezicht, naar zijn ogen. Zijn ogen hebben ook iets verdrietigs, en opeens weet ik dat we allebei verdrietige geheimen met ons meedragen. Papa steekt zijn hand uit en ik leg mijn hand in zijn hand, mijn vingers zijn weer warm.

De man ondertekent mijn schilderij met: 'Keith, 1971'.

Na Disneyland ga ik naar mijn kamer in Debs huis, het schilderij van Keith onder mijn arm. Papa zegt dat we straks nog taart en ijs gaan eten, maar dat interesseert me niet.

Als ik alleen in de vroegere logeerkamer ben, leun ik tegen de deur. Alles is nog hetzelfde. In de kamer het witte bed en de witte toilettafel. Buiten de daken en de vervuilde lucht.

Onder het raam staat een grote kartonnen doos waar tante Carol in sierlijke letters 'Jenny's Kamer' op heeft geschreven. Al mijn kleren en speelgoed zitten in de doos en ik kan er zonder te kijken iets uithalen, ik weet precies waar alles ligt.

Naast de kartonnen doos staat een splinternieuwe roze kist met een zilveren hangslot eraan en een zilveren sleuteltje. De kist is een verjaardagscadeau en papa zegt dat ik er al mijn speelgoed in kan opbergen.

Papa mag dan een genie zijn, maar hij heeft het wéér mis. Deze kist is om geheimen in op te bergen, daarom zit dat slot erop.

Ik leg het schilderij van Keith op het bed en open de deksel van de nieuwe roze kist. Hij is met grijs papier bekleed en ruikt naar lijm. Ik leg het schilderij van Keith op de bodem van de kist en kijk naar mezelf in waterverf, kijk naar de ogen die mijn ogen niet zijn. Het is leuk om een souvenir te hebben, maar hoe ik eruitzie op het schilderij vind ik niet leuk, dus erg lang kijk ik niet.

Ik ga staan en graai in de kartonnen doos waar 'Jenny's Kamer' op staat tot ik koud plastic voel. Ik glijd met mijn hand over het plastic tot ik het handvat gevonden hebben, pak het stevig vast en trek de Barbiekoffer omhoog.

De Barbiekoffer zit vol met kostbaarheden, mijn kostbaarheden en die van mama. De Strand-Barbie, Barbiekleertjes en -schoenen, het witte album met trouwfoto's en het fluwelen zakje met mama's sieraden. Ik neem de Barbiekoffer in mijn armen en druk hem tegen me aan, tegen mijn hart.

Ik ben vergeten hoe mama rook.

Ik ben vergeten hoe mama's stem klonk.

Sinds Deb lijkt het wel of mama er nooit geweest is.

Misschien gaan de dingen gewoon zo.

Misschien hoor je mensen die dood zijn te vergeten.

Papa doet alsof hij haar vergeten is. Net als Bryan. Maar ik wil haar niet vergeten. Ik wou dat ik naar de plek kon gaan waar mama nu is, zodat ik weer bij haar kon zijn. Soms lijkt ze zo dichtbij dat ik bijna haar vingers met mijn vingers kan aanraken, maar meestal is ze zo ver weg dat het lijkt of ik aan de andere kant van de wereld sta met bergen en dalen, graffiti en een hemel vol vervuilde lucht tussen ons in. Dat gevoel van ver van elkaar verwijderd zijn is het ergste wat er is, een zeurend gevoel van diepe eenzaamheid dat maar niet weg wil.

Ik haat het dat ik tegenwoordig zo snel huil. Ik wou dat ik flinker was. Ik wrijf met de rug van mijn hand over mijn gezicht, zo hard dat mijn gezicht er pijn van doet.

Ik kijk naar de dichte deur van de vroegere logeerkamer en dan naar buiten naar de grijs-blauwe lucht. Ik haal mijn neus op, buk me en zet de Barbiekoffier op de bodem van de kist, precies in het midden zodat de rand van de koffer tegen de rand van Keiths schilderij zit.

De Barbiekoffer past precies in de kist, en ik graai nog één keer in de kartonnen doos en haal *Sneeuwwitje en de Zeven Dwergen* eruit.

Ik ga op Debs harde houten vloer zitten, met mijn rug tegen de roze kist en sla het boek open. Het is zo lang geleden dat ik in *Sneeuwwitje* heb gebladerd dat het boek wat stroef opengaat en kraakt in de rugnaden.

Ik sla het blad om en de eerste tekening is van de koningin die aan haar raam met ebbenhouten kozijnen aan een wit hoedje zit te naaien. De volgende tekening is van Sneeuwwitje die op blote voeten door het bos loopt, met allemaal wilde dieren om haar heen. De derde tekening is van een volwassen Sneeuwwitje met een wit doekje om haar hoofd. Zo te zien zijn de dwergen net thuis en dient Sneeuwwitje het avondeten op. De dwergen staan te wachten en hebben allemaal van die oude mannengezichten, bij hen vergeleken lijkt Sneeuwwitje wel een reuzin. Je kunt zo zien dat ze daar niet thuishoort, dat ze alleen maar doet alsof ze daar thuishoort omdat ze bang is dat de boze stiefmoeder haar anders zal vinden. Hoewel Sneeuwwitje daar veilig zou moeten zijn, kun je aan de tekening zien dat ze dat helemaal niet is.

Papa roept me van beneden, zegt dat het tijd is voor de verjaardagstaart. Ik sla *Sneeuwwitje en de Zeven Dwergen* dicht en leg het op de bodem van de roze kist naast het schilderij en de Barbiekoffer.

Ik doe het deksel van de roze kist dicht en doe hem met het zilveren sleuteltje op slot.

In de doos waar 'Jenny's Kamer' op staat, zitten mijn schoenen, sokken, ondergoed en kleren. Ik stop het zilveren sleuteltje in een paar witte slobkousen en duw de sokken in een zwarte lakschoen. Ik verstop de schoen onder in de kartonnen doos en ga naar beneden om mijn verjaardag verder te vieren.

Die lente hebben Deb en papa hun eerste ruzie en ik hoor alles.

De ruzie gaat erover dat Deb wil dat Bryan en ik lid worden van haar kerk. Papa zegt dat hij dat niet wil en daar wordt Deb zo boos om dat ze begint te schreeuwen op een manier die ik nog nooit eerder heb gehoord. Debs stem als ze boos is, is tegelijk laag en hoog, als een nagel die over een schoolbord getrokken wordt.

Ik zit in de hal op de onderste tree van de trap en leun met mijn hoofd tegen de muur, met mijn gezicht tegen het koude steen. Bryan komt kauwend en met een broodje worst in zijn hand de hoek om.

Ik leg een vinger op mijn lippen en kijk naar het plafond.

'Ze hebben ruzie,' fluister ik.

Bryan slikt luidruchtig zijn brood door en kijkt ook naar het plafond. De stemmen komen in golven naar beneden, van zacht naar hard.

'Deb probeert papa over te halen ons lid van haar kerk te maken,' fluister ik.

Bryan gaat ook op de onderste tree zitten en drukt het witte brood plat tussen zijn vingers.

'Welke kerk zou ze bedoelen?' zeg ik.

'Stil nou,' zegt Bryan.

'Je moet je kinderen niet zo vertroetelen,' zegt Deb.

'Je begrijpt het niet,' zegt papa.

'Welke kerk?' fluister ik.

Deb zegt dat papa te toegeeflijk is. Papa zegt dat Deb te bazig is. Papa zegt nog iets dat ik niet kan verstaan, zijn stem is te laag en te zacht.

Bryan doet zijn hoofd schuin, één oor omhoog naar het plafond.

Het is nu zo stil geworden dat ik helemaal niets meer hoor, maar dan wordt de stilte opeens verbroken door Debs harde gilstem.

'Je bent een arrogante klootzak,' schreeuwt Deb, 'mijn huis uit, donder op.'

'Rustig nou,' zegt papa.

Bryan kijkt me met grote ogen aan.

'Kom mee,' fluistert Bryan.

B.J. klemt het broodje tussen zijn tanden en maakt met beide handen de grote voordeur open. Ik loop op mijn tenen over de hardhouten vloer van de hal naar buiten. Bryan doet de grote deur zonder geluid te maken achter zich dicht en loopt naar de rand van de veranda.

Voor Debs huis staan grote struiken met donkergroene bladeren die bedekt zijn met een laag stof.

'Welke kerk?' zeg ik.

'Hoe moet ik dat nou weten?' zegt Bryan.

Hij gooit de rest van zijn broodje achter een van Debs bloemenstruiken en gaat op de bovenste tree van het trapje zitten. De schaduw van de veranda valt schuin over Bryans gezicht en de zon van L.A. glijdt langs de treden omhoog.

De voordeur gaat open en papa komt naar buiten met een reistas in zijn hand. Zijn gezicht staat op onweer, ik kan me niet herinneren hem ooit zo boos gezien te hebben.

'Kom mee,' zegt papa.

Bryan draait zich om en kijkt hem met grote, donkere ogen aan.

'Waar gaan we heen?' zegt Bryan.

'Geen vragen nu,' zegt papa, 'gewoon meekomen.'

Papa legt een hand op mijn schouder, de andere hand met de tas tegen Bryans rug.

Ik ren het trapje af en spring vanaf de onderste tree op het tegelpad. Papa loopt met snelle passen en Bryan rent naar de auto. Vanuit de deuropening van het grote huis schreeuwt Deb iets naar papa, maar papa doet alsof hij haar niet hoort.

'Doe de deur dicht, Bryan,' zegt papa.

Ik draai me om en kijk door de achterruit naar Deb. Ze heeft een van papa's overhemden aan, haar benen zijn bloot, ze is op blote voeten en ik kan de omtrek van haar naakte lichaam door papa's overhemd zien. Deb is zowel rond als mager, ze heeft haar handen tot vuisten gebald, de vuisten tegen haar mond gedrukt.

'Bud Lauck,' schreeuwt Deb. 'Je bent een grote lafaard.'

'Doe de deur dicht, Bryan,' zegt papa.

Bryan trekt de deur dicht en dan zijn wij binnen en is Deb buiten.

Deb schreeuwt nog iets, schudt met haar vuist en gooit haar lange haren naar achteren.

Ik wil tegen papa zeggen dat hij zo hard mogelijk weg moet rijden, ons waar dan ook naartoe moet rijden, eeuwig door moet rijden zodat we nooit meer naar Deb en dat vreselijke huis van haar terug hoeven te komen.

Een halfuur later zijn we bij een Holiday Inn.

Onze kamer is op de begane grond, er staan twee grote bedden en er is een badkamer. Bryan trekt de gordijnen opzij en achter de gordijnen zit een glazen schuifdeur.

'Te gek,' zegt Bryan. 'Een zwembad.'

Papa gooit zijn reistas op het bed.

Ik draai het licht in de badkamer aan en doe alle laden aan weerszijden van de wastafel open en dicht. Op een extra rol toiletpapier na zijn alle laden leeg.

'Mogen we gaan zwemmen?' zegt Bryan.

Papa wrijft met zijn grote handen over zijn gezicht en kijkt om zich heen alsof hij iets vergeten is.

'Ja, hoor,' zegt papa, 'je gaat je gang maar.'

'Te gek,' zegt Bryan.

Ik draai het licht in de badkamer uit en blijf in de deuropening staan.

'Maar onze zwemspullen dan?' zeg ik.

'Wat?' zegt papa.

'We hebben geen zwemspullen bij ons,' zeg ik.

Papa en Bryan kijken me aan, allebei met dezelfde blik in hun ogen.

'Ik ga gewoon in mijn onderbroek zwemmen,' zegt Bryan.

'Natuurlijk,' zegt papa, 'waarom niet? En jij kunt toch in je t-shirt en ondergoed zwemmen, Juniper?'

Papa doet zijn hand in zijn zak, haalt er wat kleingeld uit en geeft het aan Bryan.

'Hier,' zegt papa. 'Koop er maar een blikje limonade voor en laat mij even met rust zodat ik wat dingen kan regelen.'

Bryan pakt het geld aan, trekt de schuifdeur open en rent naar buiten.

Papa gaat op de rand van een van de twee grote bedden zitten en wrijft weer over zijn gezicht, zijn handen gaan op en neer.

'Blijven we hier?' zeg ik.

Papa gaat rechtop zitten en glimlacht.

'Ga jij nou maar buiten met je broer spelen,' zegt papa, 'dan ga ik uitzoeken wat we het beste kunnen doen.'

Ik heb nog nooit met Bryan gespeeld, nog nooit. Ik wil papa dat vertellen en ik wil ook zeggen dat ik een hekel heb aan Deb en aan haar kinderen en aan haar huis. Ik wil iets zeggen, maar ik doe het niet. Ik hou me stil en ga naar buiten, naar Bryan.

De Holiday Inn is om het zwembad heen gebouwd en er zijn twintig glazen schuifdeuren, sommige met de gordijnen open, de meeste met de gordijnen dicht. Tussen de kamers staan plantenbakken met hoge stekelige planten erin en in de plantenbakken liggen witte siersteentjes op zwart plastic. Als je naar boven kijkt, zie je een balkon en meer glazen schuifdeuren.

'Hij is leeg,' zegt Bryan.

Bryan staat aan de rand van het zwembad en zijn stem galmt over het lege terras.

Het zwembad zonder water is een grote, ronde betonnen bak die wit is geschilderd. De verf laat op sommige plekken los en er zitten over de hele lengte van het bad, van het ondiepe naar diepe gedeelte, scheuren in de muren. In het diepe gedeelte ligt een plas vuil water, nog te klein voor een vogelbadje, en het lijkt of iemand er een handvol witte siersteentjes in heeft gegooid.

'Dat moet ons weer overkomen,' zegt Bryan.

Bryan blaast de ingehouden adem tussen zijn lippen door naar buiten en kijkt om zich heen alsof hij iets zoekt. Hij loopt langzaam naar een frisdrankautomaat die tegen de muur staat en blijft er met zijn handen in zijn zakken voor staan.

'Ik neem alcoholvrij bier,' zegt Bryan.

Hij haalt het geld uit zijn zak, gooit de munten in de automaat en drukt op een knop. Een blikje bier rolt in de la en Bryan haalt hem eruit.

'Wat wil jij?' zegt Bryan.

Ik wijs naar de groene knop met bitter-lemon. Bryan gooit nog meer munten in de automaat, drukt op de groene knop en ik haal het koude blikje limonade eruit.

Bryan loopt terug naar de rand van het zwembad en blijft daar staan, zijn voeten half over de rand.

Papa staat voor de glazen schuifdeur met in zijn ene hand een telefoontoestel en in de andere de hoorn. Hij glimlacht en zwaait, zijn hoofd schuin tegen de hoorn gedrukt. Ik zwaai terug en laat dan mijn arm zakken.

'Met wie zou hij aan het praten zijn?' zeg ik.

Bryan doet zijn hand in zijn zak en speelt met het kleingeld.

Ik loop naar het ondiepe gedeelte van het lege zwembad en ga op de rand zitten waar de treden naar beneden gaan. Ik zet mijn voeten op de bovenste tree en trek het lipje van mijn blikje bitterlemon eraf. De limonade is zoetzuur en ik voel luchtbelletjes in mijn mond en in mijn keel.

Hoewel de zon schijnt, is het geen warme dag. Het lijkt of we tussen twee seizoenen in zitten, het is geen lente en het is geen winter.

Bryan houdt zijn blikje recht omhoog, in zijn hals gaat een knobbeltje op en neer als hij drinkt. Dan doet hij paar passen achteruit, laat het blikje op het beton vallen en trapt erop tot hij plat en verkreukeld is. Hij doet zijn voet naar achteren en schopt, het blikje vliegt over de rand en komt in de plas vuil water terecht.

Het heeft iets grappigs zoals dat blikje daar in dat vuile water ligt en ik begin te lachen. Bryan lacht ook. Ik drink mijn blikje leeg en hou hem omhoog naar Bryan.

Bryan loopt om het zwembad heen en neemt het blikje van me aan. Hij laat hem op het beton vallen, trapt erop tot hij plat is en schopt hem helemaal van het ondiepe naar het diepe gedeelte van het zwembad. Het blikje komt in de plas water terecht en rolt tegen het platte bierblikje aan dat er al ligt. Bryan steekt zijn armen in de lucht, slaakt een vreugdekreet zonder er geluid bij te maken en laat dan zijn armen weer zakken.

Ik trek mijn knieën op, sla mijn armen eromheen en maak me zo klein mogelijk. Bryan gaat naast me zitten, zijn voeten op de bovenste tree, zijn ellebogen op zijn knieën. Van zo dichtbij ruikt hij naar bier.

Het is leuk zo, alleen Bryan en ik, en dat hij het blikje van me aannam en er een schop tegenaan gaf. Leuk dat we om dezelfde dingen moeten lachen. Van opzij is Bryans gezicht een lange lijn van zijn wang naar zijn kin, zijn neus is een rechte lijn, de moedervlek boven zijn lip. Bryan kijkt me aan en ik wend gauw mijn hoofd af, kijk naar het modderige water op de bodem van het lege zwembad.

'Wat is er?' zegt Bryan.

'Ik hoop dat we nooit meer teruggaan,' zeg ik.

Bryan leunt achterover, zijn handen op het beton.

'We gaan wel terug,' zegt Bryan.

'Hoe weet je dat?' zeg ik.

'Dat weet ik gewoon,' zegt Bryan.

Ik moet mijn hoofd omdraaien om Bryans gezicht te kunnen zien.

'Hoe dan?' zeg ik.

Bryan kijkt naar het lege zwembad, zijn ogen half dichtgeknepen.

'Ach, laat maar zitten,' zegt Bryan.

Ik krijg kippenvel op mijn armen en mijn benen en bijt op mijn lip.

'Toe nou,' zeg ik, 'vertel het nou.'

Bryan kijkt weer naar me, kijkt naar de glazen schuifdeur en buigt zich dan naar me toe, zijn gezicht vlak bij mijn oor.

'Deb en papa zijn niet alleen maar vrienden,' fluistert Bryan. 'Begrijp je wat ik bedoel?'

Ik leun achterover, kijk naar zijn donkerbruine ogen en het valt me op dat zijn wenkbrauwen er borstelig uitzien.

'Nee,' zeg ik. 'Ik begrijp er niets van.'

'Jezus,' zegt Bryan. 'Denk dan even na. Wat denk je dat ze daar in die verboden kamer doen? Denk je soms dat ze daar alleen maar liggen te slapen?'

Ik kijk naar Bryans mond, hij strijkt met zijn tong langs zijn lippen.

'Christopher zegt ook dat het al een poosje aan de gang is,' zegt Bryan. 'Hij zegt dat papa daar vorig jaar ook al kwam.'

'Waarom?' zeg ik.

Bryan slaat zijn ogen ten hemel.

'God,' zegt Bryan, 'wat ben jij stom, zeg.'

Bryan draait zich om en kijkt naar de glazen schuifdeur waar papa achter staat. Bryan draait zich weer om en schopt met zijn hiel tegen de rand van het zwembad.

Ergens weet ik wat Bryan bedoelt en ergens weet ik het niet. Het is net zoiets als weten hoe je van letters een woord kunt maken en van woorden een zin, maar nog steeds niet weet wat er staat omdat je nog niet kunt lezen.

Bryan prikt met zijn vinger in de wand van het zwembad, pulkt er een loszittend stukje beton uit en gooit het in het modderige water. Ik weet dat Bryan niets meer zal zeggen en ik wou dat hij de dingen die hij wel gezegd heeft nooit gezegd had.

Hoog aan de hemel gaat een vliegtuig voorbij, in de verte is het geluid van motoren te horen. Ik doe mijn hoofd achterover, maar het enige wat ik zie is een zilverachtig schijnsel en een sliert witte rook.

Hoofdstuk tien

We hebben nu een bruine auto, zo'n poenerige Mercedes die er vreselijk gewichtig uitziet.

Ik haat de bruine auto.

Papa en Deb zitten voorin met Kenny tussen hen in. Christopher, Bryan, Ronny en ik zitten als haringen in een tonnetje achterin, Ronny en ik met de schouders tegen elkaar aan. Ronny's mond staat open en haar adem stinkt.

Ik haat Ronny.

Deb ziet er opgedrikt uit vandaag, het haar in een Franse rol, een sjaaltje met zwarte en witte stippen om haar hoofd, en ze heeft een witte mouwloze jurk aan met grote rode en gele bloemen. Ze rekt zich uit als een kat en legt haar arm over de rugleuning van papa's stoel, raakt met haar vingers papa's nek aan.

'Ik voel me toch zo gelukkig,' zegt Deb.

Ik haat Deb.

Papa en Deb zijn in Las Vegas getrouwd, zomaar opeens, geen uitleg. Zo gaan de dingen nu.

Ik doe mijn armen over elkaar en staar al mijn boosheid naar papa's achterhoofd, zijn nek, het montuur van zijn zonnebril aan de zijkant van zijn gezicht.

Ronny duwt tegen mijn zij, haar sproeterige gezicht in mijn gezicht.

'Ga es opzij,' zegt Ronny.

'Ik kan niet verder opzij,' zeg ik.

Ronny duwt weer tegen me aan, met haar rug tegen mijn schouder, en alles aan haar voelt scherp en hoekig, haar lichaam is koud en hard.

'Natuurlijk wel,' zegt Ronny.

'Hou op met dat geduw,' zegt Bryan.

Deb draait zich om, de veiligheidsgordel trekt aan de huid van haar hals. Ze heeft lippenstift met parelmoerglans op haar lippen en als ze lacht, zit er aan de onderkant van haar tanden ook lippenstift.

'Niet vechten, jongens,' zegt Deb.

Bryan slaat zijn ogen ten hemel alsof alles wat Deb zegt te stom is voor woorden.

'We vechten niet,' zegt Bryan.

Deb maakt over de rugleuning van de stoel een wuivend gebaar naar achteren.

'Blijf nou gewoon rustig zitten,' zegt Deb. 'We zijn er bijna.'

Deb draait zich weer om, kijkt naar papa en glimlacht. Papa kijkt naar Deb en glimlacht terug.

Ronny draait heen en weer en strekt haar benen. Ik doe mijn armen nog stijver over elkaar en probeer Ronny niet aan te raken, hoewel ik weet dat dat onmogelijk is.

Er staan hoge bomen langs de weg, de takken groeien in een boog over de weg, waardoor het net lijkt alsof we door een tunnel van bladeren rijden. Het enige zonlicht komt van de flarden wit licht die zich door het dichte bladerdak heen konden dringen. Ik kijk door het zijraampje naar buiten en zie hoe het zonlicht over Bryans armen, gezicht en benen schuift.

Papa laat de bruine auto langzamer rijden en slaat een zijweg in.

'Dit ziet er mooi uit,' zegt Deb, 'jullie zullen het hier deze zomer vast geweldig naar je zin hebben.'

'Ik wil niet naar een stom zomerkamp,' zegt Ronny.

'Ik ook niet,' zegt Kenny.

Deb neemt haar arm van de rugleuning en haar blije gezicht wordt ernstig. Papa kijkt naar Deb en Deb kijkt naar papa.

'Kendall, Veronica,' zegt Deb, 'probeer een beetje mee te werken.'

Ronny schuift heen en weer, duwt weer tegen mij aan.

Papa rijdt een met grind bedekte heuvel op en ik hoor de steentjes tegen de onderkant van de auto slaan. We rijden langs een houten hek en achter het hek is een weiland met paarden, de hoofden gebogen naar het gras.

Boven op de heuvel staat een groot huis met zwart asfalt ervoor en achter het huis ligt nog een weiland met een hek eromheen. Er staan nog meer auto's langs de oprijlaan geparkeerd en vaders en moeders zijn druk bezig bagage uit te laden en afscheid te nemen van hun kinderen. Een kind huilt en zijn moeder zegt dat hij daarmee op moet houden.

Papa en Deb zijn ook bagage aan het uitladen aan de achterkant van de grote bruine auto. Er zijn vijf rugzakken, onze namen zijn erop de buitenkant met witte hoofdletters opgestreken. Deb geeft Christopher, Kenny en Ronny ieder een rugzak. Papa geeft Bryan een rugzak en houdt de andere omhoog naar mij.

Ik kijk naar papa's hand, alleen naar zijn hand, en pak de rugzak. Papa laat niet los en glimlacht naar me. Ik trek de rugzak uit zijn hand, wend mijn hoofd af en loop naar de rand van de oprijlaan waar het asfalt in grind overgaat.

Achter me hoor ik grotemensenstemmen en kinderstemmen en boven hun stemmen uit het geluid van de wind die door de hoge bomen waait. Alle bomen hebben ronde groene bladeren en witte bast die afbladdert. De wind waait door de toppen van de bomen, waardoor ze heen en weer bewegen als in een stille, geheimzinnige dans.

Deb praat met haar kinderen, zegt dingen tegen ze die ik niet kan verstaan. Christopher gaat van zijn ene op zijn andere been staan, dan op de andere. Kenny staat vlak bij Deb, haar hand in Debs hand. Ronny staat op haar tenen en kijkt om zich heen.

Papa praat tegen Bryan, legt zijn hand op Bryans schouder en Bryan knikt. Papa kijkt mijn kant op en ik wend snel mijn hoofd af, kijk naar de dansende bomen.

'Bud, liefje,' roept Deb, 'we moeten gaan, hoor.'

'Ja, even wachten nog,' roept papa.

'Hé, Juniper,' zegt papa.

Ik draai me helemaal om zodat ik niets meer van hem kan zien. Achter me hoor ik zijn voetstappen over het grind dichterbij komen, ik voel dat hij vlak achter me staat. Papa legt zijn handen op mijn schouders en zijn vingers voelen koud aan door mijn t-shirt.

Zo blijven we heel lang staan, en dan schraapt hij zijn keel.

'Niet gek hier, hè?' zegt papa. 'Het ziet er mooi uit, vind je niet?'

Ik kijk naar het weiland, het witte hek, de bomen.

Papa knijpt zachtjes in mijn nek waardoor ik kippenvel op mijn armen en benen krijg. Ik schud zijn hand van me af en draai een kwartslag zodat hij me niet meer aan kan raken. Papa gaat rechtop staan en doet zijn handen in zijn zakken.

'Je kunt niet eeuwig boos blijven,' zegt papa.

Ik kijk omhoog naar papa, knijp één oog half dicht en bijt op mijn onderlip. Hij mag dan een genie zijn, maar dit heeft hij helemaal mis. Ik kan wél eeuwig boos blijven.

'Ik wil gewoon dat je een fijne zomer hebt,' zegt papa. 'Dat je leert zwemmen en paardrijden en weer plezier maakt, zoals andere kinderen.'

Maar ik kan me er niets bij voorstellen. Ik kijk naar het lege weiland, het witte hek, de bomen.

'Ik wil hier niet blijven,' zeg ik.

'Ach, kom,' zegt papa, 'je vindt het vast hartstikke leuk hier.'

'Waarom moet ik hier blijven?' zeg ik. 'Waarom moet jij op die stomme huwelijksreis? Waarom ben je eigenlijk met haar getrouwd?'

De woorden zijn mijn mond uit voordat ik het in de gaten heb en dan wordt het stil tussen papa en mij. Te stil, en ik zeg verder niets meer.

Papa draait me om zodat we tegenover elkaar staan, oog in oog, en ik kan aan zijn gezicht zien dat hij niet weet wat hij moet zeggen.

'Luister,' zegt papa, 'ik weet dat het nu even moeilijk is, maar alles komt weer goed. Dat beloof ik je.'

Mijn keel doet pijn, mijn borst doet pijn en ik knipper met mijn ogen om de tranen terug te dringen.

'Maar mama dan?' zeg ik.

Papa legt zijn voorhoofd tegen mijn voorhoofd en zijn stem is zacht en rustig.

'Deb is aardiger dan je denkt,' fluistert papa, 'je moet haar gewoon een kans geven.'

Zijn hoofd tegen mijn hoofd en ik heb het gevoel alof er iets zwaars op mijn maag drukt, op mijn schouders, op alles en ik kan er niets tegen doen.

Papa leunt achterover en ik kijk weer naar zijn gezicht.

'Bud, liefje,' roept Deb. 'Kom je? We gaan.'

Deb staat te wachten, de handen op haar gebloemde heupen, de voeten gestoken in zwarte pumps met hoge hakken, en aan haar arm bungelt een strooien handtas. Papa steekt zijn hand omhoog en zwaait naar Deb. Ze verplaatst haar gewicht van haar ene naar haar andere been en wijst met haar vinger naar haar polshorloge.

'We moeten weg, geloof ik,' zegt papa.

Hij pakt de rugzak en houdt hem tussen ons in. Ik veeg mijn gezicht af met de rug van mijn hand, mijn hoofd gebogen zodat Deb niet kan zien dat ik huil.

'Alles weer oké?' zegt papa.

Er willen geen woorden meer komen en ik knik alleen, maar het is helemaal niet oké, niks is oké.

Papa glimlacht en legt zijn hand op mijn hoofd, net als vroeger toen ik nog klein was.

'Zo ken ik je weer,' zegt papa.

Ik haal nog één keer mijn neus op en ga rechtop staan, schouders naar achteren, kin ingetrokken. Ik doe de rugzak om, het zwaarste gedeelte tussen mijn schouders, en loop naar het hek aan de voorkant van het huis.

'Een fijne zomer, Juniper,' roept papa.

Het heet de Jolly Roger Pirate Ranch, wat een nogal stomme naam is want piraten horen op zee te zitten, niet op een boerderij, en bovendien zijn er helemaal geen piraten hier, alleen paarden en koeien en wat geiten. Er is een zwembad, een stel witte houten huisjes waarin geslapen wordt en een schuur waar alle dieren 's nachts verblijven.

Elizabeth heeft de leiding over de Jolly Roger Pirate Ranch, maar ze ziet er helemaal niet uit als een piraat. Elizabeth is een gewone mevrouw die een korte broek met een zomerblouse draagt en een zonnebril met gespiegelde glazen op heeft.

Elizabeth staat op de brede stoep voor de glazen schuifdeur van het grote huis. Er staan drie witte plastic stoelen op de stoep en in een van de stoelen zit een man in een korte broek en een mouwloos T-shirt.

Elizabeth vertelt ons over de Ranch, dat die deel uitmaakt van iets dat de Freedom Community Church heet en dat de Freedom Community mensen helpt om zich op hun leven te bezinnen. De man achter Elizabeth knikt en heeft zijn handen gevouwen alsof hij aan het bidden is.

De Freedom Community Church is de kerk van Deb en opeens weet ik dat er iets niet klopt, ik weet alleen niet wat. Ik kijk om me heen, maar iedereen doet heel normaal, alsof er niets aan de hand is. Ik doe ook normaal, maar dat akelige gevoel kruipt weer langs mijn nek omhoog en over mijn hoofd.

Elizabeth praat en praat, maar haar gezicht blijft volkomen uitdrukkingsloos. Ze zegt dat er regels zijn en dat we, als we ons allemaal aan die regels houden, een geweldige zomer zullen hebben, maar dat we, als we ons er niet aan houden, in de problemen zullen komen. Elizabeth zegt niet wat die regels zijn en ik vraag me af of je ook vragen mag stellen. Toch steek ik mijn hand niet op, voor het geval vragen stellen tegen de regels is.

'Dit is John,' zegt Elizabeth. 'John heeft de leiding over de dagactiviteiten en de zwemlessen.'

Elizabeth kijkt naar ons en dan naar John. John knikt en gaat staan.

John heeft prachtig blond haar, een vierkant gezicht, een vierkante kaak. En hij lijkt ook al niet op een piraat. Hij vertelt dat elke dag volgens een vast patroon verloopt, het eten is op een vaste tijd, het zwemmen is op een vaste tijd, en het stil zijn en je bezinnen is op een vaste tijd.

Als Elizabeth en John uitgepraat zijn, krijgen we een wit T-shirt met de afbeelding van een piraat erop. De piraat heeft een lapje voor zijn oog, zijn gezicht is ongeschoren en hij lacht, maar een paar van zijn tanden zijn zwart. Ik rol het T-shirt op en stop hem onder in mijn rugzak, ik kijk wel uit om een T-shirt met een piraat met rotte tanden aan te trekken.

De zwemlessen beginnen een uur na de lunch en duren tot een uur voor het avondeten.

Het zwembad ziet eruit als elk ander zwembad, zoals mensen ze in hun achtertuin hebben staan, misschien iets groter. Er is een diep en ondiep gedeelte met een duikplank bij het diepe gedeelte en een stenen trapje bij het ondiepe gedeelte.

Er zijn grote kinderen, kleine kinderen, jongens, meisjes, iedereen is bij het zwembad. Ik draag een splinternieuw badpak met een vogeltje ter hoogte van mijn hart. Ik vind het leuk zoals de vogel omhoogkijkt, alsof hij ieder moment kan wegvliegen.

Badmeester John is bijna naakt. Hij heeft alleen een rode zwembroek aan, is bruin verbrand en heeft een platte buik en gespierde benen. John ziet er helemaal niet uit als een echt mens, hij lijkt meer op een standbeeld, op een foto in een tijdschrift.

John staat op de duikplank, loopt een, twee, drie passen naar voren en springt op het uiteinde van de duikplank, de armen boven zijn hoofd. Het water spat niet op maar golft weg als hij erin duikt en dan zwemt hij de hele lengte van het bad onder water. Als hij aan de andere kant is, maakt hij een scherpe draai, duwt zich af en zwemt dan de hele lengte van het bad met zijn hoofd boven water.

Bryan staat vlak achter me en draagt zo'n wijde zwembroek die surfers altijd dragen. Bryan duwt met zijn schouder tegen mijn achterhoofd.

'Die vent is een dikke opschepper,' zegt Bryan.

Bryan heeft zijn kin ingetrokken en zijn armen over elkaar geslagen, ik doe mijn armen ook over elkaar.

'Hoezo?' fluister ik.

'Kijk dan hoe hij eruitziet,' zegt Bryan. 'Wat een flapdrol.'

De manier waarop hij flapdrol zegt maakt me aan het lachen en ik sla snel mijn hand voor mijn mond zodat niemand het hoort.

John zwemt nog drie baantjes en duwt zichzelf dan omhoog uit het water, een dun laagje water glijdt langs zijn rug naar beneden. Alle kinderen doen een paar passen achteruit om John door te laten als hij zijn handdoek wil pakken. Bryan en ik doen hetzelfde. John droogt zijn gezicht en zijn borst af met de handdoek en legt hem dan als een stuk touw om zijn nek.

'Zo goed kan ik dus zwemmen,' roept John. 'En laat nu maar eens zien hoe goed jullie het kunnen.'

John wijst met zijn vinger naar de plek waar hij ons wil hebben.

'Ik wil vier rijen met een tussenruimte van een halve meter,' zegt John. 'Vijf kinderen per rij, het oudste kind vooraan.'

Alle kinderen gaan in de rij staan, ik kom achter Kenny en Ronny te staan.

John geeft aanwijzingen, zegt dat hij op een fluitje gaat blazen en van alle zwemmers de tijd gaat opnemen. Vier kinderen gaan op de rand van het zwembad staan, Bryan zit in de eerste groep, en John blaast op zijn fluitje. De vier kinderen springen in het zwembad en er volgt een wild gespartel van armen en benen. De vier kinderen zwemmen naar de overkant en Bryan tikt als tweede aan.

John drukt zijn stopwatch in.

'Niet gek,' roept John. 'De volgende rij naar voren.'

Als laatste aan de beurt zijn, is niet leuk omdat je langer moet wachten en meer tijd hebt om je zorgen te maken, bovendien krijg je er kippenvel van op je armen. Kenny en Ronny dragen gelijke badpakken, fluorescerend groen met knalroze zigzag-strepen. Ze staan allebei op hun beurt te wachten, de armen op precies dezelfde manier om hun wildebraslijven geslagen. En ze hebben overal sproeten, op hun armen, hun benen, hun rug.

'Zijn jullie ook zenuwachtig?' zeg ik.

Kenny en Ronny kijken naar elkaar en dan naar mij, Ronny's mond hangt open alsof ze vergeten heeft hem dicht te doen.

'Nee,' zegt Ronny.

'Ik wel,' zeg ik.

John blaast op zijn fluitje en de volgende rij duikt het water in.

'Want ik kan eigenlijk nog niet zwemmen,' zeg ik. 'Ik dacht dat we zwemles kregen.'

Ronny knijpt haar ogen half dicht, mond open, een en al sproeten, ze zitten zelfs op haar lippen. Ze kijkt naar Kenny en Kenny kijkt naar haar en het lijkt alsof ze een geheim delen, alsof ze praten zonder woorden. Ronny kijkt weer naar mij, de handen in de zij.

'Wie woont er nou bij de zee en kan niet zwemmen?' zegt Ronny.

'Ja,' zegt Kenny.

Kenny lacht naar Ronny en Ronny lacht ook, alsof het een grap is die alleen zij begrijpen. Ik doe mijn armen over elkaar.

'Ik hou niet van de zee,' zeg ik.

Ronny kijkt naar me alsof ik stink en draait zich om. Kenny kijkt ook naar me, haalt haar schouders op en draait zich ook om.

'De volgende rij,' roept John.

Ronny geeft haar zus een duwtje met haar elleboog.

'Vooruit,' zegt Ronny, 'jij bent aan de beurt.'

Kenny gaat aan de rand van het zwembad staan.

John blaast op zijn fluitje en het geluid is veel te hard, als een gil. Kenny springt in het water en zwemt naar de andere kant van het zwembad. Ze tikt niet als eerste aan, maar het lijkt wel heel gemakkelijk zoals zij zwemt.

Nu is het Ronny's beurt, ze pakt de pijpjes van haar badpak vast en trekt de stof uit de naad van haar wildebrasbillen.

'De volgende rij,' roept John.

Het fluitje geeft een gil en Ronny duikt het water in. Ze schiet als een streep fluorescerend groen en knalroze door het water, een perfecte zwemster, veel beter dan Kenny, veel beter dan alle anderen.

Ik heb nooit iemand anders willen zijn, behalve misschien Samantha uit *Bewitched*. Maar nu zou ik niemand liever dan Ronny willen zijn, maar dan wel zonder de sproeten.

Ronny duwt zich aan de overkant van het zwembad uit het water omhoog en haar rode haar ligt plat tegen haar hoofd. Kenny en Ronny slaan hun handen tegen elkaar en lachen ergens om.

'De volgende vier,' roept John.

Het zonlicht valt over het woelige water van het zwembad waardoor het net gebroken glas lijkt. Ik ben een van die vier en vraag me af of het normaal is om op deze manier te leren zwemmen. Alle andere kinderen doen alsof er niets aan de hand is, dus doe ik ook maar alsof er niets aan de hand is.

John zet het fluitje aan zijn lippen en blaast een gil de lucht in.

Ik doe mijn ogen dicht en spring van de kant af. Ik kom plat op het water terecht, mijn buik begint te prikken en ik zak naar de bodem.

Koud water om me heen, het gedempte geluid van stemmen boven water, mijn ogen stijf dicht, en opeens begin ik met mijn benen te trappen en met mijn armen te slaan. Ik doe mijn ogen open en ik kan zelfs onder water zien, alles is zonnig en helder blauw om me heen en eigenlijk valt het allemaal best mee. Ik sla en trap tot mijn hoofd weer boven water is en zwem zo naar de andere kant van het bad.

'Hé, hé, hé,' roept John. 'Waar ben jij mee bezig?'

John loopt naar Kenny en Ronny's rij en duwt iedereen opzij.

Ik wil mijn hand op de betonnen rand leggen maar John pakt mijn pols en trekt me het water uit. Die hand om mijn pols is nog het ergste van allemaal en zodra hij me loslaat probeer ik zijn aanraking weg te wrijven.

'Ik vroeg je waar je mee bezig was,' zegt John.

John bukt zich, de handen op zijn knieën, en ik zie mezelf in zijn gespiegelde glazen.

'Zwemmen,' zeg ik.

'Zwemmen?' zegt John.

Alle kinderen beginnen te lachen, hun stemmen klinken als één harde stem.

'Hé,' roept Bryan. 'Ze kan niet zwemmen.'

John gaat rechtop staan, zijn rode zwembroek vlak voor mijn gezicht, zijn dingetje als een bal erin geprompt, mijn neus komt er bijna tegenaan. Ik kijk weg, weg van zijn dingetje, weg van John.

Bryan staat op zijn tenen om over de andere kinderen heen te kunnen kijken en ik ben blij dat hij me helpt om het uit te leggen.

'Had ik het tegen jou?' zegt John. 'Ga weer in de rij staan.'

Bryans donkere ogen worden groot en zijn bruine gezicht loopt rood aan. Bryan kijkt naar mij, kijkt naar John en gaat dan weer tussen de andere kinderen staan.

John is stil, alle kinderen zijn stil en het wateroppervlak van het zwembad ligt er nu ook stil en glad bij.

'Nou, hier kunnen we allemaal wel iets van leren,' zegt John.

John bukt zich en ik zie mezelf weer in zijn zonnebrilglazen, kletsnat haar, grote ogen.

'Geloof jij soms dat je kunt zwemmen?' zegt John.

Ik zet een stap achteruit en doe mijn armen over elkaar.

'Dat deed ik toch net,' zeg ik.

John klauwt met zijn handen in de lucht als een kat die uithaalt naar een bolletje wol.

'Wat jij deed leek meer op hondengetrappel,' zegt John.

De kinderen lachen om John, lachen om mij, en ik kijk naar hun gezichten, naar kinderen die ik niet ken en die mij niet kennen, allemaal vreemden.

'We doen het nog een keer,' zegt John, 'en dan laat jij zien wat je onder zwemmen verstaat.'

John probeert zijn hand op mijn schouder te leggen, maar ik doe een pas achteruit zodat hij me niet aan kan raken. John kijkt me heel lang aan, de lippen stijf op elkaar. Hij glimlacht en zet het fluitje aan zijn lippen.

Alle kinderen gaan weer in de rij staan alsof er niets gebeurd is.

Ik ga achter Kenny en Ronny in de rij staan en zou het liefst hard weg willen rennen.

Kenny kijkt me nog één keer aan en wendt dan haar hoofd af alsof ik lucht voor haar ben. Ronny trek haar badpak uit haar bilnaad en blijft de hele tijd met haar rug naar me toe staan.

'De eerste rij naar voren,' roept John.

Alles begint weer van voren af aan: het fluitje gaat, de kinderen duiken in het water en zwemmen naar de overkant en ik weet nog steeds niet hoe je moet zwemmen zoals het wel moet.

'Oké, puppy,' roept John, 'laat maar eens zien hoe goed je kunt zwemmen.'

De drie kinderen naast me beginnen te lachen. En aan de overkant van het zwembad staan alle andere kinderen ook te lachen. Ik doe mijn ogen dicht en probeer mezelf in het water te zien zwemmen, maar alles blijft donker.

John blaast op zijn fluitje.

Ik spring in het water.

Als ik weer boven kom, trappel-zwem ik weer op precies dezelfde manier, de enige manier waarop ik het kan, naar de overkant.

John rent om het zwembad heen.

'Zwemmen,' roept John, 'zwemmen.'

Ik doe mijn armen naar voren, ga plat op het water liggen en probeer net zo te zwemmen als de anderen. Het water prikt in mijn neus en in mijn keel. Ik doe mijn hoofd omhoog en sla met mijn armen tot ik aan de overkant ben. John loopt naar me toe en zet zijn tenen op mijn vingers.

'Ik geloof niet dat je het snapt,' zegt John. 'Nog een keer.'

Ik schuif mijn hand weg en hou me aan de rand van het zwembad vast.

'Dat kan ik niet,' zeg ik.

John zet weer zijn voet op mijn vingers en duwt met zijn tenen mijn hand van de rand af. Ik laat los en pak een ander gedeelte van de rand vast.

'Kan ik niet, kennen we niet bij de Freedom Community,' zegt John. 'Je kunt het en je doet het.'

John legt zijn handen om mijn polsen, zijn vingers zijn stevig en sterk. Hij trekt me omhoog uit het water alsof ik niets weeg.

'Voor deze les zul je me later nog dankbaar zijn,' zegt John.

John zwaait me door de lucht in de richting van het diepe gedeelte van het bad. Dan laat hij los en vlieg ik alleen door de lucht. Ik verdwijn helemaal onder water, terwijl de luchtbelletjes langs mijn gezicht glijden en mijn neus binnen dringen.

Zwemmen is opeens volkomen onbelangrijk geworden nu er iets vreselijks met me gebeurt. Ik moet uit het water zien te komen, weg zien te komen, hoe dan ook, dat is het enige waaraan ik kan denken. Ik trap met mijn benen en sla met mijn armen. Mijn hoofd komt boven water en ik trappel naar de zijkant van het zwembad.

'Zwemmen,' roept John, 'doorzwemmen.'

Ik trappel naar het ondiepe gedeelte van het zwembad en probeer, zodra mijn voeten de bodem raken, door het water weg te rennen.

John duikt het zwembad in.

Mijn voet staat al op de eerste tree en mijn hand ligt op de zilverkleurige leuning.

John legt zijn armen om mijn middel en trekt me tegen zich aan.

Ik trap en sla wild met mijn armen om me heen.

'Laat me los,' schreeuw ik.

'Ik geloof niet dat je het onder de knie hebt,' zegt John met zijn mond tegen mijn oor.

Alle kinderen staan in een grote groep bovenaan de stenen trap en ik zoek naar Bryan. Ik weet dat hij er tussen moet staan maar ik zie hem niet.

'Ga aan de kant jullie,' zegt John.

De groep kinderen wijkt uiteen en John draagt me de treden op en terug naar het diepe gedeelte van het bad. Ik weet dat hij me weer in het water gaat gooien, dat weet ik gewoon, en ik begin te schreeuwen, te trappen en te slaan. Ik zet mijn nagels in Johns gezicht en hij laat me op de betonnen vloer vallen, ik voel een pijnscheut in mijn knieën.

'Godverdomme,' schreeuwt John.

Er zitten rode strepen op Johns gezicht waar ik hem gekrabd heb en hij raakt voorzichtig de plekken aan waar bloed uit komt.

Op mijn bips kruip ik als een krab achteruit tot er een flinke afstand tussen John en mij is. Als ik met mijn vingers de grasrand voel, draai ik me om en duw mezelf omhoog, mijn armen en benen zijn weer vrij.

Maar dan voel ik Johns gewicht weer tegen mijn rug, zijn arm om mijn maag, en alle lucht wordt uit mijn lichaam geperst als hij me weer tegen zich aan drukt.

'Laat me los,' schreeuw ik.

Zijn hand komt hard tegen de zijkant van mijn hoofd aan en ik voel het prikken achter mijn ogen en op mijn kaak.

'Je zúlt zwemmen,' zegt John.

Mijn ogen doen pijn, mijn hoofd doet pijn, mijn hele lichaam doet pijn. Iedereen staat te kijken, maar niemand doet iets en weer gooit John me in het diepe bad.

Telkens en telkens weer, hoe vaak weet ik niet eens meer. Het enige wat ik me nog herinner is dat ik zo doodsbang was dat ik niet meer kon denken, niet meer kon zwemmen, niet meer in staat was om weg te rennen.

Langs het grindpad dat naar de Jolly Roger Pirate Ranch leidt, staan twee rijen hoge witte berkenbomen. Aan de takken hangen dunne ronde bladeren en als de wind erdoorheen waait, klinkt het net alsof een heel beleefd publiek zachtjes in de handen klapt. De bomen staan op een brede lap grond tussen het grindpad en het hek. Onder de bomen groeit onkruid dat hoger is dan ik lang ben en aan al dat onkruid zitten lange doornen waar ik mijn handen aan openhaal.

Ik heb twintig strafpunten gekregen voor het hondengetrappel. En nog eens twintig omdat ik het vermogen mis om me op mijn leven te bezinnen, wat dat ook moge betekenen.

Veertig strafpunten is veertig uur hard werken en hard werken op de Jolly Roger Pirate Ranch betekent onkruid verwijderen.

Het ergste van onkruid verwijderen zijn de doornen.

Het leukste is dat ik alleen ben.

Ik buk me en pak met beide handen de steel zo laag mogelijk vast, de scherpe doornen prikken in mijn handen. Ik hou mijn adem in, trek en het onkruid komt met wortel en al de rulle grond uit. Elizabeth zegt dat ik de wortels er mee uit moet trekken, omdat ik ze er anders met een schop uit moet graven.

Ik schud de aarde van de wortels, stof in mijn neus, in mijn mond, en gooi het onkruid op een hoop, samen met het andere dode onkruid.

's Avonds gaan de lichten bij het zwembad aan, het water wordt dan een blauwe mist.

's Avonds mag er vrij gezwommen worden en alle kinderen mogen zwembanden, duikbrillen en zwemvliezen gebruiken.

Na tien uur onkruid verwijderen, mag ik ook vrij zwemmen.

Niemand zegt iets tegen me, Bryan niet, Kenny en Ronny niet.

Iedereen kijkt wel naar me, ik voel dat hun ogen op me gericht zijn. Als ik kijk, wenden ze snel hun hoofd af, maar ik weet dat ze naar me kijken.

In het ondiepe bad ga ik met mijn rug tegen de betonnen muur staan, knijp mijn neus dicht, adem diep in en ga kopje-onder.

Al het lawaai van de kinderen wordt zachter onder water en ik tel tot dertig.

Ik ga staan en het lawaai van de kinderen is weer even hard.

Niemand kijkt naar me, niemand zegt iets tegen me.

Ik knijp mijn neus dicht, adem diep in, ga kopje-onder.

Ik tel veertig seconden, kom weer boven.

Ik knijp mijn neus dicht, adem diep in, ga kopje-onder.

Zestig seconden.

Omhoog.

Adem diep in.

Zeventig seconden.

Omhoog.

Telkens weer tot ik honderd seconden kan tellen. Ik vind het wel een goed idee om onder water je adem in te kunnen houden.

Twee weken zijn er verstreken op de Jolly Roger Pirate Ranch, ik ben de helft van mijn strafpunten kwijt en kan ondertussen honderdtachtig seconden – drie hele minuten – mijn adem inhouden onder water. Ik kan ook mijn ogen openen onder water en als ik dat doe, kan ik tot aan de andere kant van het zwembad kijken.

Het is weer vrij zwemmen vanavond, alleen is deze avond anders dan andere avonden want John is er. John heeft zijn strakke rode zwembroek aan en loopt om het zwembad heen. Ik word er zenuwachtig van als hij dat doet.

Er staat een rij kinderen voor de duikplank te wachten. Kenny en Ronny staan ook in de rij, de armen om zich heen geslagen. Bryan staat er ook bij.

John wacht niet op zijn beurt. Hij zwaait met zijn armen en iedereen stapt achteruit. John wandelt iedereen voorbij, klimt het trapje op en loopt naar het uiteinde van de duikplank. John staat daar alsof hij de belangrijkste persoon ter wereld is en dat aan iedereen wil laten zien.

Ik haat John.

Ik knijp mijn neus dicht, adem diep in en ga kopje-onder.

Het is stil onder water en ik laat me naar beneden zakken tot ik op de bodem van het zwembad zit en begin te tellen: duizend en een, duizend en twee.

Aan de overkant van het zwembad verbreekt John de stilte met zijn duik in het water, om zijn hoofd, zijn armen en zijn benen drijven witte luchtbelletjes. John blijft onder water en schopt naar iets.

Mijn haar zweeft voor mijn gezicht en ik duw het opzij.

John heeft onder water zombi-witte benen en zombi-witte armen, maar ook zombi-witte billen want ik zie opeens dat hij zijn zwembroek niet meer aan heeft.

Ik raak de tel kwijt en duw mezelf omhoog.

Boven water ziet alles er nog precies hetzelfde uit, alle kinderen spelen, lachen en plonzen in het water. Niemand kijkt naar me, niemand, behalve John. John kijkt me recht aan.

Mijn hart bonst in mijn oren en ik duik weer onder water, duw me met mijn voeten van de muur van het zwembad af en zwem als een vis naar de trap in het ondiepe gedeelte. Daar kom ik omhoog en wrijf het water uit mijn ogen.

John staat al bovenaan de trap te wachten, hij heeft zijn rode zwembroek weer aan. Zijn blonde haar ligt plat tegen zijn hoofd en zijn gezicht staat streng, de lippen samengeperst tot een dun lijntje, de ogen tot spleetjes samengetrokken.

'Waar gaan we heen?' zegt John.

Ik kijk het zwembad rond, kijk naar John.

'Ik?' zeg ik.

'Ja, jij,' zegt John.

John steekt zijn hand uit alsof hij me wil vastgrijpen. Ik doe een pas achteruit zodat hij me niet aan kan raken.

'Het zwembad uit jij,' zegt John.

Mijn benen trillen, mijn armen trillen, mijn buik trilt, mijn hele lichaam prikt.

'Ik deed helemaal niets,' zeg ik.

'Kom eruit,' zegt John.

In het diepe gedeelte van het zwembad komt Bryan het water uit en hij is zo dichtbij dat ik om hulp zou kunnen roepen. Bryans gezicht ziet er uitdrukkingsloos uit, de blik in zijn ogen zegt dat ik me dit allemaal zelf op de hals heb gehaald.

Ik ga het zwembad uit en op het beton rondom mijn voeten vormt zich een plasje water.

John gooit me een handdoek toe die eerst tegen mijn gezicht aankomt en dan op de grond valt.

'Afdrogen,' zegt John. 'En snel een beetje.'

Het is stil geworden in het zwembad, alle kinderen kijken naar ons.

Ik heb een rauw gevoel in mijn maag, alsof ik glasscherven heb ingeslikt die zich een weg naar buiten proberen te snijden. Ik buk me, pak de handdoek op en sla hem om me heen.

'Kom mee,' zegt John.

De Jolly Roger Pirate Ranch is omgeven door nachtgeluiden en schaduwen. John en ik lopen langs de witte houten huisjes en het grote huis een zandpad op dat voor de schuur langs loopt. Er hangt een geur van hooi en paarden en koeien in de lucht. De bel van een geit rinkelt en dan is het weer stil. Een hoge lantaarn bij de schuur werpt een rechthoek van licht op het zand.

Ik hou de uiteinden van de handdoek die om mijn schouders ligt in mijn vuisten geklemd. Op blote voeten loop ik over het zachte zand en blijf midden in de rechthoek van licht staan.

'Waar gaan we heen?' zeg ik.

'Kom nu maar gewoon mee,' zegt John.

Ik wil helemaal niet met John mee, maar ik weet niet wat ik anders moet doen.

In de verte is het geluid van de kinderen bij het zwembad nog te horen en ik overweeg om te gaan gillen, om weg te rennen. John steekt zijn hand uit alsof hij me wil aanraken maar ik loop voor zijn hand uit.

Naast de schuur staat een huisje met aan de gevel een kale lamp die een driehoek van licht op de voordeur werpt. John doet de deur open, draait een knop om en voor ons is een steile trap die naar boven leidt.

'Naar binnen,' zegt John.

Ik duw mijn hakken in het zand en zet me schrap.

'Ik denk er niet aan,' zeg ik.

Ik kijk om me heen, duisternis en schaduwen, de veekraal, de schuur, nog meer duisternis. John geeft me een duw in mijn rug en ik strompel de stoep op.

'Naar boven,' zegt John.

Ik loop de trap op en John is vlak achter me, hij duwt met zijn lichaam tegen mijn rug, de bovenkant van mijn hoofd botst tegen het gerimpelde gedeelte van zijn buik.Bovenaan de trap blijf ik staan. John steekt over mijn hoofd heen zijn arm uit, duwt een deur open en ook in deze kamer is het donker. Ik blijf voor de deur staan en John loopt langs me de donkere kamer in.

Mijn hand ligt op de trapleuning en ik kijk naar beneden naar de zevenentwintig treden. Ik kijk de kamer in, John daar binnen en ik hier buiten. Ik hoef alleen maar de trap af te lopen, de deur uit te gaan en weg te rennen, de duisternis in. Ik zou er zo vandoor kunnen gaan, nu meteen.

In de donkere kamer gaat een lamp aan, een gloeilamp aan een ketting. De lamp zwaait heen en weer, de schaduw van de lamp op de witte muren, het licht van de lamp op John.

Ik kijk langs de trap naar beneden.

Ik hoef alleen maar weg te rennen, nu meteen.

Ik zet mijn blote voet op de houten tree en John rent de kamer uit en duwt zijn vingers in de zachte huid van mijn onderarm.

'Niks ervan,' zegt John, 'hier blijven.'

Hij trekt me de kamer in en doet de deur dicht, het geluid galmt na in mijn oren. Hij laat mijn arm los en ik wrijf over de plek waar hij me heeft aangeraakt.

Er ligt een matras op de grond met een laken eroverheen en een ander laken verfrommeld in het midden. Kleren liggen op een hoop tegen de muur: korte broeken, t-shirts, ondergoed, sokken. Ik kijk naar de grond, naar de muren, naar Johns schaduw op de muur.

John staat wijdbeens, met een handdoek om zijn middel, over zijn zwembroek heen.

'Je mag weg,' zegt John, 'zodra we dit opgehelderd hebben.'

John strijkt met zijn hand door zijn korte blonde haar dat nu weer droog is.

Mijn haar is nog nat, net als mijn badpak. Ik hou de handdoek om mijn schouders, de uiteinden ervan in mijn vuisten geklemd en mijn vuisten onder mijn kin. Ik heb het steenkoud.

'Je zat naar me te kijken onder water,' zegt John.

'Niet waar, dat deed ik niet,' zeg ik.

'Ontken het maar niet,' zegt John. 'Ik weet dat je me zonder zwembroek hebt gezien. Ik zag je lachen.'

'Ik lachte niet,' zeg ik.

'Dat deed je wel,' zegt John. 'En daarom moet jij nu je badpak uitdoen, dan staan we weer quitte.'

'Wat?' zeg ik.

'Jij hebt mij gezien,' zegt John. 'Nu mag ik jou zien.'

Het lijkt net of Johns schaduw op de witte muur scheef hangt, alsof hij omvalt. Ik ben duizelig en heb het gevoel dat ik ook ieder moment kan omvallen.

'Ik zal het je gemakkelijk maken,' zegt John. 'Ik doe het licht uit en jij trekt je badpak uit en daarna doe ik het licht weer aan. Dat is alles.'

Mijn armen trillen, mijn benen trillen. Mijn hele lichaam trilt en warme tranen biggelen over mijn wangen. Ik trek de handdoek strakker om mijn schouders, de stof voelt koud aan tegen mijn rug en mijn benen.

John trekt aan de ketting en het wordt stikdonker om me heen. Ik hou mijn adem in en het wordt stil om me heen. Dan weer het geluid van de ketting, het licht gaat weer aan en ik knipper met mijn ogen tegen het felle licht.

'Nog maar eens proberen,' zegt John.

Ik wou dat ik flinker was, dat ik niet hoefde te huilen, maar misschien moet ik juist harder gaan huilen, misschien laat hij me dan wel gaan.

John trekt aan de ketting en de kamer is donker.

John trekt aan de ketting en de kamer is helder wit verlicht.

John kijkt me afwachtend en met een uitdrukkingsloos gezicht aan en ik huil zo hard dat het pijn doet.

Ik begrijp niet hoe hij gewoon kan blijven toekijken terwijl ik zo hard moet huilen. Het lijkt wel of John geen echt mens is, en dan besef ik ook dat huilen niet zal helpen als ik hier weg wil komen.

'Ophouden met huilen,' zegt John, 'we proberen het nog een keer.'
Johns stem is zacht en kalm. Hij doet zijn hoofd achterover, knijpt zijn ogen half dicht en trekt weer aan de ketting.

Een gevoel van rust gaat door me heen, door mijn armen en mijn benen, een stille rust, een zuivere rust.

Ik laat de handdoek los en hij valt nat en zwaar op mijn voeten.

Een schouderbandje, twee schoudersbandjes en ik trek het marineblauwe badpak naar beneden, het zuigende geluid van de natte stof die van mijn huid wordt losgetrokken.

Koude lucht strijkt langs mijn lichaam, maar ik heb het niet koud. Ik knijp mijn ogen dicht en ga rechtop staan, schouders naar achteren, kin ingetrokken.

Ik weet hoe ik eruitzie zonder kleren. Ik heb een mager lijf met littekens op mijn knieën van een val van mijn fiets een paar jaar geleden en ik vind het bijna grappig, want als John straks het licht aandoet zal hij me waarschijnlijk uitlachen omdat ik er zo gewoontjes uitzie. Had ik nu maar een mooi lichaam, eentje die gezien mocht worden, dan zou hij me niet uitlachen.

Het licht gaat aan en het wordt oranje voor mijn ogen. Ik hou mijn ogen stijf dicht, hou mijn adem in en beweeg me niet. Het blijft heel lang stil, alsof het alleen maar een nachtmerrie is waaruit ik zo zal ontwaken. Maar als ik mijn ogen opendoe, is John er nog steeds en hij is nu ook naakt. Johns dingetje in een nest van blonde haren, zijn dingetje op mij gericht, en dat is het laatste wat ik me herinner. John naakt en ik naakt, helder wit licht om ons heen, en ik bang zoals ik nog nooit bang ben geweest.

Het is het warmste gedeelte van de dag, zelfs in de schaduw is het nog warm. Het zand is kurkdroog en waait in mijn gezicht, mijn neusgaten, mijn ogen en mijn mond.

Ik heb bijna de helft van het onkruid aan deze kant van de oprijlaan verwijderd, nog twee weken en dan ben ik hier klaar en kan ik aan de overkant beginnen. Mijn handen doen pijn, de doornen hebben zich als splinters onder mijn vel vastgezet.

Ik haat onkruid, ik haat doornen. Ik bijt op een doorn in mijn handpalm, trek hem er met mijn tanden uit en spuug hem uit. Hoog in de lucht krijst een vogel en ik schrik van het geluid, begin te beven alsof iemand 'boe' riep.

In de verte draait een auto de oprijlaan op. Ik kruip achter een boom en druk mijn gezicht tegen de witte bast.

De auto is rood. De auto heeft een motor die proest en sputtert. Het is *Red*.

Opeens glijdt alle angst van me af. Ik loop achter de boom vandaan, blijf aan de rand van het grindpad staan en zet mijn handen in mijn zij, zo van: 'Kijk, ik ben het.'

Red mindert vaart en ik zie papa's silhouet achter de stoffige voorruit, iets onderuitgezakt en met één hand aan het stuur, zoals hij altijd rijdt. Er zit niemand naast hem.

Ik begin uitbundig te zwaaien. Papa toetert drie keer kort en rijdt *Red* naar de kant. De stofwolk achter de auto stijgt langzaam op, de geur en smaak van stof dringt mijn neus en mijn mond binnen. Ik leg mijn handen op de richel van het opengedraaide raampje.

'Papa?' zeg ik.

'Jenny?' zegt papa.

'Wat zie je er anders uit,' zeg ik.

'Jij ook,' zegt papa.

'Maar je gezicht,' zeg ik.

Papa strijkt met zijn hand over zijn kin, hij heeft een baard en een snor.

'Vind je het leuk?' zegt papa.

'Nee,' zeg ik.

Papa laat zijn hand zakken en schraapt zijn keel.

'Nou, het was ook meer Debs idee,' zegt papa.

'En je hebt ook een bril op,' zeg ik.

Papa raakt het montuur van zijn bril aan, hij is van goud en glas met een glans over zijn ogen.

'Deb zegt dat ik er gedistingeerd uitzie met een bril,' zegt papa.

'Gedistingeerd?' zeg ik.

Papa zucht diep en strijkt met zijn hand door zijn haar. Door zijn bakkebaarden lijken zijn lippen nu veel te dik, ze liggen als wormen op zijn gezicht.

'Maar genoeg over mij,' zegt hij. 'Wat is er met jou? Wat zie je eruit.'

Mijn T-shirt is vuil, mijn spijkerbroek is vuil, mijn handen zijn vuil. Ik probeer wat van het vuil weg te vegen, maar het is tevergeefs.

'Wat doe je hier buiten?' zegt papa. 'En waarom zie je er zo vies uit?'

Ik veeg met de rug van mijn hand over mijn gezicht.

'Ik heb trammelant gehad,' zeg ik.

'Trammelant?' zegt papa.

'Daarom ben je toch hier?' zeg ik.

'Nee,' zegt papa. 'Ik moest hier in de buurt zijn voor zaken en wou jullie met een bezoekje verrassen.'

De motor van *Red* pruttelt zacht op de verder stille oprijlaan.

'Wat heb je dan gedaan?' zegt papa.

Hoe kan ik hem vertellen van het zwemmen? Hoe kan ik hem uitleggen wat John heeft gedaan? Ik weet niet wat ik moet zeggen of waar ik moet beginnen en ik ben sowieso te bang om erover te praten.

'Jenny?' zegt papa.

Ik zie alleen de glans van zijn niewe brillenglazen, haal mijn neus op en veeg er met de rug van mijn hand langs.

'Vertel het nu maar,' zegt hij.

Ik kijk naar mijn voeten, het enige wat ik zie zijn mijn voeten op het grind en de vuile vlekken op mijn schoenen.

'Dat kan ik niet,' zeg ik.

'Stap in,' zegt papa, 'dan gaan we het uitzoeken.'

Ik kijk omhoog naar het eind van het grindpad, de ene kant is helemaal onkruidvrij, de andere kant nog overwoekerd met onkruid.

'Gaan we naar huis?' zeg ik.

'Wat?' zegt papa.

'Gaan we hier weg?' zeg ik. 'Vandaag nog?'

'Nee,' zegt papa, 'natuurlijk niet.'

'Dan kan ik niet instappen,' zeg ik. 'Daar krijg ik alleen maar meer moeilijkheden door.'

Papa krijgt die blik in zijn ogen alsof hij kwaad is, de lippen op elkaar. Hij zucht diep en kijkt me weer aan.

'Goed,' zegt papa, 'dan ga ik wel alleen.'

Ik kijk naar hem en hij kijkt naar mij en ik haal weer mijn neus op.

Papa schudt zijn hoofd alsof hij er niets meer van begrijpt en ik weet niet wat ik moet doen.

'Ik zie je zo,' zegt hij.

Hij zet *Red* in de versnelling en rijdt de heuvel op, geproest en gesputter en een stofwolk achter de auto. Ik wil hem achterna rennen, om hem alles te vertellen, om er zeker van te zijn dat hij alles rechtzet, maar ik blijf staan en kijk naar al het onkruid dat nog weggehaald moet worden.

Ik leg mijn handen om een dikke stengel onkruid, buig mijn knieën en trek. Er zit kloddels modder aan de wortels en ik sla net zo lang met de stengel tegen het witte hek tot alle modder eraf gevallen is. Ik gooi de stengel op de hoop onkruid die er al ligt, strijk met mijn arm over mijn gezicht en buk me weer.

Alle kinderen zijn in het grote huis vanwege het avondeten en papa en ik zijn bij het zwembad. Papa moet zo weer weg en zegt dat ik geen strafpunten meer heb en dat alles nu weer in orde is.

Het is tussen dag en nacht, wanneer er nog een klein beetje zon in de zonsondergang zit. Ik ben in het ondiepe gedeelte van het zwembad en papa staat op de kant, met één knie op het beton, zijn bakkebaardengezicht in zijn hand.

'Klaar?' zeg ik.

'Klaar,' zegt papa.

Ik vind het leuk zo met z'n tweeën en dat hij me zonder er echt moeite voor te hebben gedaan uit de nesten heeft gehaald. Ik duw mijn rug tegen de muur van het zwembad, ga rechtop staan, schouders naar achteren, kin ingetrokken.

Papa glimlacht als ik dat doe en zijn gezicht krijgt zachte trekken zoals altijd wanneer hij zich iets herinnert. Hij knikt naar me en ik knik terug.

Ik knijp mijn neus dicht, adem diep in en laat me zakken tot ik op de bodem van het zwembad ben. Ik duw me met mijn voeten van de muur af en zwem onder water. Aan de overkant van het ondiepe gedeelte duw ik mezelf, met mijn armen boven mijn hoofd, weer omhoog.

'Ta da,' zeg ik.

Druppels water vallen op het droge beton en spetteren papa's broekomslagen nat.

'Lang niet slecht,' zegt papa, 'maar echt zwemmen is het niet.'

Ik laat mijn armen zakken en knipper het water uit mijn ogen.

'Ik bedoel, het ziet er prima uit, Juniper,' zegt papa, 'maar ik dacht dat je had leren zwemmen.'

'Ik kan mijn adem al honderdtachtig seconden lang inhouden,' zeg ik. 'Dat is bijna drie minuten.'

Papa drukt zijn handen tegen elkaar, handpalm tegen handpalm, vinger tegen vinger.

'Maar je moet ook leren zwemmen,' zegt papa.

'Waarom?' zeg ik.

Papa doet zijn handen opzij, spreidt zijn vingers en haalt zijn schouders op.

'Voor je eigen veiligheid,' zegt hij. 'Maar ook omdat het leuk is.'

'Leuk?' zeg ik.

'Ja,' zegt papa.

Het water is een golvende spiegel geworden en ik kan papa's gezicht en lichaam erin zien bewegen, alsof hij hier is maar ook weer niet.

'Jenny?' zegt papa. 'Begrijp je wat ik bedoel?'

Ik klim het trapje op en papa geeft me een handdoek. Ik neem de handdoek van hem aan, maar kijk niet omhoog, ik blijf naar mijn voeten kijken.

'Nou,' zegt papa, 'je hebt nog de rest van de zomer om het te leren.'

Ik sla de handdoek om mijn schouders en kijk naar mijn voeten op het beton, alleen naar mijn voeten.

Papa staat met de handen in zijn zakken en laat zijn sleutels tingelen. Hij legt zijn hand op mijn schouder, de hand voelt zwaar aan. Hij zegt dat hij er weer vandoor moet, maar dat hij gauw terugkomt, dat ik vast een fantastische zomer zal hebben en dat hij heel graag wil dat ik leer zwemmen.

Ik doe mijn hoofd zo ver als ik kan achterover en kijk naar de avondrode hemel. Een brede V van vogels vliegt voorbij, allemaal bewegen ze gelijk en allemaal zijn ze op weg naar dezelfde bestemming.

Papa haalt zijn hand van mijn schouder en kijkt ook naar de lucht. Ik kijk naar papa, probeer hem echt aan te kijken, maar zijn nieuwe brillenglazen glanzen te veel. Ik weet niet hoe ik erbij kom, maar ik weet dat het nooit meer zo zal worden als vroeger, wat een gevoel van alleen zijn in me wakker roept, hoewel ik helemaal niet alleen ben.

Papa glimlacht vriendelijk naar me met zijn bakkebaarden en dikke lippen. Ik trek mijn handdoek stijf om me heen en glimlach terug, maar ik weet dat het geen echte glimlach is, alleen iets op mijn gezicht om dat gevoel van alleen zijn weg te drukken.

Hoofdstuk elf

We wonen in Fountain Valley nu, maar er is hier helemaal geen fontein, zelfs geen drinkfonteintje.

Deb zegt dat Fountain Valley een buitenwijk is.

Papa zegt dat Fountain Valley maar tijdelijk is.

Het huis ziet er zo uit: voordeur, woonkamer, twee lange gangen naar de achterkant van het huis. Aan elke gang zitten drie slaapkamers, zes slaapkamers in totaal. Beide gangen leiden naar de keuken die één grote ruimte is waar gekookt en gegeten wordt. In de achterwand van de keuken zit een glazen schuifdeur die naar een betegelde achtertuin leidt met een zwembad. Geen gras.

Het is een mooi huis, een mooi zwembad, alles ziet er mooi uit, maar het is een soort mooi die alleen aan de buitenkant zit, niet vanbinnen. Als de dingen vanbinnen niet kloppen, dan maakt het niet uit hoe mooi ze er van buiten uitzien.

Ik doe de deur van mijn nieuwe kamer achter me dicht en het is stil zoals het alleen in een nieuw huis stil kan zijn, alleen in de verte hoor ik nog de stemmen van Deb, Christopher, Kenny en Ronny, stemmen die als één stem klinken.

Ik duw mijn nagel onder het plakband dat om de doos zit waar 'Jenny's Kamer' op staat en trek het los. De doos ziet er nog precies hetzelfde uit, maar de spullen die erin zitten niet. Iemand heeft aan mijn spullen gezeten, heeft ze opgevouwen, ze anders neergelegd.

Mijn hart bonst in mijn hoofd, in mijn oren. Ik zoek met beide handen de bodem af naar de zwarte lakschoenen die me niet meer passen. Ik voel niets, sla beide armen om de doos heen en draai hem om. Al mijn opgevouwen spullen vallen op de grond, maar geen

211

schoenen, geen sokken en geen sleuteltje dat erin verstopt zat.

Ik ga op mijn hurken zitten, mijn spullen liggen op een hoop op de grond.

'Zoek je dit soms?'

Het is doodstil in de kamer, Deb staat in de deuropening en heeft haar hand naar me uitgestoken, mijn sleuteltje ligt op haar handpalm.

'Die is van mij,' zeg ik.

Deb sluit haar vingers om het sleuteltje heen en doet de deur dicht zodat alleen wij tweeën in de nieuwe kamer zijn.

'Ik denk dat we maar eens moeten praten,' zegt Deb.

Deb draagt een blauw met wit gestreepte blouse en een spijkerbroek. Haar lange, rode haar hangt sluik om haar gezicht en ze gooit het met een dramatisch gebaar naar achteren. Deb staat met haar ene voet naar voren, de andere naar achteren, de heupen iets gedraaid, net als een etalagepop.

Ik ga rechtop staan, schouders naar achteren, kin ingetrokken en steek mijn hand uit naar Deb.

'Mag ik hem terug, alsjeblieft,' zeg ik.

Debs kijkt met haar groene ogen naar mijn hand en dan naar mijn gezicht.

'Je mag me niet zo, hè?' zegt Deb.

'Jawel, hoor,' zeg ik. 'Ik wil alleen mijn sleuteltje terug.'

'Ik weet dat je me niet mag,' zegt Deb, 'ik kan het zelfs wel begrijpen.'

Ik vouw mijn vingers naar binnen en laat mijn hand tegen mijn been vallen.

'Maar of je me nu mag of niet,' zegt Deb, 'ik wil wel dat je me respecteert.'

Ik kijk naar de roze kist en pers mijn lippen op elkaar.

Papa zegt dat Deb best aardig is, dat ik haar gewoon een kans moet geven. Ik wou dat papa nu hier was zodat hij de Deb kon zien zoals ik haar ken.

'Mag ik het sleuteltje terug, alsjeblieft,' zeg ik weer.

Deb kijkt naar de hand waar het sleuteltje in zit, kijkt dan met haar kattenogen naar mij en maakt een klakkend geluid met haar tong alsof ze er eerst over na moet denken. Dan zucht ze diep en steekt haar hand uit.

'Goed dan,' zegt ze.

Ik hou mijn hand onder haar vuist, ze opent haar hand en het zilveren sleuteltje valt naar beneden.

Deb leunt achterover en doet haar armen over elkaar.

'Ik weet wat erin zit,' zegt Deb.

'Heb je in mijn kist gekeken?' zeg ik.

'En het is ook belangrijk dat je je eerste moeder niet vergeet,' zegt Deb.

'Dat zijn mijn spullen,' zeg ik.

'Maar je kunt niet in het verleden blijven leven, Jenny,' zegt Deb. 'Je moeder is er niet meer, ik ben er nu.'

Het is stil in de nieuwe kamer, kale muren, een lege kast. Ik kijk naar Deb en zij kijkt naar mij en zo blijven we heel lang staan. Deb wendt als eerste haar hoofd af, loopt naar de deur en legt haar hand op de deurknop. Ze zegt nog iets over een overleg met het hele gezin dat over tien minuten begint, maar ik blijf doodstil staan, zo stil dat het lijkt alsof ik helemaal niet in de kamer ben.

Mijn armen en benen zijn stijf geworden van het lange stilstaan en als ik Deb niet meer hoor, adem ik uit, sluit zachtjes de deur en ben weer alleen in de kamer. Ik ga op mijn knieën zitten en maak met het zilveren sleuteltje de roze kist open. Het schilderij van Keith ligt erin, evenals de Barbiekoffer, het trouwalbum ligt erbovenop, maar ik had het fotoalbum in de Barbiekoffer gelegd, Deb moet het er dus uit gehaald hebben en haar handen en ogen over mijn vader en moeder zoals ze vroeger waren hebben laten gaan.

Ik til de Barbiekoffer uit de kist en doe hem open. De Strand-Barbie ligt op haar vaste plekje en heeft nog steeds haar zwarte fluwelen jurkje aan en haar zwarte hoge hakken.

Heel voorzichtig trek ik het onderste laatje van de Barbiekoffer open, hij zit vol met Barbieschoenen en Barbiekleren. Ik trek het laatje er helemaal uit en keer hem om, alles valt op de grond: de Barbieschoenen, de Barbiekleren en het opgerolde, verkreukelde zakje van zwart fluweel.

Opeens weet ik dat Deb dit geheim niet ontdekt heeft.

Ik pak het zakje op en hou het in mijn handen. Hij voelt zwaar aan van belangrijkheid. Ik pers mijn lippen op elkaar en maak de knoop los. De parelketting en de ring zien er nog net zo uit, nog net zo perfect als eerst.

Als je ergens aan ontsnapt bent, is het net alsof je nog een kans heb gekregen.

Ik doe de parelketting en de ring terug in het zwarte fluwelen zakje, trek aan het koordje en rol het zakje zo klein mogelijk op. Daarna leg ik het terug in het laatje van de Barbiekoffer, doe de Barbieschoenen en Barbiekleren er weer in en duw het laatje dicht. Ik zet de Barbiekoffer terug in de roze kist, doe het deksel dicht en draai hem op slot met het zilveren sleuteltje.

Er zit wel een zak in mijn korte broek, maar de naad zit los. Andere zakken heb ik vandaag niet.

Misschien moet ik het sleuteltje in mijn zak naaien.

Misschien moet ik het sleuteltje op de bovenste plank van de kast leggen.

Misschien moet ik het sleuteltje in mijn schoen leggen.

Ik maak de veter los, leg het sleuteltje onder mijn hak en maak de veter weer vast.

Ik voel het sleuteltje onder mijn hak liggen. Als ik begin te lopen, glijdt hij naar voren, tegen mijn grote teen aan.

Ik doe mijn rechterschoen uit en trek de veter uit de gaatjes. Ik haal de veter door het gaatje van het sleuteltje en doe de veter weer in mijn schoen. Het zilveren sleuteltje wijst omhoog, ik draai hem om en duw hem onder het flapje waar je de veter dichtknoopt. Je kunt het sleuteltje nauwelijks zien, alleen als je heel goed kijkt, zie je hem zitten. Ik doe mijn voet heen en weer, draai hem in het rond, maar de sleutel blijft op zijn plaats, blijft verborgen.

Bij een gezinsoverleg zit iedereen bij elkaar en praat Deb. Deb zegt dat zo'n overleg van cruciaal belang is als je de onderlinge communicatie optimaal wilt houden, maar wat dat betekent weet ik niet.

Deb en haar kinderen en papa en wij zijn allemaal in de nieuwe woonkamer van het huis in Foutain Valley. Christopher zit in een grote stoel een boek te lezen alsof hij alleen is. Kenny, Ronny en Bryan zitten op de bank dat stomme spelletje 'steen, schaar, papier' te doen waarbij je van je vuist een voorwerp maakt. Als Kenny of Ronny wint, spugen ze in elkaars handen en slaan ze ze tegen elkaar. Als Bryan wint, maakt hij prikkeldraad bij ze.

Ik zit op de grond, in kleermakerszit zodat het sleuteltje niet te zien is. Ik strek mijn benen, draai mijn voet omhoog en zie een klein stukje zilver. Daarna trek ik mijn benen weer in en ga zo zitten dat het sleuteltje niet meer te zien is.

Papa en Deb zitten op de lange groene bank, papa kijkt uit het raam. Zijn gezicht is bakkebaarden, dikke lippen en bril.

'Maandag gaan jullie voor het eerst naar jullie nieuwe school,' zegt Deb. 'En dan gaan we nu de huishoudelijk taken verdelen.'

'Kenny, jij zorgt door de week voor de lunch,' zegt Deb, 'Christopher, jij bent verantwoordelijk voor de tuin, onkruid wieden, en zo.'

Deb kijkt naar papa en klopt even op zijn been.

'Bud maait het gras,' zegt Deb. 'Bryan, jij zorgt ervoor dat de vuilniszakken iedere woensdag langs de weg staan.'

Bryan heeft zijn vinger in zijn oor gestoken en draait hem in het rond.

'Ronny zorgt ervoor dat het in huis netjes blijft,' zegt Deb.

Ronny steekt haar pink in haar neus, kijkt ernaar en steekt hem dan in haar mond.

'En Jenny, jij bent verantwoordelijk voor de badkamers,' zegt Deb.

'Verantwoordelijk?' zeg ik.

Deb heeft een geel blocnote op schoot liggen waarop ze alles wat ze wil zeggen heeft opgeschreven. Ze zet haar vinger bij een regel zoals je doet wanneer je wilt weten waar je gebleven bent.

'Sorry?' zegt Deb.

'Wat moet ik dan doen?' zeg ik.

'De badkamers schoonmaken, lulhannes,' zegt Ronny.

Kenny lacht tegen Ronny en Ronny kijkt naar Kenny en begint ook te lachen.

'Veronica,' zegt Deb.

Papa buigt zich naar voren, wat hij altijd doet wanneer hij je al zijn aandacht wil geven. Hij kijkt naar Deb en dan naar Ronny.

'Wat zei ze?' zegt papa. 'Wat zei je daar?'

Ronny laat zich onderuitzakken op de bank en duwt haar handen onder haar billen.

'Niets,' zegt Ronny

'Ze noemde Jenny een lulhannes,' zegt Bryan.

'Lulhannes?' zegt papa.

Christopher glimlacht en ik begin ook te glimlachen omdat het zo grappig klinkt dat iedereen opeens 'lulhannes' zegt.

Papa leunt achterover en zucht diep, de lucht komt door zijn neus naar buiten.

'Lulhannes,' zegt papa. 'Nou, nou, indrukwekkend, hoor.'

'Bud,' zegt Deb. 'Ik wil niet dat je zo tegen haar praat.'

Papa kijkt naar Deb en beweegt zijn bakkebaardenkaak heen en weer, wat hij altijd doet wanneer hij boos is.

'Nee?' zegt papa. 'En hoe zou jij het dan doen?'

Papa kijkt naar Deb en Deb kijkt naar papa en er is iets tussen hen, iets dat ik niet begrijp. Deb schraapt haar keel en doet haar hoofd schuin.

'Zullen we het daar later over hebben?' zegt Deb met een hoog, lief stemmetje.

'Prima,' zegt papa.

De sfeer in de kamer is om te snijden en als Deb weer verder praat, klinkt haar stem verkeerd. Deb praat op hoge, luide toon over het gezin als eenheid, over de zin van samenwerken en effectief communiceren, en dan gaat Deb opeens staan, loopt naar de gangkast en trekt de deur open. Het lijkt wel een tv-reclame zoals ze met haar arm zwaait en naar een stapel schoenendozen wijst die in de kast staat.

'En daarom gaan we iets proberen waar het hele gezin aan mee kan doen,' zegt Deb.

Deb wijst naar Christopher en hij vouwt het hoekje van de bladzijde van zijn boek om, legt het boek op de armleuning van de stoel en begint de dozen uit te delen, zelfs papa krijgt er een. In mijn doos zitten een paar witte schoenen met een rode streep langs de zijkant, de veters hangen uit één gaatje. In elke schoen zit een prop papier en ik haal de prop eruit en knijp hem fijn in mijn hand.

Bryan heeft blauwe schoenen met een witte streep, hij houdt ze vast alsof ze stinken. Zijn hals is donkerrood en hij kijkt, met zijn kin ingetrokken, omhoog naar Deb.

'Moet ik hieruit opmaken dat we met z'n allen gaan hardlopen?' zegt Bryan.

'Inderdaad,' zegt Deb. 'Is dat niet hartstikke leuk?'

Deb zit op het puntje van de bank en heeft haar schouders opgetrokken tot aan haar oren.

'In sport word je discipline bijgebracht, daar zullen jullie baat bij hebben,' zegt Deb.

'En als ik daar nu geen zin in heb?' zegt Bryan.

Deb slaat met haar handen op haar dijen.

'Nou, nou, wat een enthousiasme,' zegt Deb.

Papa legt zijn hand op Debs arm en Deb kijkt naar zijn hand.

'Hij kan het toch op zijn minst een keer proberen,' zegt Deb.

'Het is toch heel normaal dat hij wat terughoudend reageert,' zegt papa. 'Geef hem wat tijd om aan het idee te wennen.'

Deb trekt met een dramatisch gebaar haar arm weg.

'Ach, dus zo gaan we het doen,' zegt Deb. 'Voor jouw kinderen gelden dus andere regels dan voor mijn kinderen.'

Het wordt stil in de kamer, ze kijken elkaar aan. Papa wendt als eerste het hoofd af en knikt dan tegen Bryan en mij.

'We zijn klaar hier,' zegt papa.

Bryan pakt zijn doos en gaat staan. Ik doe mijn schoenen in de doos waar 'Jenny' op staat.

'Ho even,' zegt Deb. 'Jij bepaalt hier niet wanneer mijn gezins-overleg is afgelopen.'

'Hij is afgelopen,' zegt papa.

Deb zwaait haar hoofd heen en weer, als een dier dat in een kooi zit, en maakt een geluid achter in haar keel alsof ze niet kan gelo-ven wat er gebeurt.

Ik weet niet wat ik moet doen, blijven of weggaan, iets zeggen of mijn mond houden. Papa knikt weer tegen Bryan en mij en als pa-pa zo knikt, dan sta je op en ga je weg, zo gaat dat nu eenmaal. Christopher, Kenny en Ronny blijven zitten en ik voel dat ze ons nakijken als we de kamer uit lopen.

Ik loop de lange gang door en leg mijn hand op de deurknop van mijn kamer. Bryan blijft bij zijn kamer staan, kijkt achterom naar de woonkamer en dan naar mij. Ik haal mijn schouders op en hij haalt zijn schouders op en dan ga ik mijn kamer binnen en doe de deur achter me dicht. Ik leun tegen de deur aan en kijk naar mijn voet, onder de veter is nog net een stukje van het sleuteltje te zien en ik beweeg mijn voet heen en weer. Aan de andere kant van de deur hoor ik stemmen, Debs hoge en papa's lage stem, en Ronny hoor ik ook iets roepen.

Ergens wil ik gaan kijken wat er aan de hand is, ergens wil ik in de kamer blijven.

Ik duw me van de dichte deur af en pak mijn kleren en schoenen van de vloer. Ik vouw mijn t-shirts op en leg ze op een stapeltje en doe hetzelfde met mijn broeken.

Het is stil in het nieuwe huis, geen stemmen, en dan hoor ik Deb weer roepen, maar ik hoor niet wat ze zegt.

Er wordt een deur dichtgeslagen, aan het geluid te horen de deur naar de garage.

Ik pak de stapel t-shirts en de stapel broeken en leg ze op Debs witte toilettafel.

De motor van *Red* slaat aan en Deb roept dat papa een lafaard is.

Het geproest en gesputter van *Red* die uit de garage gereden wordt en het geknars van de versnellingsbak. Altijd wanneer ze ruzie hebben, gaat papa weg, zo gaat het nu eenmaal. Ik haat het wanneer hij zomaar weggaat en voor één keer ben ik het eens met Deb. Misschien is papa inderdaad een lafaard.

Papa zegt dat ik Deb moet vertrouwen.

Papa zegt dat ik Deb een kans moet geven.

Papa zegt dat ik Deb heel aardig zal vinden als ik haar wat beter ken.

En ik probeer Deb ook aardig te vinden, ik probeer het echt.

Van 's morgens vroeg tot 's avonds laat vertelt Deb me wat ik moet doen en ik doe het. Deb zegt dat ik 's morgens havermoutpap moet eten in plaats van geroosterd brood en dus eet ik havermoutpap, hoewel ik alleen maar geroosterd brood wil. Deb zegt dat ik bij het tandenpoetsen ronde bewegingen moet maken in plaats van de borstel heen en weer te bewegen, en dus doe ik dat. Deb zegt dat ik mijn haar los moet doen in plaats van in staarten of met speldjes, en dus laat ik mijn haar los hangen.

Bij Deb is het zo dat alles op haar manier moet gebeuren en ik niets meer te zeggen heb over wat ik doe. Het lijkt wel of ik op bezoek ben in mijn eigen leven.

Ik mag zelfs mijn eigen kleren niet meer uitkiezen.

Deb heeft bijna alle kleren die ik vroeger droeg weggegooid en nieuwe besteld uit de catalogus van Sears. Nu heb ik drie rokken, drie coltruien en drie maillots en alles is in wit, paars en groen. Zij kiest uit wat ik moet dragen en legt het op mijn bed, en het is werkelijk niet te geloven met welke vreemde combinaties ze dan aankomt.

Eén keer had ze een groene maillot, een groene coltrui en een groene rok voor me klaargelegd en zei dat ik er prachtig in uitzag. Ik zei tegen Deb dat alles in dezelfde kleur géén gezicht was, maar ze wilde er niets van horen.

Kenny en Ronny en alle andere kinderen in mijn nieuwe klas noemden me de groene draak en niet een meisje uit mijn klas wilde in de pauze met me hinkelen of touwtjespringen.

Het kan me niet schelen wat papa over Deb zegt. Ze heeft totaal geen gevoel voor stijl en vanaf nu laat ik me door haar niet meer, nooit meer, vertellen wat ik aan moet trekken.

Het Mile Square Park is lage heuvels, pas gemaaid gras en hoge dennenbomen.

Christopher, Kenny, Ronny, Bryan en ik zijn Blue Angels nu en Blue Angels oefenen iedere dag in het Mile Square Park.

'Je moet acht mijl per dag hardlopen om in een wedstrijd één mijl echt goed te kunnen rennen,' zegt Coach Don.

Coach Don heeft een grijs trainingspak aan, een donkerblauwe honkbalpet op en om zijn hals hangt een fluitje. Hij loopt in het rond en kijkt elk kind recht aan.

'Heb ik gelijk of niet?' zegt Coach Don en kijkt daarbij mij aan.

'Ja,' zeg ik.

Coach Don laat zijn kin zakken, loopt vijf passen en blijft voor een ander kind staan.

'Je moet veel trainen om wedstrijden te winnen,' zegt Coach Don. 'Heb ik gelijk of niet?'

'Ja,' zegt het kind.

Coach Don staat wijdbeens en slaat met zijn vuist in zijn hand om zijn woorden kracht bij te zetten.

'Je moet link en lenig zijn en tegen een stootje kunnen,' zegt Coach Don. 'Heb ik gelijk of niet?'

De warme wind voert de geur van pas gemaaid gras mee en iedereen kijkt naar Coach Don.

'Ja,' zeggen we.

Deb staat bij een groepje andere moeders en wappert met haar handen, wat ze altijd doet als ze aan het praten is.

Ik wou maar dat Deb naar huis ging.

'We hebben acht mijl voor de boeg, team,' zegt Coach Don, 'vier voor de lange afstand, vier voor de sprint.'

Ik ga staan en doe mijn armen over elkaar hoewel het helemaal niet koud is.

'Doe je best,' zegt Coach Don, 'dan zie ik jullie hier straks terug.'

Coach Don zet het fluitje aan zijn mond. Ik leg mijn handen tegen mijn oren en knijp mijn ogen stijf dicht.

Het snerpende geluid dringt mijn oren binnen en als ik mijn ogen weer opendoe, zie ik alle Blue Angels naar de rand van het park rennen.

Coach Don kijkt me met opgetrokken wenkbrauwen aan alsof hij wil zeggen: 'Wat doe jij nou?'

'Sorry,' zeg ik.

Ik ren zo hard als ik kan weg, kin op mijn borst, de armen tegen mijn zij. Ik blijf rennen tot ik de andere kinderen heb ingehaald en pas dan mijn snelheid aan die van hen aan.

Als je een vogel zou zijn en naar beneden zou kijken, zou het Mile Square Park eruitzien als een vierkante lap groen omringd door zwart asfalt. Alle vier zijden van het park zijn een mijl lang en er loopt een zandpad omheen waar je kunt hardlopen.

Bij de eerste hoek van het Mile Square Park krijg ik steken in mijn zij, alsof er een mes tussen mijn ribben wordt geduwd. Ik knijp in mijn zij, maar het mes gaat nog verder naar binnen.

Ik ga over op een sukkeldrafje, maar de pijn blijft.

Ik ga lopen en de pijn trekt eindelijk weg.

In de verte zijn de andere Blue Angels niet meer dan stipjes geworden en ik zie niet meer wie wie is.

Voor me loopt nog een ander kind, een jongen lijkt het, Bryan lijkt het.

Ik begin weer te rennen en de pijn blijft weg.

Ik ren naar de jongen toe en het is inderdaad Bryan. Kin op zijn borst, de handen tegen zijn zij gedrukt.

'Hé,' roep ik.

Bryan kijkt over zijn schouder en begint sneller te lopen.

'Ik ben het,' roep ik. 'Wacht even.'

Bryan begint te rennen en ik probeer hem in te halen. Bryan begint nog harder te rennen en de afstand tussen ons wordt groter en groter.

Het mes wordt weer in mijn zij geduwd en het enige wat ik wel weet van steken in je zij is dat je de pijn niet weg kunt rennen. Je moet gaan lopen.

Ik bereik als laatste de eindstreep na het rondje om het Mile Square Park, als allerlaatste.

Debs volgt me met haar kattenogen als ik als laatste binnenkom en ook zonder haar aan te kijken weet ik dat ze kwaad is. Deb zegt dat als een van ons slecht presteert dit een blaam werpt op de prestaties van de anderen.

Ik ren Deb en de andere moeders voorbij en hoor hoe ze tegen elkaar fluisteren en hoe een van hen begint te lachen. Ik ren naar Coach Don. Mijn gezicht gloeit.

'Valt niet mee, hè?' zegt Coach Don.

'Ik had geen adem meer,' zeg ik.

'Dat kan gebeuren,' zegt Coach Don. 'We zullen aan je ademhalingstechniek gaan werken. Dat komt wel goed. Heb ik gelijk of niet?'

'Ja,' zeg ik.

Coach Don geeft me een klopje op mijn schouder. Ik vind het leuk zoals hij je behandelt, alsof hij een vriend van je is.

'Mooi zo,' zegt Coach Don. 'Ga maar in de rij staan, dan gaan we wat sprintjes doen.'

Coach Don blaast op zijn fluitje en een rij kinderen rent een heuvel af en een andere weer op. Als ze stoppen, blaast Coach Don weer op zijn fluitje en rent de volgende rij weg. Rij na rij rent weg tot alle rijen aan de beurt zijn geweest en dan beginnen we weer van voren af aan. Korte, felle sprintjes.

Ik ga in de rij achter Bryan staan en hij kijkt me aan, knippert met zijn ogen en wendt dan zijn hoofd af alsof ik lucht voor hem ben.

Bryan is veranderd sinds we bij Deb wonen. Hij wil zijn zoals zij, zoals haar kinderen, en het lukt hem ook aardig zich aan te passen, alleen wanneer je in zijn ogen kijkt, echt diep in zijn ogen kijkt, dan zie je dat het leeg is vanbinnen. Alsof Bryan zichzelf vanbinnen murw geslagen heeft.

'Hé,' zei ik. 'Hoorde je me niet?'

Bryan draait zich om en ik zie dat zijn hoofd rood aangelopen is, alleen weet ik niet of het van boosheid is of van het rennen komt.

'Ik zag je lopen,' zeg ik. 'Ik probeerde je in te halen.'

Bryan kijkt me recht aan nu, de kin ingetrokken, vanonder zijn wenkbrauwen. Ik doe een paar passen achteruit en doe mijn handen achter mijn rug.

'Ik vind het niet erg als je gaat lopen,' zeg ik. 'Ik liep toch ook. Hardlopen is moeilijk. Zelfs Coach Don zegt dat het moeilijk is.'

'Laat me toch met rust,' zegt Bryan, zijn stem is laag en zacht.

'Waarom ben je nou boos?' zeg ik. 'Ik deed toch niets.'

Bryan draait zijn rug naar me toe en gaat met zijn handen in zijn zij staan.

'Ik probeer alleen maar aardig tegen je te zijn,' zeg ik.

Bryan draait zich half om, kijkt me aan en dan langs me heen, en ik haat het wanneer hij dat doet, omdat het me het gevoel geeft dat ik lucht voor hem ben.

Coach Don blaast op zijn fluitje en het snerpende geluid galmt na in mijn hoofd en dringt door tot in mijn botten. Bryan rent de heuvel af, met zijn armen pompende bewegingen makend, en de andere heuvel op en als hij boven is aangekomen moet hij zich bukken om weer op adem te komen.

Als de training is afgelopen, komen de Blue Angels nog eenmaal in het midden van het park bij elkaar. Coach Don zegt dan dat het een goede dag is geweest en dat iedereen zich voor honderd procent heeft ingezet.

Ik lig in het gras en strek mijn benen.

Deb staat bij de auto te wachten met een bruine papieren zak in haar hand. Ik weet dat er vijf appels in die zak zitten en dat ze iedereen een appel zal geven om onderweg naar huis op te eten. Ik weet dat Deb de hele weg naar huis zal praten en dat ze zal zeggen dat Ronny gewoon een natuurtalent is, dat Kenny rent als een gazelle en dat Christopher rent zoals een hardloper zou moeten rennen. Daarna zal Deb zeggen dat ik een luie renner ben omdat ik als laatste ben binnengekomen en dat Bryan ook een luie renner is omdat hij bijna als laatste is binnengekomen. Deb zal zeggen dat als een van ons slecht presteert dit een blaam werpt op de prestaties van de anderen, dat een ketting zo sterk is als de zwakste schakel in die ketting en dat je gewoon beter je best moet doen als je ergens van nature geen talent voor hebt.

Het is moeilijk om Deb aardig te vinden als ze zo praat en ik wou dat ik papa kon vragen wat ik daaraan kan doen. Alleen zie ik papa haast nooit meer. Hij heeft nu een eigen bedrijf en zegt dat je dag en nacht moet werken als je een eigen bedrijf hebt. Papa zegt dat Deb het sowieso voor het zeggen heeft en dat wat Deb zegt gebeurt.

De wind waait door het Mile Square Park en ik ben door en door koud. Ik kijk naar mijn voet, het zilveren sleuteltje schijnt in mijn gezicht. Ik schuif mijn voet heen en weer, zodat het zilveren schijnsel over mijn gezicht glijdt.

'De Blue Angels zijn nummer een,' zegt Coach Don. 'Heb ik gelijk of niet?'

Iedereen roept: 'Ja,' en het geluid van onze stemmen verwaait in de wind.

Deb snijdt wortels, broccoli, aardappelen, alle mogelijke soorten groenten, in stukjes. Christopher zet water op in een grote zilverkleurige pan. Mijn taak is om het brood in plakken te snijden, er margarine op te smeren en ze in de oven te leggen. Het is Kenny of Ronny's beurt om de tafel te dekken, dat kan ik nooit bijhouden, en bovendien zitten ze nu met z'n tweeën op de grond. Ronny heeft haar benen gespreid en probeert een spagaat te maken.

'Ben ik al bijna op de grond?' zegt Ronny.

'Bijna,' zegt Kenny.

'Duw me dan even naar beneden,' zegt Ronny.

Kenny gaat op haar knieën zitten en legt haar handen op Ronny's schouders.

Deb houdt het mes omhoog, het zilverkleurige lemet hangt boven de snijplank.

'Niet duwen, Kendall, dat is slecht voor haar benen,' zegt Deb.

Kenny haalt haar schouders op en trekt haar handen terug. Ronny probeert zichzelf nog één keer op de grond te duwen, met ingehouden adem en een vuurrood sproetengezicht.

'Jenny,' zegt Deb, 'eerst je handen wassen voordat je eten aanraakt.'

Deb zwaait met haar mes in mijn richting en ik stroop de mouwen van mijn blouse op en was mijn handen onder de kraan.

Ronny gaat rechtop zitten en trekt haar knieën op. 'En toch zal het me lukken,' zegt Ronny. 'Ik wil gewoon een spagaat kunnen maken.'

'Laat mij het eens proberen,' zegt Kenny.

'Jullie zijn hardlopers,' zegt Christopher, 'jullie hoeven helemaal geen spagaat te kunnen maken.'

Kenny spreidt haar benen, zet haar handen op de grond om in evenwicht te blijven en probeert een spagaat te maken.

'Ben ik er al bijna?' zegt Kenny.

'Coach Don zegt dat het belangrijk is om lenig te blijven,' zegt Ronny.

'Coach Don heeft gelijk,' zegt Deb.

Deb doet haar groenten in een schaal en schuift de snijplank en het mes naar mij toe. Ik haal het brood uit de zak en het is zo'n lang brood dat je op alle mogelijke manieren zou kunnen snijden. Ik leg het brood op de snijplank.

'De snijplank eerst schoonmaken voordat je hem gebruikt,' zegt Deb. 'Waar heb jij in godsnaam leren koken?'

Het is stil geworden in de keuken, zo'n stilte waarbij iedereen naar je kijkt en jij wou dat er maar iets gebeurde zodat het niet meer zo stil was.

Ik pers mijn lippen op elkaar en bijt hard op de binnenkant. Ik maak met een vochtige doek de snijplank schoon en droog hem af met een vel keukenpapier.

Christopher maakt een zak macaroni open en gooit de inhoud in het kokende water, de damp slaat in zijn gezicht.

Deb wast haar handen onder de kraan en ik voel dat ze naar me kijkt, naar het mes in mijn hand en naar het brood op de snijplank.

'Die plakken zijn te dik,' zegt Deb.

Ik kijk naar het brood, naar Deb en dan weer naar het brood.

'Ga maar door,' zegt Deb, 'maar je moet het wel goed doen natuurlijk.'

Deb draait de kraan dicht en droogt haar handen af aan een schoteldoek.

'Hoe dik moeten ze dan worden?' zeg ik.

Deb kijkt naar het plafond, ik kijk ook naar het plafond.

'Christopher,' zegt Deb, 'doe jij het maar.'

Chistophers gezicht is rood en nat van de damp, zijn blonde krullen zitten tegen zijn voorhoofd geplakt en hij kijkt Deb boos aan. Hij steekt zijn hand uit om het mes van me over te nemen, maar ik doe een stap achteruit zodat hij er niet bij kan.

'Ik kan het wel,' zeg ik. 'Zeg maar hoe dik ze moeten worden.'

'Nee, laat maar,' zegt Deb, 'Christopher doet het wel.'

Deb pakt een pan uit de kast, zet hem op het fornuis en giet er olie in alsof ik helemaal niet in de keuken ben.

'Kijk even,' zegt Kenny vanaf de vloer, 'ben ik er al bijna?'

'Scheelt niet veel meer,' zegt Deb.

Christopher kijkt naar mij en ik kijk naar Christopher en ik weet niet wat ik moet doen. Christopher is anders dan Deb en de tweeling. Bryan zegt dat hij een moederskindje is, maar volgens mij is dat niet zo. Hij is gewoon heel rustig en bedachtzaam, alsof hij er is maar ook weer niet. Ik vind dat wel leuk aan Christopher.

Hij steekt zijn hand weer uit en ik geef hem het mes, met het handvat naar hem toe.

'Waarom ga je de tafel niet dekken?' fluistert hij.

'Het is Kenny of Ronny's beurt,' zeg ik.

Kenny geeft haar pogingen om een spagaat te maken op.

'Niet waar,' zegt Kenny.

'Niet waar,' zegt Ronny.

Ik ga rechtop staan, trek mijn schouders naar achteren en kijk de tweeling recht aan.

'Wel waar,' zeg ik.

Deb draait aan de knop van het fornuis, wrijft met haar handen over haar magere heupen, gaat voor me staan en kijkt me strak aan.

'Ik vind je gedrag onaanvaardbaar,' zegt Deb.

'Mijn gedrag?' zeg ik.

'Ik zal het er met je vader over hebben dat je niet mee wilt werken,' zegt Deb, 'dat aanspraak maken op allerlei dingen begint zo langzamerhand vreemde vormen aan te nemen.'

'Aanspraak maken?' zeg ik.

Kenny en Ronny zitten op precies dezelfde manier, knieën opgetrokken, armen eromheen geslagen, en Ronny kijkt alsof ze elk moment in lachen zal uitbarsten.

Christopher zucht diep, pakt de margarine uit de koelkast en begint het brood te smeren. Deb heeft haar etalagepop-pose aangenomen, een voet voor, een voet achter, de vingers gespreid op de heupen. Ze kijkt me aan, alsof het nu mijn beurt is om iets te zeggen of te doen, en wacht.

'Goed,' zeg ik, 'dan dek ik de tafel wel.'

Deb doet haar hoofd achterover.

'Nee,' zegt Deb, 'jij gaat naar je kamer en je gaat nadenken over hoe het komt dat je niet mee wilt werken.'

'Maar...' zeg ik.

'Nu,' zegt Deb.

Deb praat nooit tegen haar kinderen zoals ze tegen mij praat, stuurt ze nooit naar hun kamer, zegt nooit dat ze dingen verkeerd doen. Het is zij en ik: zij horen erbij en ik sta er buiten, hoe erg ik ook mijn best doe om er bij te horen, zo is het nu eenmaal.

Ik loop de gang in en doe de deur van mijn slaapkamer open. Deb, Christopher, Kenny en Ronny zijn alweer aan het praten, hun stemmen gaan in elkaar over. De deur van Bryans kamer even verderop in de gang is gesloten, erachter klinkt het gedempte geluid van muziek, en ik weet dat hij daar is, zoals altijd.

Ik sta in mijn kamer, de deur halfopen, halfgesloten. Ik kijk heel lang naar de deur, kijk alleen maar, en sla hem dan zo hard dicht dat mijn hand en mijn arm er pijn van doen.

Het is doodstil in de kamer en ik verroer me niet, de pijn van het dichtslaan van de deur trekt door mijn arm en mijn lichaam heen.

'Dat kost je je avondeten,' roept Deb.

Debs stem zit onder mijn huid en kruipt langs mijn nek omhoog, Debs stem klinkt als een vingernagel die over een schoolbord getrokken wordt.

Ik steek mijn hand op naar de deur, de middelvinger omhoog.

Krijg de klere, Deb.

Aan een maaltijd die door Deb bereid is, mis je niet zoveel, omdat ze alleen gezond voedsel klaarmaakt. Geen witte suiker, alleen honing. Geen wit brood, alleen volkoren. Geen kaas, geen zout, geen boter.

Ik schop mijn schoenen uit en ga op de grond zitten. Ik maak het zilveren sleuteltje los en smijt mijn schoen tegen de kastdeur.

In mijn roze kist ligt de Barbiekoffer, het schilderij van Keith en wat boeken. Ik zoek tussen het stapeltje boeken en trek *Sneeuwwitje en de Zeven Dwergen* met de zwarte kaft en koperkleurige letters ertussenuit.

Ik kijk naar de deur van mijn kamer, ik hier binnen, zij daar buiten.

Ik leun tegen het koele hout van de roze kist, zucht diep, sla het boek open en kijk naar de tekeningen, net als vroeger toen ik nog niet kon lezen.

De eerste tekening is van de koningin die bij het raam zit, de tweede tekening is van Sneeuwwitje die op blote voeten door het bos loopt en de derde tekening is van Sneeuwwitje terwijl ze aan het schoonmaken en aan het koken is voor de dwergen.

De vierde tekening is van het koninkrijk bij zonsondergang, het bos, de velden en de kastelen zijn in mist gehuld. Een wit pad loopt vanuit het bos naar het paleis en verdwijnt dan aan de horizon. In de hoek is nog een tekening, een van Sneeuwwitje die op de grond ligt alsof ze dood is terwijl een vrouw in een zwarte jurk van haar wegrent.

Sneeuwwitje houdt zich schuil in het huis van de dwergen, waar ze veilig maar ook weer niet echt veilig is, en dan vertelt de spiegel aan de boze stiefmoeder dat Sneeuwwitje nog leeft en toch echt de mooiste van het land is. De boze stiefmoeder kan dit niet uitstaan, kan Sneeuwwitje niet zichzelf laten zijn, kan haar niet met rust laten. Nee, de boze stiefmoeder probeert Sneeuwwitje te vermoorden door zich voor te doen als een vriendelijke boerenvrouw die vervolgens de veters van Sneeuwwitjes jurk zo strak aantrekt dat ze flauwvalt. De tekening vertelt het hele verhaal, het koninkrijk bij zonsondergang, de stiefmoeder vermomd als een vriendelijke boerenvrouw, Sneeuwwitje die buiten voor het huisje van de dwergen voor dood op de grond ligt.

Je bent nooit veilig, niet zolang jij iets bezit dat een ander wil hebben, ook al is dat iets geen voorwerp maar hoe jij je vanbinnen voelt, wie je bent.

Sneeuwwitje en de Zeven Dwergen is geen sprookje, het is een waar gebeurd verhaal en ik weet zeker dat degene die het geschreven heeft zelf een boze stiefmoeder had.

Mijn maag begint te knorren, lege maaggeluiden die diep van binnen komen en door de deur dringen etensgeuren en -geluiden de kamer binnen. Ik sla het boek dicht en hou het in mijn handen, het verhaal spookt nog door mijn hoofd.

De appel die ik na het hardlopen gekregen heb ligt op de toilettafel, de rode schil glanst. Ik ga staan, neem de appel in mijn hand en gooi hem een paar keer omhoog, voel het gewicht op mijn vingers.

Ik kijk weer naar de dichte deur, ik hier binnen, zij daar buiten.

Aan de andere kant van mijn kamer staat een metalen prullenbak die wit met goud geverfd is. Ik loop ernaartoe, hou de appel boven de prullenbak en laat hem los. Debs rode appel komt met een harde bons op de bodem terecht.

De Blue Angels is maar één team in een groep van andere teams.

Elke zaterdag vindt er een wedstrijd plaats tussen de Blue Angels en de andere teams.

Deze wedstrijden in het weekeinde gaan vooraf aan de afdelingswedstrijden. Afdelingswedstrijden gaan vooraf aan de nationale wedstrijden. En wie aan nationale wedstrijden meedoet, maakt kans in het Olympisch team opgenomen te worden.

Het kan mij niet schelen of ik een goeie hardloper word of niet. De zaterdagwedstrijden, de afdelingswedstrijden, de nationale wedstrijden en de Olympische Spelen kunnen me allemaal gestolen worden. Ik ren alleen omdat papa het wil. Ik ren zodat hij kan zien hoe erg ik mijn best doe om in een goed blaadje te komen bij Deb, hoe erg ik mijn best doe om erbij te horen.

Op deze zaterdagmorgen is papa al naar zijn werk als ik uit bed kom.

Ik ben helemaal alleen in mijn kamer, trek het tenue van de Blue Angels aan, borstel mijn haar en maak twee staarten.

Het tenue van de Blue Angels bestaat uit een blauwe korte broek en een blauw shirt met op de voorkant dwars over het midden een witte en roze streep. De streep ziet eruit als een Miss Amerika-sjerp en ik draag er altijd roze strikken bij in mijn haar in dezelfde kleur roze als de streep. Deb zegt dat het geen schoonheidswedstrijd is en dat ik me meer om het rennen dan om mijn haar moet bekommeren, maak ik negeer Debs woorden omdat ze toch geen gevoel voor stijl heeft.

Christopher, Kenny, Ronny, Bryan en ik hebben ons Blue Angels-tenue aan en Deb brengt ons met de auto naar Long Beach. De radio staat aan en Sly and the Family Stone zingen: '*It's a Family Affair*'. Bryan kijkt naar buiten en ik bijt op de nagel van mijn duim tot er geen nagel meer over is. Deb praat, zoals altijd, aan een stuk door. Wat ze zegt is echter alleen voor haar eigen kinderen bestemd, hoe geweldig ze zijn, hoe goed ze vandaag hun best zullen gaan doen en hoe trots ze op hen is.

Deb draait de parkeerplaats op en zet de grote bruine auto stil.

Aan de overkant van de parkeerplaats staat papa tegen *Red* aangeleund, met zijn armen over elkaar alsof hij al een hele tijd staat te wachten. Deb toetert en zwaait.

Bryan doet de autodeur open en ik klim over zijn benen heen.

'Hé,' zegt Bryan.

'Laat me er langs,' zeg ik.

'Rustig aan,' zegt Deb.

'Papa,' roep ik.

Op papa's bakkebaardengezicht verschijnt een glimlach en ik ren de parkeerplaats over. Papa bukt zich en slaat zijn armen om me heen en ik wou maar dat hij me optilde, zoals vroeger. Ik sla mijn armen om zijn nek en hij ruikt naar sigaretten, hoewel hij met roken zou stoppen omdat Deb zegt dat het slecht voor hem is. Papa geeft me een knuffel, eentje maar, en laat me los voordat ik hem loslaat. Papa recht zijn rug en tikt tegen een van mijn staarten aan.

'Mooie staarten,' zegt hij.

'Zelf gedaan,' zeg ik.

'Mooi,' zegt papa.

'Deb zegt dat het geen schoonheidswedstrijd is,' zeg ik, 'maar ik vind dat je staarten moet hebben als je gaat hardlopen.

'Zo is dat,' zegt papa, 'want dan waait je haar ook niet in je gezicht.'

'Nee,' zeg ik. 'En bovendien kun je zo de Miss Amerika-sjerp op mijn shirt beter zien.'

Deb gooit haar haar naar achteren en draait de deur van de auto op slot. Papa heeft zijn hoofd van me afgewend en kijkt nu naar de overkant van de parkeerplaats en ik weet dat hij niet meer luistert. Ik pak zijn broekriem en hou me eraan vast.

'Blijf je de hele dag?' zeg ik.

Papa loopt naar Deb en ik loop met hem mee.

'Ga je na de wedstijd mee naar huis?' zeg ik.

Deb legt haar handen om papa's gezicht en zoent hem op zijn mond en ik trek aan zijn achterzak.

'Wat zijn jullie laat,' zegt papa.

'We hebben ons verslapen vanmorgen,' zegt Deb.

'Papa?' zeg ik. 'Ga je na de wedstrijd mee naar huis?'

Papa kijkt me aan en Deb kijkt me aan. Deb slaakt een diepe zucht, doet haar armen over elkaar en slaat haar kattenogen ten hemel. Ik kijk ook omhoog maar zie alleen wolken.

'Wat, Juniper?' zegt papa.

'Vanavond?' zeg ik. 'Moet je vanavond ook werken?'

'Ja, ik moet werken,' zegt papa.

'Kom op, Jenny,' zegt Deb, 'iedereen is al bij Coach Don, het wordt tijd dat je aan de wedstrijd gaat denken.'

Deb steekt haar hand naar me uit, maar ik doe een pas achteruit en kruip weg achter papa, zodat hij nu tussen ons in staat.

'Zie je nu? Ik heb er mijn handen vol aan,' zegt Deb.

Papa begint te lachen, pakt mijn arm en trekt me naar voren zodat ik nu tussen hem en Deb in sta.

'Jenny,' zegt papa, 'ga met Deb mee.'

'Ik wil bij jou blijven,' zeg ik.

Deb doet haar armen weer over elkaar.

'Vergeet niet dat je zo moet rennen,' zegt papa. 'Ga maar vast je rekoefeningen doen. Ik kom er zo aan.'

Deb kijkt me aan en ik kijk Deb aan, en ik zou haar het liefst een schop tegen haar been willen geven, haar hard schoppen.

'Goed dan,' zeg ik, 'maar ik kan er wel alleen naartoe lopen.'

Papa laat mijn arm los en glimlacht naar me alsof alles nu weer in orde is.

'Zo ben je mijn grote meid weer,' zegt papa.

Deb heeft haar etalagepop-pose aangenomen en trekt een pruimenmondje zoals altijd wanneer ze kwaad is. Ik loop naar de andere Blue Angels, maar voel hoe ze me nakijkt. Zodra ik ver genoeg uit hun buurt ben, gaat Deb papa vast vertellen dat ik niet mee wil werken, dat ik het gezin ontwricht en dat daar nodig iets aan gedaan moet worden.

Ik haat Deb.

Wedstrijddag betekent: honderden kinderen en bijna evenveel ouders, coaches met stopwatches en fluitjes, ouders met stopwatches en fluitjes en officials met stopwatches en fluitjes. Ik haat al die fluitjes.

Kenny, Ronny en ik rennen in de groep van negen jaar en jonger. We worden de negen-min groep genoemd en we rennen over een afstand van een mijl. Christopher en Bryan rennen in andere klassen en over andere afstanden. De hele dag door vinden er wedstrijden plaats in diverse klassen tot alle kinderen aan de beurt zijn geweest en de medailles uitgereikt worden. Iedereen krijgt een medaille, ook als je als laatste binnenkomt. De eerste, tweede en derde plaats krijgen een medaille en een beker.

Ronny zegt dat verliezers medailles krijgen en winnaars bekers.

Ik heb een stel medailles, maar geen bekers.

Kenny en Ronny hebben ieder een stel medailles en een stel bekers, maar Ronny heeft de meeste.

Kenny, Ronny en ik staan achter de startstreep samen met alle anderen van de negen-min groep. Coach Don is er ook en hij vindt het belangrijk om elke Blue Angel voor de wedstrijd nog even apart toe te spreken, iets wat hij zelf een *peptalk* noemt.

'Al dat gezwoeg gaat nu zijn vruchten afwerpen,' zegt Coach Don tegen me. 'Heb ik gelijk of niet?'

'Ja,' zeg ik.

'Laat zien wat je kunt. Meer dan je best kun je niet doen,' zegt Coach Don. 'Heb ik gelijk of niet?'

'Ja,' zeg ik.

Coach Don geeft me een klopje op de schouder.

'Doe je rekoefeningen,' zegt Coach Don, 'en hou je trainingspak aan tot twee minuten voor de wedstrijd.'

'Oké,' zeg ik.

Coach Don geeft me nog een klopje op mijn schouder en knijpt er even in, loopt verder en blijft dan weer staan om Kenny en Ronny hun *peptalk* te geven.

Long Beach is bewolkte lucht, nat zand en een harde wind die een prikkend zoute lucht in je neusgaten waait. De zee maakt lawaai, als verkeer dat over de snelweg raast, en de golven hebben witte schuimkoppen en komen met veel gebulder naar beneden en trekken zich daarna weer terug.

Ik ga op mijn tenen staan en kijk over de hoofden van de andere kinderen heen of ik papa ook tussen alle coaches, ouders en hardlopers zie staan. Deb staat langs de zijlijn, Christopher staat naast haar. Papa is nog op de parkeerplaats met Bryan, hij heeft zijn arm om Bryans schouder geslagen en ik vraag me af waar ze het over hebben.

Ik buk me, strek mijn benen zoals me geleerd is en probeer aan de wedstrijd te denken. Ergens hoop ik dat papa mijn wedstrijd zal missen omdat ik nu al weet dat ik toch niet zal winnen. Ronny is de snelste en wint altijd en Kenny komt altijd vlak achter haar aan.

'Nog twee minuten,' roept de wedstrijdleider.

Papa praat nog steeds met Bryan en ik trek mijn trainingspak uit. Ik leg hem over mijn armen, mijn benen zijn bloot, mijn armen zijn bloot, de koude wind strijkt langs mijn huid. Deb loopt naar de startstreep en neemt het trainingspak van me aan.

'Ben je er klaar voor?' zegt Deb.

'Ik geloof het wel,' zeg ik.

Deb gooit haar haar naar achteren en trekt haar wenkbrauwen op alsof ze vindt dat het wel wat fanatieker had mogen klinken, en ik bijt op mijn lip. Deb neem Kenny en Ronny's trainingspak ook aan en geeft ze samen één dikke knuffel.

Mijn maag draait, zoals altijd voor een wedstrijd, en ik sla mijn armen om mijn buik. Coach Don zegt dat dat betekent dat je vlinders in je buik hebt en dat dat heel normaal is, maar bij mij voelt het eerder alsof ik moet overgeven.

'Nog één minuut,' roept de wedstrijdleider.

Papa en Bryan zijn niet meer op de parkeerplaats en mijn ogen dwalen langs alle gezichten, iets sneller langs die van vreemden. Papa staat langs de zijlijn en heeft zijn arm om Debs schouder geslagen, zijn vingers zitten verstrikt in haar lange haar. Als ze zo naast elkaar staan, lijkt papa lang en Deb klein. Papa wil gaan zwaaien, maar Deb fluistert iets in zijn oor en hij laat zijn arm zakken en luistert naar haar.

'Op uw plaatsen,' roept de wedstrijdleider.

De wedstrijdleider heeft een pistool in zijn hand en steekt hem in de lucht. Ik kijk naar beneden, de handen op de knieën, de ogen op het natte zand gericht.

'Klaar?' roept de wedstrijdleider.

Ik kijk opzij de rij kinderen af en kijk naar papa en Deb, ze is hem aan het zoenen. Ik kijk weer naar beneden en adem diep in door mijn neus.

Het startpistool gaat af en opeens begint iedereen zo hard als hij kan te rennen. Ik begin ook te rennen en het enige wat ik voel zijn mijn armen en benen en de adem die in en uit mijn lichaam gaat.

Er rennen maar een paar kinderen tussen Kenny en Ronny en mij in en een zoute, prikkende lucht waait in mijn ogen. Ronny rent als eerste om de vlag heen, daarna Kenny. De andere kinderen rennen om de vlag heen en daarna ik.

Coach Don zegt dat je door je neus moet in- en uitademen, dat iedere ademhaling drie passen is. Ik haal adem, een, twee, drie, en maak pompende bewegingen met mijn armen. Een meisje rent me voorbij en daarna nog een en ik doe mijn hoofd naar beneden en pomp nog harder met mijn armen.

In de verte hoor ik mensen schreeuwen en klappen en als ik mijn hoofd omhoogdoe, zie ik de coaches en ouders met hun armen zwaaien. Ronny rent ver voor me uit en passeert als eerste de eindstreep. Na Ronny passeert Kenny de eindstreep.

Ik doe mijn hoofd weer naar beneden, maak pompende bewegingen met mijn armen en ren zo hard als ik kan, en als ik de eindstreep passeer, zie ik Deb de tweeling al zoenen en knuffelen.

Het mooiste van hardlopen is tot stilstand komen en ik zet mijn handen in mijn zij, doe mijn hoofd achterover en mijn mond open alsof de lucht dan zo mijn lichaam zal binnen vallen.

'Goed zo,' zegt papa, 'goed gedaan.'

Papa's hand drukt veel te zwaar op mijn schouder, ik buk me en zet mijn handen op mijn knieën.

'Volgens mij was dat je beste wedstrijd tot nu toe,' zegt papa. 'Vooral op het eind trok je goed bij.'

De andere hardlopers passeren de eindstreep, de een na de ander, en één meisje moet meteen overgeven. Haar vader tilt haar op en draagt haar van het strand af.

Ronny krijgt de beker voor de eerste plaats, Kenny die voor de tweede en ze lopen er beiden triomfantelijk mee in het rond zodat iedereen het goed kan zien.

Mijn medaille is bronskleurig, ovaal van vorm en er zit een roodwit lintje aan. Op de ene kant staat AAU voor *Amateur Athletic Union* en op de andere kant staat 'zesde plaats, Groep Negen Jaar en Jonger' gegraveerd. Er zit een veiligheidsspeld aan het lintje zodat je hem op je jas kunt spelden, zoals ze ook bij militairen doen.

'Geweldig, hoor,' zegt papa. 'De zesde plaats.'

Ik hou de medaille naar hem omhoog en papa pakt hem uit mijn hand en weegt hem op zijn handpalm.

'Je mag hem wel houden,' zeg ik. 'Voor op kantoor. Dan kun je tijdens je werk nog eens aan me denken.'

Papa vouwt zijn vingers naar binnen, over de medaille heen.

'Ik denk altijd aan je, Juniper,' zegt hij.

Ik kijk hem aan, kijk hem echt aan, mijn ogen op zijn ogen gericht, en dan valt er een stilte tussen ons. Papa doet zijn hoofd schuin alsof hij nadenkt en knikt dan. Hij laat de medaille in zijn jaszak glijden en legt zijn hand op mijn schouder.

'Dank je wel,' zegt papa.

'Graag gedaan,' zeg ik.

Het is Deb die me vertelt van de zakenreis naar Catalina Island. Het is Deb die me vertelt dat papa van alle kinderen alleen mij mee wil nemen daarnaartoe.

'Mij?' zeg ik.

Ik zit op de stoep voor het huis in Fountain Valley, de late middagzon schijnt warm op mijn benen en armen. Deb staat op het tegelpad, haar schaduw lang en dun.

'Blijkbaar,' zegt Deb.

'Waarom vraagt hij me dat niet zelf?' zeg ik.

Deb verplaatst haar gewicht van haar ene naar haar andere been en kijkt naar de lucht.

'Hij heeft het te druk met zijn werk,' zegt Deb.

'Waarom heeft hij Bryan niet gevraagd?' zeg ik.

'Hij wil zeker graag dat jij meegaat,' zegt Deb. 'Waarom stel je altijd zoveel vragen?'

'Ik stel niet veel vragen,' zeg ik. 'Ik probeer het alleen te begrijpen. Dat is alles.'

Deb doet haar handen opzij en haalt haar schouders op tot aan haar oren.

'Nou, heb je zin om mee te gaan of niet?' zegt Deb.

'Als ik het goed begrijp,' zeg ik, 'gaat hij dus met een klant een zeiltocht maken en wil hij mij meenemen.'

'Heel goed, Jenny,' zegt Deb.

Debs stem klinkt niet aardig en ik weet dat ze me maar een dom kind vindt.

'Je moet er ook weer niet te moeilijk over doen,' zegt Deb. 'Als jij niet mee wilt, neemt hij gewoon een van de andere kinderen mee.'

De zon staat laag achter Debs hoofd, haar haar heeft een donkere, roodbruine kleur gekregen en als ik haar aan wil kijken, moet ik mijn hand boven mijn ogen doen.

'Waarom ga jij niet mee?' zeg ik.

Deb zwijgt en perst haar lippen op elkaar tot een dun lijntje en ik weet dat ze niets meer zal zeggen. Papa heeft weinig tijd voor ons en ik weet dat zij hem ook wel wat vaker zou willen zien.

'Nou?' zegt Deb. 'Wil je mee of niet?'

Aan Debs gezicht kan ik zien dat ze meteen een antwoord wil horen. Ik hou niet van zeilen en van de zee nog veel minder. Dat weet papa ook wel. Maar hij heeft speciaal om mij gevraagd en dan kun je moeilijk nee zeggen, want dan vraagt hij me misschien nooit weer.

Ik kijk naar Deb, de hand boven mijn ogen.

'Ja, ik ga mee,' zeg ik.

Op de dag van de zeiltocht is het zo bewolkt dat het ieder moment kan gaan regenen. Papa zegt dat het moeilijk zeilen zal worden en mijn maag draait zich al bij de gedachte aan al die woeste golven. Papa zegt dat ik een waterdichte jas mee moet nemen en ik haal een gele regenjas uit de kast. We vertrekken heel vroeg, iedereen in huis is nog in diepe slaap.

Papa is stil als we in *Red* zitten en ik ben ook stil. Dit is wat ik wou, alleen zijn met papa, maar nu ik alleen met hem ben, is alles anders tussen ons, alsof we vreemden voor elkaar zijn of zo. Hij ziet er ook anders uit, er zitten meer lijntjes bij zijn ogen, lijntjes van vermoeidheid, maar het kunnen ook gewoon rimpels zijn.

Papa ziet hoe ik naar hem kijk en begint te glimlachen.

'Wat is er?' zegt papa.

'Niets,' zeg ik.

'Vind je het spannend?' zegt hij.

'Spannend?' zeg ik.

'Om te gaan zeilen,' zegt papa. 'Om op een grote zeilboot te zitten. Om naar Catalina te gaan.'

'Tuurlijk,' zeg ik.

Papa kijkt door de voorruit, de ogen op de weg gericht, en rijdt de snelweg op. Het is weer stil geworden in *Red*, alleen het geluid van de motor is te horen, en papa steekt zijn hand uit en legt hem op mijn knie.

'Ik ben blij dat je met me mee wilde,' zegt hij.

'Echt waar?' zeg ik.

'Zeker weten,' zegt papa. 'Het lijkt wel of ik je nooit meer zie.'

Ik pers mijn lippen op elkaar, mijn keel is dichtgesnoerd. Ik wil tegen hem zeggen dat ik ook het gevoel heb dat ik hem nooit meer zie, maar er komt niets, ik hou me stil en kijk uit het raam. Papa neemt zijn hand van mijn knie en schraapt zijn keel.

'Die meneer die met ons meegaat, is een heel belangrijke cliënt,' zegt papa, 'ik zal dus veel met hem moeten praten.'

Papa's gezicht staat ernstig zoals altijd wanneer hij over zaken en geld praat.

'Wat ik wil zeggen, is,' zegt papa, 'dat ik hoop dat je je aan boord voorbeeldig zult gedragen.'

Papa kijkt naar me en dan weer voor zich op de weg.

'Kan je dat wel?' zegt papa.

Bijna negen ben ik nu en papa praat nog steeds tegen me alsof ik een baby ben. Ik ga rechtop zitten, schouders naar achteren, kin ingetrokken.

'Natuurlijk kan ik dat,' zeg ik.

Papa kijkt weer naar me en glimlacht.

'Zo ken ik je weer,' zegt papa.

Het is stil in de haven, de zeilboten liggen langs de kade afgemeerd. De hemel is een grijs wolkendek en de lucht is ziltig koel.

De belangrijke cliënt is een heel gewone man die naar me kijkt zoals volwassenen altijd naar kinderen kijken, alsof je er helemaal niet bent. Papa stelt me aan hem voor en de belangrijke cliënt knikt. Papa en de belangrijke cliënt lopen voor me uit en praten in grote mensentaal over boten, zeilen en het weer.

De boot van de belangrijke cliënt is een grote, luxe zeilboot met een heleboel masten en een kajuit van mooi, rood hout.

'Allemachtig,' zegt papa. 'Wat een boot.'

'Niet gek, hè?' zegt de belangrijke cliënt.

'Prachtig,' zegt papa en zijn stem klinkt anders dan anders.

Papa kijkt zoals iemand die iets wil hebben dat hij niet kan krijgen, een open, begerige blik die ik nooit eerder in zijn ogen heb gezien.

'Laten we er maar eens mee gaan varen,' zegt de belangrijke cliënt.

Ik leg mijn hand in papa's hand, mijn vingers tegen zijn vingers, en hij kijkt naar me alsof hij verbaasd is dat ik er ben. Hij glimlacht, pakt mijn hand en helpt me aan boord van de grote, luxe boot te komen.

De zeilboot is zo groot dat als jij aan de ene kant gaat staan en iemand anders aan de andere kant, je die persoon niet eens kunt zien. De kajuit zit in het midden van de boot, er zit een keuken in en een tafel met banken aan weerszijden. De belangrijke cliënt zegt dat ik wel wat frisdrank uit de koelkast mag pakken als ik daar zin in heb en ik loop naar de keuken. In de koelkast staan flesjes bier en flessen champagne, en er liggen luxe kazen verpakt in gekleurd papier. De flessen frisdrank staan in de deur en ik neem er een uit.

Ik hoor de belangrijke cliënt praten over hoe duur zijn boot was, dat hij er overal mee naartoe zeilt, maar volgend jaar een nog grotere boot gaat kopen. Papa knikt alof hij luistert, maar zijn ogen zijn op het water gericht, kijken ver uit over zee. De wind waait zijn bruine haar uit zijn gezicht en hij is anders dan anders, hij heeft iets droevigs en kalms over zich gekregen, alsof hij er is maar ook weer niet.

Ik loop naar de voorkant van de boot, ga op de kussens zitten en kijk net als papa over zee uit. De zeilboot glijdt snel door het water en ik voel hoe hij telkens omhoogkomt en dan naar voren glijdt.

Het grijze wolkendek breekt open en de zon schijnt op het water. Papa kijkt naar me alsof hij iets teruggevonden heeft dat hij heel lang kwijt was.

Ik glimlach naar papa en hij kijkt weer over zee uit.

Mama zegt dat als iets je te pakken krijgt, je daar niets aan kunt doen, en zoals papa nu kijkt, weet ik dat dit zijn 'iets' is. Wind, water, snelheid en gevaar. Met een boot varen is zoiets als macht hebben, ook al is dat niet echt zo.

Papa wijst naar de wind, één vinger uitgestoken, en ik kijk die richting op. Ver weg, ergens midden op de oceaan ligt een stuk land dat er groen en bruin uitziet.

'Zie je het?' zegt papa. 'Zie je het eiland?'

Ik knik en papa laat zijn arm zakken en legt zijn hand weer op de reling van de boot.

Papa en ik zitten in een vliegtuig en ik mag van hem bij het raampje zitten zodat ik de zee kan zien waar we zojuist overheen gezeild hebben. Papa zegt dat de belangrijke cliënt nog verder zeilt en dat we daarom met het vliegtuig naar Los Angeles teruggaan. Vanuit het raampje zie ik de woelige zee, de regenwolken en Catalina Island. Het vliegtuig stijgt en stijgt en dan zijn de wolken onder ons en schijnt buiten de zon aan een blauwe hemel.

We houden elkaars hand vast, mijn vingers in zijn vingers, en zijn hand is warm en krachtig en perfect. Papa's gezicht is vlak bij mijn gezicht als hij uit het raam kijkt, zijn kaneelbruine ogen gericht op wat zich buiten afspeelt. Hij ruikt naar wind en zout, en ik knijp in zijn vingers, waar ik begin en hij ophoudt gaat in elkaar over.

Ik hou nu meer van papa dan ik ooit van hem gehouden heb, en dat houden-van-gevoel is fijn en eng tegelijk en maakt me duizelig. Zou dit het gevoel zijn dat je krijgt wanneer je de man van je dromen ontmoet? Zou Deb hetzelfde gevoel voor papa hebben, zou mama dit gevoel voor hem gehad hebben?

Papa gaat weer recht in zijn stoel zitten, zijn hand nog steeds in mijn hand, en legt zijn hoofd tegen de rugleuning.

'Wat een dag,' zegt papa. 'Wat een avontuur.'

Hij doet zijn hoofd opzij en kijkt me met zijn kaneelbruine ogen aan.

'Jenny?' zegt papa. 'Vond je het leuk?'

Ik pers mijn lippen op elkaar en kijk naar onze ineengevouwen handen. Ik krijg pijn op mijn borst van het houden-van-gevoel en kan de woorden niet vinden. Ik knik en kijk door het vliegtuigraampje naar buiten, naar de zon, de wolken en de oneindig blauwe hemel.

Hoofdstuk twaalf

Op de dag dat ik negen word, maakt papa me wakker door telkens 'gefeliciteerd' in mijn oor te fluisteren. Zo wakker gemaakt te worden, is het mooiste wat er is, papa vlak bij me en zijn stem in mijn oor.

Ik wrijf de slaap uit mijn ogen en ga rechtop in bed zitten. Papa leunt achterover, mijn matras zakt door onder zijn gewicht. Alle verhalen van mijn leven, vanaf de dag dat ik geboren ben, zijn van zijn kaneelbruine ogen af te lezen, en hij glimlacht alsof hij ze zich stuk voor stuk herinnert.

'Negen jaar,' zegt papa, 'negen jaar!'

'Negen!' zeg ik.

Papa begint te lachen en schudt zijn hoofd.

'Ik kan het gewoon niet geloven,' zegt papa.

Vanuit de keuken hoor ik allerlei geluiden komen en ik weet dat Deb het ontbijt aan het klaarmaken is.

'En,' zegt papa, 'heb je dit jaar nog iets speciaals op je verlanglijstje staan?'

'Het geeft niet wat?' zeg ik.

'Ja,' zegt papa, 'zolang het maar niet de spuigaten uit loopt.'

Ik raak met mijn vingers papa's bakkebaarden aan, ze prikken, alsof ze van stukjes ijzerdraad gemaakt zijn.

'Scheren,' zeg ik zacht.

Papa knippert met zijn ogen en de glimlach is van zijn gezicht verdwenen.

'Scheren?' zegt papa.

'Ik mocht toch kiezen,' zeg ik.

'Ja, dat is waar,' zegt papa, 'maar ik dacht dat je om speelgoed of een boek of iets dergelijks zou vragen.'

Ik wil tegen papa zeggen dat speelgoed en boeken maar dingen zijn en dat ik niets geef om geld en dingen. Ik bijt op mijn onderlip.

Papa houdt zijn hoofd schuin, kijkt me heel lang aan en wrijft dan met zijn hand over zijn bakkebaarden.

'De snor ook?' zegt papa.

'De snor misschien maar niet,' zeg ik.

Papa begint te lachen, een diepe lach, met zijn hoofd achterover, het knobbeltje in zijn keel gaat op en neer. Hij zegt dat hij nu naar zijn werk moet, maar dat hij erover na zal denken.

Wanneer je jarig bent, hoort iedereen extra aardig tegen je te zijn en krijg je cadeautjes en ga je naar Disneyland. Dit jaar is het een dag zoals alle andere dagen, alleen Deb en Christopher feliciteren me aan het ontbijt. Bryan vergeet het helemaal en Kenny en Ronny doen net alsof ik lucht voor ze ben.

Papa en ik kunnen niet naar Disneyland, papa zegt dat hij niet weg kan omdat hij het te druk heeft, ik zie nergens cadeautjes liggen en mijn enige verjaardagswens heb ik verknald door papa te vragen zich te scheren. Mijn hele verjaardag verloopt vast als een doodnormale dag: Debs havermoutpap opeten, kleren aantrekken die niet bij elkaar passen en dan naar school.

Misschien hoort dat erbij als je ouder wordt. Misschien hoort dat erbij als je vader dag en nacht werkt omdat hij voor zijn veertigste miljonair wil zijn. Misschien gaan de dingen nu gewoon zo, is er geen speciale reden voor.

Als ik uit school kom, ben ik kwaad, zo'n kwaadheid waarbij je je hoofd gebogen houdt, je adem inhoudt en onder het lopen je voeten met een klap neerzet.

Ik stamp stamp het trottoir over, stamp stamp de oprit op en bots bijna tegen *Red* aan die daar geparkeerd staat. Papa komt nooit midden op de dag thuis, nooit en te nimmer, en ik geef een harde schop tegen de zwarte autoband.

In huis is het stil, te stil, alsof er niemand thuis is.

Ik sla de voordeur met een klap dicht en hou me heel stil, maar er gebeurt niets.

Als je zo kwaad bent als ik nu ben, kun je maar het beste naar je kamer gaan en de deur dichtdoen. Ik loop de woonkamer door en de gang in. De deur van mijn kamer is dicht en ik draai de knop om en duw hem open.

Mijn kamer is mijn kamer niet meer.

Mijn kamer is de kamer van iemand anders, er staan wit en goud geverfde meubels, er hangen roze gordijnen, er ligt een roze bedsprei over een hemelbed waar nog meer roze stof overheen hangt. Er staat een ladekastje met een spiegel, een bureau met een echte bureaustoel en twee boekenkasten waar mijn boeken al in staan.

Ik loop mijn kamer die mijn kamer niet is binnen en heb het gevoel dat er een gat in mijn maag zit waar de wind dwars doorheen waait. Alle kwaadheid is weg en een gevoel van schaamte is ervoor in de plaats gekomen.

'Hartelijk gefeliciteerd, Juniper,' zegt papa.

Papa staat in de deuropening en zijn gezicht is weer zoals vroeger, zonder bakkebaarden, zelfs de snor is verdwenen.

Ik kijk naar papa, naar zijn gezicht, en ik weet niet wat ik moet zeggen, wat ik moet doen.

Papa spreidt zijn armen.

'Verrassing,' zegt hij. 'Wat vind je ervan?'

Hoe zeg je 'dank je wel' terwijl je dacht dat iedereen het vergeten was en jij je de hele dag diep eenzaam hebt gevoeld. Hoe zeg je 'sorry dat ik huil', als je helemaal niet wilt huilen maar niet anders kunt. Wat kun je zeggen als je net het mooiste cadeau van de wereld hebt gekregen en hij de liefste vader van de wereld is?

Ik veeg de tranen weg en papa lacht, zegt dat ik een watje ben en geeft me dan zijn zakdoek en slaat zijn armen om me heen.

Papa laat me alles zien in mijn nieuwe kamer, het hemelbed, de drie verschillende kleuren roze in de bedsprei, dat er zes laden in het ladekastje zitten en vier in het bureau, en dat de bureaustoel is bekleed met goudkleurige stof.

Papa zegt dat hij alles zelf heeft uitgezocht, met een beetje hulp van Deb, en dat hij ook alles zelf in elkaar heeft gezet. Hij zegt dat het hem spijt dat we niet naar Disneyland konden, dat hij niet wist dat ik zijn bakkebaarden niet mooi vond, en dat hij het hoog tijd vond worden dat ik een slaapkamer kreeg die een prinses waardig was, omdat ik dat ben, zijn prinses.

Papa praat, zijn diepe, warme stem klinkt door mijn hele lichaam heen. Ik kijk naar zijn gezicht zonder bakkebaarden en hij ziet er weer uit zoals vroeger, heel gewoon en tegelijk bloedmooi, alsof hij mij weer kent en ik hem weer ken, en het gevoel van eenzaamheid is verdwenen.

Papa ziet dat ik naar hem kijk en hij houdt zijn hoofd schuin.

'Waar kijk je naar?' zegt hij.

'Nergens naar,' zeg ik.

'Ben je er blij mee?' zegt papa.

'Ja,' zeg ik, 'heel blij.'

Kerstmis, Nieuwjaar, invullen van de belastingformulieren. Pasen, krokusvakantie, en dan breekt de laatste schooldag aan. Papa, Deb, Christopher, Kenny, Ronny, Bryan en ik lijken nu net een echt gezin, hoewel dat nare gevoel in me altijd op de loer is blijven liggen. En dat nare gevoel komt meestal naar boven als er ruzie wordt gemaakt, en in ons gezin wordt veel ruzie gemaakt.

Papa en Deb maken ruzie over geld, omdat zij het sneller uitgeeft dan hij het kan verdienen.

Bryan, Kenny en Ronny maken ruzie om de badkamer en de tv en naar welke programma's er gekeken wordt.

Christopher is de enige die nooit ruzie maakt, hij zit altijd in zijn kamer te lezen, of in de woonkamer of de keuken, of hij gaat naar buiten om daar te gaan zitten lezen. Ik vind dat leuk aan Christopher, zoals hij in zijn eigen wereldje van woorden leeft.

Ik lees ook veel. *Mary Poppins*, *Oz*, en alle boeken van Laura Ingalls Wilder. Met Kerstmis heb ik een cassetterecorder en een bandje van de West Side Story gekregen en nu zit ik soms de hele dag in mijn prinsessenkamer naar de muziek van de West Side Story te luisteren of in *Little House on the Prairie* te lezen.

Deb zegt dat ik me asociaal gedraag, maar wat Deb zegt kan me niet schelen, ik doe gewoon mijn deur dicht, druk de knop van de cassetterecorder in en opeens is er geen Deb meer.

Maar dan wordt alles anders als papa op een dag van zijn werk thuiskomt en zegt dat we gaan verhuizen.

Diezelfde dag nog gaan papa, Bryan en ik het nieuwe huis bekijken.

Deb en haar kinderen rijden in de grote bruine auto achter ons aan. Papa zegt dat het beter is zo, omdat Deb het dan op haar eigen manier uit kan leggen.

Papa zegt dat het nieuwe huis vlak aan de haven ligt, waar op een dag ook zijn eigen zeilboot zal liggen, gewoon aan de overkant van de straat, precies zoals hij zich dat in zijn dromen had voorgesteld.

'Te gek,' zegt Bryan.

Papa rijdt *Red* een wijk in met brede straten en grote huizen. Papa drukt zijn neus tegen de voorruit en noemt hardop de namen van de straten.

'We moeten Marina hebben,' zegt papa, 'Marina Drive.'

Papa rijdt langzaam, slaat rechtsaf en dan nog eens rechtsaf.

'Daar is het,' zegt Bryan, 'Marina.'

'Goed gezien,' zegt papa.

Papa slaat rechtsaf en daar is de kade, huizen aan de ene kant van de straat, zeilboten aan de overkant.

'Te gek,' zegt Bryan.

'Deze is het,' zegt papa en hij wijst naar een huis met het bord van een makelaar in de voortuin. Het huis heeft een onbestemde kleur, bruin vermengd met veel wit, lichtbeige en geelbruin. Er zitten een heleboel grote ramen in en het perfect onderhouden grasveld voor het huis loopt helemaal door tot aan het trottoir.

Papa draait de auto de oprit op en zet de motor af.

'Wauw,' zegt Bryan, 'wat groot.'

Papa knikt, kijkt naar Bryan en dan weer naar het huis.

'Inderdaad,' zegt papa. 'Het straalt wel iets uit, hè.'

'Straalt iets uit?' zeg ik.

Papa doet zijn bril af en wrijft over de plek waar het stangetje op zijn neus drukt.

'Status,' zegt papa, 'het laat zien hoe ver we het gebracht hebben in de wereld.'

Papa wrijft met zijn sweater de glazen schoon en zet de bril weer op zijn neus.

'Wie had dat ooit gedacht,' zegt papa. 'Nog geen veertig en nu al in zo'n kast van een huis wonen.'

Het is stil geworden in de auto en papa slaakt een diepe zucht. Dan klapt hij in zijn handen en doet de deur open.

'Zo, laten we maar eens binnen gaan kijken,' zegt papa.

De lucht buiten is vochtig en ruikt naar de zee. Papa, Bryan en ik lopen over het grasveld naar de achterkant van het huis. Papa heeft zijn handen in zijn zakken en speelt met zijn sleutels en kleingeld, zegt dat de huizenmarkt is ingezakt en dat hij precies op het juiste moment heeft toegehapt. Hij praat over huur-koopregelingen en variabele hypotheken en ik begrijp er geen woord van.

Het is rustig hier, geen kinderen, geen grote mensen, geen honden, geen auto's. Alle huizen zijn gelijk, groot met veel ramen, pas gemaaide grasvelden en bloemen en struiken in elke tuin.

Ik ga voor het huis op de stoep zitten, met mijn billen op het koude steen. Je kunt alles overzien vanaf hier, de boten, de andere huizen en de hele Marina Drive tot waar hij overgaat in een andere straat. Ik vind het leuk hier op de stoep en dat het zo lekker rustig is.

Het huis is heel anders dan het huis aan Mary Street, geen wilgen, geen wit hek om het grasveld, geen oneindig blauwe lucht en de Sierra Nevada Mountains met zijn besneeuwde toppen. Het is niet zoals thuis, maar wel mooi, bijna alsof je in zo'n huis woont uit een van die tijdschriften waar Deb zo graag in leest, alsof je in de *Architectural Digest* woont.

Papa en Bryan zijn aan de zijkant van het huis en verbreken met hun stemmen de stilte. Papa zegt dat het veel geld is, misschien meer dan hij zich kan veroorloven, maar dat hij dan wel wat harder gaat werken.

Hoofdstuk dertien

Vóór Deb waren we katholiek, maar het enige wat we deden toen we katholiek waren, was bidden voor het eten en voor het slapengaan.

Papa zegt dat katholiek zijn iets is voor mensen die het leuk vinden om allerlei vreemde rituelen bij te wonen, maar dat hij liever bij de Freedom Community Church zit omdat je daar door bezinning een beter leven voor jezelf kunt creëren.

Voordat je een volwaardig lid van de Freedom Community Church kunt worden, moet je eerst een test afleggen die door de leider van de Freedom Community Chruch bij je thuis wordt afgenomen. Zo gaan die dingen nu eenmaal.

Mijn test is eind november en Deb zegt dat als ik slaag, ik in 1973 tot de kerk kan worden toegelaten. Christopher, Kenny en Ronny zijn al lid en Bryan is net voor zijn test geslaagd. Mij kan het niet zoveel schelen of ik nu wel of niet lid word van de kerk, maar Deb windt zich er vreselijk over op, alsof zij de test moet doen in plaats van ik. Ze draagt een bruine broek met een beige truitje dat strak om haar magere heupen zit, ze heeft zich zelfs opgemaakt. Maar de make-up op Debs gezicht is helemaal verkeerd, ze ziet eruit als een clown.

Ik heb mijn schoolkleren aan, een paars met groene trui, een paarse rok en een witte maillot. Deb heeft nieuwe schoenen voor me gekocht, zwarte sandalen zonder veters. Het zilveren sleuteltje van de roze kist zit nu in de schoen, ik schuif mijn voet heen en weer, het sleuteltje zit onder mijn hak.

'Hou nou eens op met dat gedraai,' zegt Deb, 'ga rustig zitten.'

Ze gooit haar haar naar achteren en loopt de gang in, de hakken van haar schoenen klikklakken over de tegels bij de voordeur. Ze doet de deur open, kijkt naar buiten, en doet hem weer dicht.

'Blijf daar en ga je bezinnen,' zegt Deb.

'Dat heb ik al genoeg gedaan,' zeg ik.

Het huis aan Marine Drive heeft witte muren, hoge plafonds en grote ramen die uitkijken over de haven. Deb heeft het huis ingericht met leren banken, glazen tafels en lampen van zilverkleurig metaal, en het is meer iets geworden om naar te kijken dan in te wonen.

De deurbel gaat, een heleboel klokjes die een voor een beginnen te klingelen. Deb klikklakt de gang in en wappert met haar handen.

'Ga rechtop zitten,' zegt Deb. 'Nee, ga staan. Nee, kom hier.'

Op de bank, van de bank, ik loop een paar passen en Deb doet haar hand omhoog.

'Ho, niet verder,' zegt Deb, 'daar blijven staan.'

Deb slaakt een diepe zucht en draait als het laatste klokje geklingeld heeft de deurknop om.

'Meneer Gray? Welkom,' zegt Deb, 'ha, ha, ha, komt u toch verder, ha, ha, ha.'

De meneer van de kerk heeft een aktetas bij zich en draagt een donker pak. Deb doet de deur dicht en doet haar handen naar voren.

'Zal ik uw jas even aannemen?' zegt Deb.

De meneer van de kerk schudt zijn hoofd. Deb laat haar handen zakken en drukt ze tegen haar maag om zich een houding te geven.

'Staat alles klaar?' zegt meneer Gray.

'Natuurlijk,' zegt Deb, 'Jenny is hier. Zeg meneer Gray eens gedag, Jenny.'

'Dag, meneer Gray,' zeg ik.

'Dag,' zegt meneer Gray.

Het is stil in huis, stilte alom, en meneer Gray schraapt zijn keel.

'Eh, ja,' zegt Deb. 'Ik heb boven een speciale plek voor u ingericht.'

Deb, meneer Gray en ik lopen de trap op naar papa en Debs slaapkamer waar ik nog nooit eerder ben geweest. Tegen de muur staat een groot, modern bed, laag bij de grond en met aan weerszijden nachtkastjes die aan het bed vastzitten. Tegenover het bed is een hoog raam dat uitziet over de haven, de masten van de zeilboten deinen op en neer op het water. Tussen het bed en het raam staat een bureau met een glazen bureaublad. Er staan twee zwarte stoelen voor het bureau. Papa's stoel staat achter het bureau.

Deb blijft bij de deur staan en meneer Gray legt zijn aktetas op het bureau en klikt hem open.

'Wilt u misschien iets drinken?' zegt Deb. 'Koffie, thee, water?'

Meneer Gray schudt zijn hoofd en legt vellen papier klaar, een potlood, een pen, een klembord en een vierkant klokje. Meneer Gray kijkt op naar Deb alsof hij verbaasd is dat ze er nog steeds is.

'Wilt u er voor zorgen dat we niet gestoord worden,' zegt meneer Gray.

'Natuurlijk,' zegt Deb.

Ze trekt zich terug, haar gezicht rood aangelopen alsof ze zich ergens voor schaamt. De deur sluit zich geluidloos, alleen een zachte klik is te horen, en dan is Deb verdwenen. Meneer Gray knikt naar me en ik ga in een van de zwarte stoelen zitten, de zitting voelt koud aan door mijn maillot.

Meneer Gray gaat op papa's stoel zitten en schrijft iets op een vel papier in een handschrift dat ik niet kan ontcijferen.

Het is stil in de slaapkamer en mijn hoofd zit vol met informatie over de Freedom Community Church. Zoals: je op je leven bezinnen, tegenslagen overwinnen, je een beeld vormen van wat jouw bestemming in het leven is.

'De test van Jennifer Lauck gaat nu beginnen,' zegt meneer Gray.

Meneer Grays ogen zijn lichtblauw, witachtig blauw, maar zelfs als ik hem goed aankijk, is er niets in ze te zien.

'Ik ga je nu een aantal vragen stellen,' zegt meneer Gray. 'Geef meteen antwoord, zonder erover na te denken.'

'Naam?' zegt meneer Gray.

'U weet hoe ik heet,' zeg ik. 'U heeft net mijn naam genoemd.'

Meneer Gray schrijft iets op het vel papier.

'Leeftijd?' zegt meneer Gray.

'Negen, bijna tien. Over twee weken word ik tien.'

Meneer Gray houdt zijn pen omhoog en beweegt hem op en neer.

'Bondige antwoorden, graag,' zegt meneer Gray.

'Bondig?' zeg ik.

'Kort en krachtig,' zegt meneer Gray. 'Je bent dus negen, geen tien. Correct?'

'Ja, maar ik ben bijna tien,' zeg ik.

Meneer Gray kijkt me aan en knippert even met zijn ogen.

'Maar vandaag ben je negen,' zegt meneer Gray. 'Ja of nee?'

'Ja,' zeg ik, 'maar.'

'Geen gemaar,' zegt meneer Gray.

Meneer Gray schrijft op zijn vel papier.

Ik kijk uit het raam en de Marina Drive ligt er verlaten bij, alleen huizen en boten op het water. Er komt een rode auto de straat in rijden, de auto lijkt op *Red*, maar het kan *Red* niet zijn, want papa komt nooit midden op de dag thuis.

'Geboortedatum,' zegt meneer Gray.

'Wat?' zeg ik.

Meneer Gray schrijft op zijn vel papier.

De rode auto rijdt slingerend over de Marina Drive, van stoeprand naar stoeprand.

'Adres,' zegt meneer Gray.

Ik leun achterover in mijn stoel tot vlak bij het raam. Het is *Red* wel. Een stuurloze *Red*.

'Adres,' zegt meneer Gray.

Red draait met een wijde bocht half de oprit op en botst bijna tegen de brievenbus aan. De autodeur gaat open, papa stapt uit en valt meteen languit op het gras neer, alsof hij ergens over gestruikeld is.

Ik spring uit mijn stoel en druk mijn neus tegen het koele glas.

'Wil je alsjeblieft weer gaan zitten,' zegt meneer Gray.

'Papa,' schreeuw ik.

'Ga zitten, alsjeblieft,' zegt meneer Gray.

'Er is iets mis,' zeg ik.

Papa krabbelt overeind en loopt met zijn hand tegen zijn borst gedrukt naar de voordeur. *Red* staat half op de weg en half op de oprit geparkeerd, de lichten nog aan, de autodeur open.

Meneer Gray komt bij het raam staan en ik hoor zijn ademhaling.

Beneden hoor ik Deb schreeuwen en papa op zachte toon praten.

Ik duw me van het raam af en ren naar de deur.

Papa is al op de trap en houdt zijn arm alsof hij zich eraan bezeerd heeft, alsof hij gebroken is.

'Juniper,' zegt papa. 'Sorry dat ik je test verstoor.'

'Geeft niet,' zeg ik. 'Wat heb je?'

Papa loopt naar het bed, gaat erop zitten en laat zich achterover-
vallen. Hij ademt door zijn mond, alsof hij hard gerend heeft, alsof
hij geen lucht kan krijgen.

'Ik moet even bijkomen,' zegt papa.

Deb staat in de deuropening, de mond open, de hand tegen de
borst gedrukt.

'Wat moet ik doen?' roept Deb. 'Ik weet niet wat ik moet doen.'

Meneer Gray kijkt naar papa.

'Een dokter bellen,' zegt meneer Gray, 'de ambulance bellen.'

Meneer Gray doet zijn spullen terug in de aktetas en loopt de kamer uit, het geklikklak van zijn hakken op de trap is duidelijk te horen.

Deb kijkt naar papa, kijkt naar de deur waar meneer Gray zojuist
door naar buiten gelopen is en kijkt dan weer naar papa.

'Bud?' zegt Deb.

Als er iets mis is, echt mis is, dan voel ik dat het eerst aan mijn
huid.

Deb legt haar hand op papa's schouder en papa haalt diep en langzaam adem, de armen stijf om zich heen geslagen, de ogen gesloten.

'Bud?' roept Deb.

Een prikkend gevoel kruipt langs mijn nek omhoog, over mijn
hoofd en in mijn neusgaten, alsof ik een bloedneus krijg.

Deb pakt de hoorn van de telefoon die naast het bed staat en kijkt
me aan.

'Ga naar beneden,' zegt Deb.

'Papa?' zeg ik.

'Donder op, nu meteen,' schreeuwt Deb.

Op de deur van Bryans kamer hangt een bordje waarop staat: GA
WEG. Ik leg mijn oor tegen de deur, maar ik hoor niets.

Ik doe de deur open en kijk naar binnen. Bryan ligt op bed, de
ogen gesloten.

'Bryan?' zeg ik.

Bryan doet zijn ogen open en draait zijn hoofd opzij.

'Kun je niet kloppen?' zegt hij.

Met een voet al in de kamer en de andere nog op de gang, duw
ik de deur nog iets verder open.

'Er is iets mis,' zeg ik, 'met papa.'

Bryan schiet overeind, beide handen op het bed, voeten op de grond.

'Ik denk dat hij zijn arm gebroken heeft,' zeg ik.

Met beide handen hou ik de rand van de deur omklemd, zo stijf dat mijn vingers er pijn van doen.

'Zijn arm?' zegt hij.

'Ik weet het niet,' zeg ik. 'Ik weet het niet.'

Bryan kijkt me strak aan, kijkt dwars door me heen. Ik hou mijn arm net als papa tegen mijn borst aan. Ik beef over mijn hele lichaam, zoals je alleen doet wanneer je bang bent, echt bang bent, en ik heb het door en door koud.

'Niet huilen,' zegt Bryan.

Ik haal mijn neus op en veeg er met de rug van mijn hand onderlangs.

'Ik kan er niets aan doen,' zeg ik. 'Ik denk dat er iets ergs met hem aan de hand is. Iets heel ergs.'

Bryan loopt de kamer door, pakt de deur vast en doet hem helemaal open. Hij kijkt de gang in, naar links en naar rechts. Daarna kijkt hij weer naar mij en ik bijt op mijn bovenlip.

'Kom mee,' zegt Bryan.

Het is geen gebroken arm, maar een gebroken hart. Een hartaanval.

Christopher, Kenny, Ronny, Bryan en ik zitten om de keukentafel. Deb leunt tegen het aanrecht en haar stem is zacht en kalm, te zacht, te kalm.

'Het is nog te vroeg om er iets over te zeggen,' zegt Deb, 'alles wat voor hem gedaan kan worden, wordt gedaan.'

Bryan heeft zijn ellebogen op tafel gezet, zijn hoofd rust op zijn handen.

'Wat bedoel je daarmee?' zegt Bryan.

Deb slaakt een diepe zucht en gooit haar haar naar achteren.

'Precies wat ik zeg,' zegt Deb.

Bryan slaat met zijn hand op tafel.

'Maar je zegt helemaal niks,' zegt Bryan. 'Is hij bij bewustzijn? Komt hij gauw weer thuis?'

Christopher, Kenny en Ronny zitten naast elkaar aan tafel. Christopher kijkt naar Deb, de lippen op elkaar geperst. Ronny bijt op haar lippen en duwt ze naar buiten als een vissenbek. Kenny doet haar vingers heen en weer en kijkt hoe ze bewegen.

De klok aan de muur is er een zonder cijfers, alleen streepjes en twee wijzers die naar de streepjes wijzen. De wijzers staan op tien uur. Tien uur 's avonds op een gewone schooldag.

Deb doet haar armen opzij, de handpalmen naar boven.

'Ik herhaal gewoon wat de dokters tegen mij gezegd hebben,' zegt Deb.

'Wat doe je eigenlijk thuis?' zegt Bryan. 'Wat doen wij hier nog?' Hij gaat staan en zwaait met zijn hand in mijn richting.

'We horen in het ziekenhuis te zijn nu,' zegt Bryan. 'Stel dat hij bijkomt en er is helemaal niemand. We moeten naar hem toe.'

Deb ziet er verloren uit, haar gezicht is volkomen uitdrukkingsloos.

'Bryan,' zegt Deb, 'ik ben niet in het ziekenhuis omdat ik hier bij jullie wil zijn, zodat ik het jullie kan uitleggen. Wind je niet zo op. We moeten kalm blijven nu.'

'Kalm blijven?' schreeuwt Bryan. 'Hij is mijn vader.'

Deb steekt haar handen uit naar Bryan, de handpalmen naar boven.

'Toe, Bryan,' zegt Deb.

Bryan kijkt naar haar handen, schudt zijn hoofd en gaat naast me zitten.

Het is doodstil aan tafel. Zij en wij.

Deb zegt wat we gaan doen, zegt dat het beter voor ons is als alles bij het oude blijft. Gaan slapen nu, morgen gewoon naar school, huiswerk maken, hardlopen. Deb zegt dat die routine beter voor ons is.

Alles gaat zoals altijd, alleen is niets meer hetzelfde. Ontbijten, tanden poetsen, lopend naar school, lopend naar huis, alle presidenten van de Verenigde Staten uit je hoofd leren. Washington, Adams, Jefferson. Ik maak een lijstje, daarna nog een, en daarna nog een, maar na Jefferson wil me niets meer te binnen schieten.

Deb heeft macaroni met groente gemaakt en zet het, samen met een kan melk, op de oranje formicatafel. De maaltijd verloopt zoals altijd: Ronny klaagt dat ze geen macaroni met groente lust, Kenny zegt dat ze dol is op macaroni met groente en Christopher eet zonder iets te zeggen en heeft die afwezige blik weer in zijn donkerbruine ogen. Bryan eet niet, hij kijkt alleen maar naar zijn bord.

'Toe, Bryan,' zegt Deb. 'Je moet wat eten. Jij ook, Jenny.'

'Ik wil naar mijn vader toe,' zegt Bryan.

De klok wijst zes uur aan.

'Ik ook,' zeg ik.

Deb trekt haar stoel naar achteren, gaat zitten en buigt zich over de tafel heen naar voren.

Christopher, Kenny en Ronny kijken naar Deb.

Zij en wij.

'Het spijt me, Bryan,' zegt Deb, 'ze laten geen kinderen toe. De enige die oud genoeg is om naar binnen te mogen is Christopher.'

'Christopher?' zegt Bryan.

'Christopher?' zeg ik op hetzelfde moment.

Christopher gaat rechtop zitten alsof hij verbaasd is dat iemand zijn naam heeft genoemd.

'Wat?' zegt hij.

'Het ziekenhuis,' zegt Bryan. 'Jij bent de enige die naar binnen mag.'

'Ik?' zegt hij. 'Maar ik wil helemaal niet naar het ziekenhuis.'

'Ik ook niet,' zegt Ronny, 'ziekenhuizen zijn walgelijk.'

'Ja, echt walgelijk,' zegt Kenny.

'Wie zegt dan dat jij erheen moet?' zegt Bryan. 'We hebben het niet eens tegen jou.'

'Ophouden nu, allemaal,' zegt Deb. 'En bovendien, het ziekenhuis valt best mee, het is alleen een akelig gezicht om Bud met al die slangetjes in zijn neus en in zijn keel te zien liggen.'

'Walgelijk,' zeggen Kenny en Ronny tegelijk.

'Waarom houden jullie niet gewoon je kop?' zegt Bryan.

'Slangetjes?' zeg ik. 'Wat voor slangetjes?'

'Slangetjes die hem helpen ademen, Jenny,' zegt Deb. 'En daar is niets walgelijks aan, die slangetjes houden hem in leven.'

'Kan hij zelf niet ademen?' zeg ik.

'Nee, nee,' zegt Deb, 'hij kan wel ademen, maar een machine helpt hem daarbij.'

Deb gaat rechtop zitten, gooit haar lange, rode haar naar achteren en begint gemaakt te glimlachen.

'Maar het goede nieuws is,' zegt Deb, 'dat de Freedom Community Church zijn eigen genezers naar het ziekenhuis zal sturen.'

'Wat?' zegt Bryan.

'Dat kan nooit kwaad,' zegt Deb.

'Die lui van de kerk mogen wel bij mijn vader op bezoek komen en ik niet?' zegt Bryan. 'Nou, dat is helemaal geweldig.'

'De genezers van de Freedom Community Church hebben speciale gaven,' zegt Deb, 'ze kunnen Bud helpen om zich op zijn leven te bezinnen en... '

'Ach, hou toch op,' zegt Bryan. 'Ik kan die onzin niet langer aanhoren.'

Deb legt haar hand op haar hart, haar gezicht is volkomen uitdrukkingsloos.

'Pardon?' zegt Deb.

Bryan staat op van tafel en loopt weg, weg van Deb, weg van Debs kinderen en van mij. Hij slaat de deur van zijn slaapkamer met een knal achter zich dicht. Deb kijkt hem met grote ogen na, haar gezicht is rood aangelopen en het lijkt wel alsof iemand koud water in haar gezicht heeft gegooid, zo verbouwereerd kijkt ze.

'Ik heb geen honger,' zeg ik. 'Mag ik ook van tafel?'

Deb perst haar lippen op elkaar tot een dun lijntje.

'Best,' zegt Deb.

Papa is nu twee dagen en twee nachten weg en er klopt niets meer. Ik zit in de klas, eet tussen de middag mijn boterhammen op en sta in de pauzes met mijn rug tegen de muur. Alsof ik er ben, maar ook weer niet.

Als ik thuiskom van school, ga ik op de stoep bij de voordeur zitten en kijk naar de haven aan de overkant van de straat. Al die zeilboten, maar niet een die uitvaart vandaag. Er ligt geen zeilboot van papa in de haven, nog niet. Hij zegt dat hij volgend jaar misschien genoeg geld heeft gespaard om er een te kopen.

Vanuit de garage komt geluid, gemiauw.

Ik ga staan en loop het tegelpad over, mijn schaduw valt lang voor me uit. Voor de garagedeur zit een grijs-met-roestbruine kat met groene ogen die op grote knikkers lijken, veel groener dan Debs ogen. De kat gaat staan, alsof ze weg wil rennen, en kijkt me met grote, angstige ogen aan.

Ik kniel langzaam neer, een halve meter bij haar vandaan, en ze gaat weer zitten.

'Hé, poes,' zeg ik, 'wat doe jij hier?'

De kat kijkt me alleen maar aan en knippert met haar ogen. Ik steek mijn hand uit, de handpalm omhoog, en wrijf mijn vingers tegen elkaar.

'Ben je verdwaald?' zeg ik.

De kat kijkt naar mijn hand en dan naar mij. Ze gaat staan en doet twee passen naar voren. Dan blijft ze staan, want zo gaat dat met katten, ze komen je altijd maar tot halverwege tegemoet. Ik buig me voorover, leg mijn hand op haar kopje en krabbel haar achter de oortjes.

Niet lang daarna heb ik haar al in mijn armen en tegen me aangedrukt, en ik weet dat ze van mij is. Haar buik is opgezwollen, maar verder is ze broodmager, alsof ze uitgehongerd is. Ik draag haar naar de keuken en Deb zegt dat het een lapjeskat is, waarschijnlijk een zwerfkat, maar het kan ook zijn dat ze van huis is weggelopen.

'Ik ga haar Natasha noemen,' zeg ik.

'Natasha?' zegt Deb.

Ik hou Natasha tegen me aangedrukt en krabbel haar achter de oortjes, ze doet haar groene kattenogen dicht.

'Natasha,' zeg ik. 'Ze moet wat eten.'

'Ho, ho,' zegt Deb. 'Wacht eens even. Ze kan hier niet blijven, hoor.'

'Waarom niet?' zeg ik. 'Ik heb haar gevonden.'

'Waarom niet?' zegt Deb. 'Omdat ze van iemand anders is, dat zie je zo.'

'We moeten voor haar zorgen,' zeg ik, 'we moeten haar te eten geven.'

'Als je haar eten gaat geven,' zegt Deb, 'dan denkt ze dat ze hier woont.'

Ik hou Natasha tegen me aan en haar poezenlijfje voelt warm en volmaakt aan. Ik kijk naar Deb, kijk haar alleen maar aan.

'Goed dan,' zegt Deb. 'Maar ze blijft in de garage.'

'Oké,' zeg ik.

'En als iemand naar haar komt vragen,' zegt Deb, 'moet je haar teruggeven.'

'Oké,' zeg ik.

'Hecht je dus niet te veel aan haar, want het zou me niet verbazen als iemand haar komt ophalen,' zegt Deb.

Natasha doet haar kattenogen open, kijkt naar Deb en doet dan haar ogen weer dicht. Katten hoeven niet te kunnen praten als ze zulke grote ogen hebben. Natasha is moe en hongerig en ze is mijn kat, in ieder geval voorlopig.

'Ik zal, als ik in het ziekenhuis ben geweest, op de terugweg wel wat kattenvoer meenemen,' zegt Deb.

'En kattengrit,' zeg ik.

'En kattengrit,' zegt Deb.

De volgende morgen ga ik naar de garage en Natasha zit in de kattenbak.

'Hé, poes, poes,' zeg ik.

Natasha krabt met haar voorpoot het grit op een hoopje, stapt uit de kattenbak en schudt het achtergebleven grit uit haar achterpoten. Ik aai haar over haar kopje, haar rug en haar staart en Natasha duwt haar kopje tegen mijn hand en doet haar achterwerk omhoog om nog eens geaaid te worden. Ik pak een kom en doe er wat kattenbrokken in en neem een andere mee om melk voor haar te gaan halen.

Deb is in de keuken en glimlacht naar me alsof ze heel blij is, ik glimlach terug.

'Bedankt voor het kattengrit en de brokken,' zeg ik.

'Graag gedaan,' zegt Deb.

'Ik ga haar nu wat melk geven,' zeg ik.

'Oké,' zegt Deb. 'Maar kom je daarna wel meteen terug, want ik heb nieuws over je vader.'

'Nieuws?' zeg ik.

'Ja, goed nieuws,' zegt Deb.

Een akelig gevoel kruipt langs mijn nek omhoog als ze dat zegt. Debs stem schalt door de gang. Ze roept dat iedereen op moet staan en naar de keuken moet komen, omdat ze goed nieuws heeft.

Mijn maag begint te draaien, alsof ik over moet geven, en ik sta op mijn benen te trillen, Natasha's lege kom staat onaangeroerd op het aanrecht.

Christopher, Kenny, Ronny en Bryan komen de keuken in en iedereen gaat zitten. Deb heeft een dramatische pose aangenomen, een brede glimlach om haar lippen, haar handen voor haar borst gekruist.

'De genezing heeft gewerkt,' zegt Deb. 'Bud heeft zich helemaal vrij kunnen maken.'

Ik kijk naar Bryan en Bryan gaat staan en legt één hand op de tafel en de andere op het aanrecht.

'Wat betekent dat?' zegt Bryan.

'Dat betekent,' zegt Deb, 'dat hij van de beademing af kan en morgen weer naar huis mag als alles goed gaat.'

'Morgen?' zeg ik.

'Morgen,' zegt Deb, 'misschien morgenvroeg al, maar waarschijnlijk morgenmiddag.'

Het goede nieuws is echt goed nieuws en Bryan gaat zitten en legt zijn hoofd in zijn handen. Deb praat verder over de kracht van de Freedom Community en de kracht van de bezinning.

Die nacht is het stil in het huis aan de Marina Drive en ik kan niet in slaap komen omdat ik steeds aan Natasha moet denken die nu helemaal alleen in die koude garage is. Ik sluip de gang door en draai het licht in de garage aan. Natasha zit rechtop in haar doos en knippert met haar groene kattenogen.

Ik til haar op en hou haar met beide armen vast. Natasha geeft me een kopje, onder tegen mijn kin aan, en begint te spinnen. Ik leg mijn hand op haar kopje en begin haar te aaien en te aaien.

'Wil je bij mij slapen?' zeg ik.

Natasha's groene ogen zijn halfopen, zoals katten doen wanneer ze slaperig zijn, en ik hou haar dicht tegen me aan, draai het licht in de garage weer uit en neem haar mee naar mijn kamer.

Het mooiste van wakker worden in mijn kamer is dat de zon 's morgens door de roze gordijnen naar binnen komt waardoor de witte muren een goudroze kleur krijgen. Het is net alsof je in een prachtige zeeschelp zit waar alles veilig en warm en mooi is.

Natasha ligt stijf opgerold boven op de bedsprei. Ik ga rechtop in bed zitten, met mijn rug tegen de kussens, knus en warm, en leg mijn hand op Natasha's zachte vacht.

Buiten op de gang hoor ik een geluid, misschien iemand die langs loopt, misschien ook niet. Dan gaat opeens de deur open en Deb kijkt me aan en ik kijk Deb aan.

'Ik wilde haar net weer terugbrengen naar de garage,' zeg ik, 'ze heeft hier vannacht geslapen, het was maar voor één nachtje.'

Debs gezicht is vlekkerig en rood en ze kijkt niet eens naar Natasha, alleen maar naar mij.

'Geeft niet,' zegt Deb. Ze komt de kamer binnen en doet de deur achter zich dicht.

Deb loopt de kamer door en gaat op de rand van mijn bed zitten. Dat heeft ze nog nooit eerder gedaan en dat akelige gevoel kruipt weer langs mijn nek omhoog, over mijn hoofd heen en in mijn neus.

Natasha strekt zich uit en duwt met haar poten tegen Debs heup. Deb legt haar hand op Natasha, de lange, dunne vingers op een klein stukje roestkleurige vacht.

'Jenny,' zegt Deb, haar stem klinkt zacht en helemaal verkeerd.

Haar haar valt als een gordijn voor haar gezicht maar toch kan ik de tranen nog over haar wangen zien biggelen, ze kijkt naar haar handen, niet naar mij. Ik weet wat Deb nu gaat zeggen, en als je zoiets weet, dan heb je geen behoefte meer aan woorden.

'Het spijt me,' zegt Deb, 'het spijt me toch zo.'

'Je zei dat hij thuis zou komen,' zeg ik met een stem die niet mijn stem is. 'Je zei dat hij weer beter was.'

'O, Jenny,' zegt Deb. 'Ik weet dat ik dat gezegd heb, en hij was ook beter, echt waar.'

Deb heeft een verfrommelde zakdoek in haar hand en veegt haar gezicht ermee af. Haar ogen zijn groot en ze schudt haar hoofd alsof ze nergens meer iets van begrijpt.

'Hij heeft een tweede hartaanval gehad,' zegt ze, 'ze weten niet hoe dat heeft kunnen gebeuren. Het is gewoon gebeurd.'

Deb kijkt me heel lang aan, haar ogen op mijn ogen gericht, alsof ze wil dat ik het voor haar oplos.

Ik heb nog nooit iemand zo gehaat als ik Deb nu haat en ik zou haar het liefst met mijn vuisten te lijf willen gaan, haar op haar gezicht willen slaan, op haar benen, haar hele lichaam. Ik bijt op mijn lippen en til Natasha op.

'Ga weg,' fluister ik.

'Wat?' zegt Deb.

'Ga weg,' zeg ik. 'En neem de kat mee.'

Ik duw Natasha tegen Debs benen aan.

'Jenny,' zegt ze, 'je moet je op een moment als dit niet afzonderen.'

257

'Ga nou weg,' schreeuw ik.

Ik doe mijn armen over elkaar, trek mijn knieën op onder de dekens en blijf zo als versteend zitten. Ik weet dat Deb naar me kijkt, ik voel hoe haar ogen op me gericht zijn, maar ik kijk niet naar haar en zeg niets.

Deb schraapt haar keel, iets tussen een hoest en een snik in.

Ik hoor hoe ze mijn kamer verlaat en hoe de deur zacht achter haar dicht valt.

Als ik heel stil blijf zitten, mijn adem inhou en zelfs niet met mijn ogen knipper, is het misschien niet waar. En dus blijf ik roerloos en als versteend zitten en hou ik dat wat ik weet bij mezelf vandaan. Maar het heeft geen zin, de waarheid is sterker dan ik en algauw stromen de tranen over mijn wangen en mijn kin, druppelen ze op mijn blote armen. Ik huil zo lang, dat ik niet eens meer weet hoe lang.

De tijd spreidt zich als een pad dat steeds breder wordt uit tussen hoe het was en hoe het zal worden. Een uur, een dag, een maand, wie weet hoe lang het duurt. Een miljoen jaren zijn verstreken als ik de prinsessenkamer verlaat en de lange gang in loop. Het licht is anders, de schaduwen zijn niet meer scherp omlijnd, de witte muren zijn somber grijs geworden.

Door de lange gang naar de woonkamer met zijn art deco-lampen en leren banken, en Deb, Christopher, Kenny en Ronny. Ze zitten bij elkaar, Christopher tegen Ronny aangeleund en Deb met haar ene arm om Ronny heen geslagen en de andere om Kenny heen. Debs hand ligt op Kenny's borst en ze geeft er klopjes op, alsof ze het ritme van zijn hartslag volgt.

Ze kijken naar me als ik binnen kom en wenden dan hun hoofd af.

Iedereen lijkt te huilen en ik heb het gevoel dat ik gek word. Ik wil tegen ze schreeuwen. *Jullie mogen niet om mijn vader huilen, jullie hielden niet eens van hem.* Maar ik zeg niets, blijf staan en bal mijn vuisten om de waanzin binnen te houden.

Bryan staat bij het grote raam, de armen over elkaar geslagen. Ik loop met stille passen naar hem toe, maar hij blijft naar beneden kijken alsof hij wel weet dat ik het ben. De bovenkant van mijn hoofd komt bijna tot aan zijn schouder en ik voel de warmte van zijn lichaam op mijn arm. Ik wil iets zeggen, maar kan de juiste woorden niet vinden. Bryan trekt zijn kin in en kijkt in mijn richting, alsof hij het met tegenzin doet.

'Wat is er?' zegt hij.

Ik doe mijn handen opzij, handpalmen omhoog, alsof ik het niet weet, en Bryan doet zijn armen nog stijver over elkaar en kijkt naar buiten.

Het is vreselijk als je je eenzaam voelt terwijl er andere mensen bij je zijn, en helemaal als die andere mensen familie van je zijn, ook al zijn ze dat dan niet echt. Dat soort eenzaamheid geeft je een akelig gevoel vanbinnen, alsof je botten niet goed meer onder je vel passen, alsof er iets in je lijf zit dat eruit wil en weg wil vliegen.

Ik loop met stille passen bij Bryan vandaan en de woonkamer uit. Ik doe de deur naar de garage open en draai het licht aan. De grote bruine auto staat er en *Red* staat erachter. Er zit een kras op de plek waar papa de brievenbus heeft geraakt en hoewel dat nog maar een paar dagen geleden gebeurd is, lijkt het wel een eeuwigheid.

Ik strijk met mijn vinger over de kras op papa's auto en kleine schilfers rode verf vallen op de betonnen vloer.

Ik hoor gemiauw, voor een deel gemiauw, voor een deel gepiep. Ik loop om *Red* heen en zie Natasha met dichtgeknepen ogen in haar doos liggen.

Ik probeer haar over haar kopje te aaien, maar ze trekt zich terug en laat een geluid horen dat diep uit haar poezenlijf lijkt te komen. Er komt iets uit haar alsof ze in haar doos haar behoefte aan het doen is, maar ik weet dat ze dat niet doet.

Heel lang geleden, hoe lang geleden weet ik niet eens meer, waren mama en ik in het huis aan Mary Street toen Diana jonkies kreeg. Ik mocht er van mama toen niet te dichtbij komen, ze zei dat je ruimte moet maken als er baby's geboren worden, ook als het jonge poesjes zijn.

De hele garage ruikt naar olie, karton en beton.

Ik doe een paar passen achteruit en kom met mijn achterwerk in botsing met papa's auto.

Natasha zwoegt en duwt een, twee, drie, vier poesjes naar buiten. Ze komen ter wereld met de oogjes stijf dicht en bewegen hun kopjes heen en weer alsof ze zich ergens tegen verzetten.

Mama heeft me verteld dat elke geboorte een wonder is en ik begreep nooit wat ze daarmee bedoelde. Nu begrijp ik het wel en wou ik dat ze hier was, zodat ik het haar kon vertellen.

Natasha likt de poesjes een voor een schoon en trekt ze dan tegen haar buik aan.

Ik leun tegen *Red* aan en kijk hoe Natasha haar moederrol vervult. Ik huil en lach en veeg mijn neus af met de rug van mijn hand. Ik weet dat het nooit meer zo zal worden als vroeger.

Het is zonnig en warm en de lucht ruikt fris. Eigenlijk zou het vandaag moeten stormen, zou het zo'n dag moeten zijn waarop je maar beter in bed kunt blijven liggen.

Met z'n allen staan we buiten in dat heldere, perfecte zonlicht, omringd door bomen en struiken en heel veel groen gras. We wachten bij een zijdeur van een oud gebouw dat op een kapel of een kerk lijkt, geen gebouw van de Freedom Community Church, maar een gebouw dat Deb heeft uitgekozen. Wij blijven buiten staan wachten terwijl de anderen allemaal via de hoofdingang naar binnen gaan. Deb zegt dat er plaatsen voor ons gereserveerd zijn, dat ze daar niet langer wil zitten dan nodig is, dat ze niet wil dat iedereen naar onze achterhoofden zit te staren op een moment als dit.

Een heleboel mensen komen naar papa's begrafenis, mannen in zwarte kleren en vrouwen in zwarte kleren. Geen kleine kinderen. Bryan zegt dat er ook heel veel familie van papa komt en ik kijk of ik mensen zie die ik zou moeten kennen, mensen van wie ik de gezichten vergeten ben.

'Daar is tante Margie,' zegt Bryan.

Bryan wijst naar de hoofdingang en knijpt zijn donkere ogen half dicht. Een dikke mevrouw houdt haar hand boven de ogen, wuift naar Bryan alsof ze hem kent en houdt dan op met wuiven alsof ze hem misschien toch niet kent. Ik herinner me tante Margie helemaal niet.

'Tante Margie?' zeg ik.

'Wat een dikzak,' zegt Ronny.

'Een vette dikzak,' zegt Kenny.

Ronny heeft haar sproetenneus opgetrokken alsof ze iets viezigs ruikt en Kenny lacht.

'Kendall, Veronica, zoiets zeg je niet,' zegt Deb, 'dat is onbeleefd.'

Christopher houdt zich stil, buigt zich opzij en houdt zijn mond vlak bij Ronny's oor.

'Ze is niet dik,' zegt Christopher, 'ze is in verwachting.'

'Walgelijk,' zegt Ronny.

Christopher recht zijn rug en zucht diep. Hij blijft doodstil staan en kijkt uit over het grasveld, een afwezige blik in zijn ogen. Ik vind dat leuk aan Christopher en ga net zo staan als hij en kijk ook uit over het grasveld.

'Daar is oom Larry,' zegt Bryan, 'en tante Ruth.'

Oom Larry is papa's enige broer, maar hij lijkt helemaal niet op papa. Larry heeft een bleke huid met rode vlekken aan de zijkant van zijn ronde gezicht. Hij is dik en lobbig en draagt een bril die zijn ogen in grote knikkers doet veranderen.

'Kunnen we naar binnen?' zegt Bryan. 'Iedereen is er.'

Deb is helemaal in het zwart, zelfs haar zonnebril is zwart, ze ziet eruit als een heks.

'Nee,' zegt Deb, 'nog niet. Even wachten tot iedereen zit.'

Ronny loopt het tegelpad op, klapt in haar handen, draait zich om en loopt terug.

'Ik ga niet huilen, hoor,' zegt Ronny.

'Natuurlijk niet,' zegt Kenny. 'Er wordt niet gehuild.'

'Nou en,' zegt Bryan. 'En wat dan nog.'

'Jullie mogen best huilen,' zegt Deb.

'Huilen is iets voor baby's,' zegt Ronny. 'De eerste die begint te huilen is een dikke baby.'

'Ja,' zegt Kenny.

'Doe toch niet zo kinderachtig,' zegt Christopher.

Deb legt haar hand op Kenny en Ronny's schouder, loopt met ze weg van de plek waar wij staan en zegt dan iets tegen ze dat alleen zij kunnen horen. Ronny doet haar armen over elkaar en daarna doet Kenny haar armen over elkaar, hun gezichten staan op onweer.

'Ze denken dat ze leuk zijn,' zegt Christopher. 'Gewoon niet op reageren.'

Bryan kijkt naar zijn schoenen, stopt de handen in zijn zakken en loopt met langzame passen naar de hoofdingang van de kerk. Halverwege blijft hij staan.

'Kunnen we nu naar binnen?' zegt Bryan.

Vanuit de kerk klinkt het geroezemoes van mensen, veel mensen. Deb knikt en steekt haar arm uit alsof ze ons de weg wil wijzen.

Bryan, Kenny, Ronny, Christopher en ik lopen voorop en Deb gaat met gebogen hoofd als laatste de kerk binnen. Ik voel alle mensen achter me, voel hun ogen in mijn rug.

Voor in de kerk staan witte rozen, gele madeliefjes en paarse gladiolen. Een man met een gitaar loopt naar voren. Hij gaat op een kruk zitten en praat over papa, over wat voor man hij was en dat hij zo van het leven genoot, en van muziek en van de zee. De man zegt dat het vandaag eigenlijk geen rouwdag maar een feestdag zou moeten zijn omdat papa's leven een geschenk was.

Ik draai me om in mijn stoel en kijk naar de rijen mensen achter me, maar niet een van hen glimlacht, niet een van hen viert feest. Tante Margies ogen staan vol tranen en ze glimlacht bedroefd naar me. Oom Larry zit rechtop, maar of hij blij of bedroefd is kan ik niet zien, omdat zijn ogen schuilgaan achter die dikke brillenglazen.

Het kan me niet schelen wat de man zegt, het is niet goed om blij te zijn vandaag en ik ben niet van plan om in mijn handen te klappen en mee te zingen of iets dergelijks. Papa is weg en ik zit hier en zou er alles voor over hebben om nog één dag bij hem te kunnen zijn.

Een paar stoelen verderop zit Ronny naar me te kijken en met haar sproeterige vinger naar me te wijzen. Deb geeft Ronny een tik tegen haar been, doet dan haar handtas open, haalt er een pakje papieren zakdoekjes uit en geeft het pakje door naar mij. Bryan huilt niet, Christopher huilt niet, Kenny huilt niet en Ronny kijkt bijna vrolijk.

Ik hou het pakje zakdoekjes in mijn handen en knijp erin, het voelt aan als een klein kussentje.

De man zingt een liedje van Cat Stevens, over luisteren naar de wind van je ziel, over niet weten waar je terecht zult komen.

Soms kun je alleen nog maar huilen en het kan me niet schelen wat Kenny en Ronny daarvan vinden. Ik knijp mijn ogen dicht en laat de tranen over mijn wangen stromen. Ik ga hier gewoon zitten huilen en hou er misschien wel nooit meer mee op.

Het is vreemd wanneer iemand doodgaat. Ik weet echt wel dat papa er niet meer is, maar alleen mijn hoofd begrijpt dat. Mijn hart begrijpt het niet. Ik word wakker, ga naar school, ga naar bed, maar alleen mijn lichaam doet dat.

's Nachts blijf ik wakker voor het geval hij thuiskomt. 's Morgens, zo gauw ik wakker ben, luister ik of ik zijn stem hoor. 's Middags zit ik op de stoep voor het huis aan de Marina Drive te wachten tot *Red* de hoek om komt. Ik weet dat hij er niet meer is, maar ik kan er niets aan doen, ik moet het doen.

Dan komt mijn verjaardag en daarna eerste kerstdag, dagen die van mij zo gauw mogelijk voorbij mogen gaan, maar kerst is wel het ergst omdat alle cadeautjes voor papa door Deb worden uitgepakt en apart op een stapel worden gelegd. Van papa's cadeautjes zonder papa word ik zo bedroefd dat ik me de hele dag huilend in mijn kamer opsluit.

Dan is het eindelijk nieuwjaar en zegt Deb dat het tijd is om Natasha's jonkies weg te geven. Kenny en Ronny mogen er één uitkiezen om zelf te houden en noemen hem Buttermilk. De rest gaat één voor één weg en ik denk dat Natasha er bedroefd om is, want ze is steeds naar haar baby's op zoek, zoals ik naar papa op zoek ben.

Natasha is echter slimmer dan ik. Op een dag verlaat ze het huis aan Marina Drive en komt niet meer terug. Deb zegt dat ze waarschijnlijk naar haar eigen huis is teruggegaan, maar ik weet zeker dat ze haar baby's is gaan zoeken.

Deb zegt dat er besloten is dat Bryan en ik bij haar en haar kinderen blijven wonen. Deb zegt dat tante Margie, oom Larry en opa en oma Lauck dat ook de beste oplossing vonden, maar ik wist niet eens dat er nog andere oplossingen waren.

'We zijn een gezin nu,' zegt Deb. 'En als gezin hoor je bij elkaar te blijven.'

We houden een gezinsoverleg in de art deco-woonkamer en Bryan zit onderuitgezakt, met de kin op zijn borst, in een van de leren stoelen.

Deb, Christopher, Kenny en Ronny zitten op de leren bank. Ik zit op het puntje van de andere leren stoel, de handen onder mijn benen geschoven.

Deb legt haar hand even op Kenny en Ronny's knie en moet haar arm ver uitstrekken om dit ook bij Christopher te kunnen doen. Dan kijkt ze weer naar Bryan en mij.

'Het is moeilijk voor ons allemaal,' zegt Deb, 'maar we moeten verder. Het is tijd om aan de toekomst te denken.'

'De toekomst?' zeg ik.

'Dit huis, bijvoorbeeld,' zegt Deb. 'We kunnen hier niet blijven wonen.'

Christopher, Kenny en Ronny kijken naar Deb alsof ze al weten wat ze gaat zeggen.

'Gaan we verhuizen?' zeg ik.

'Ja,' zegt Deb. 'We gaan naar Palo Alto.'

'Palo Alto?' zegt Bryan.

Bryans stem klinkt hoog en schor, hij kucht even.

'Inderdaad,' zegt Deb, 'Palo Alto. De Freedom Community Church heeft een goede school daar, een experimentele school, en voor mij zijn er ook genoeg mogelijkheden.'

Deb praat tegen haar kinderen en ze kijken haar aan alsof het oud nieuws voor ze is.

Bryan gaat rechtop zitten, schuift naar voren tot hij op het puntje van zijn stoel zit. In zijn hals, net boven de boord van zijn T-shirt, zitten vuurrode vlekken.

'Ik heb daar een prachtig huis kunnen huren met genoeg ruimte om een paard en misschien nog wat geiten te houden,' zegt ze. 'We zullen het daar vast geweldig naar onze zin hebben.'

'Wacht eens even,' zegt Bryan, 'paarden, geiten, waar heb je het over?'

'We moeten een nieuwe start maken,' zegt Deb, 'we moeten verder met ons leven, dat zou je vader ook gewild hebben.'

Ik kijk door het grote raam naar buiten, alsof papa ieder moment het tegelpad op zal komen lopen, met zijn jas over zijn arm en zijn aktetas in de hand.

'Mijn vader heeft nooit iets gezegd over Palo Alto,' zegt Bryan, 'hij heeft het nooit over een experimentele school gehad. Mijn vader wilde dat ik hier naar de middelbare school ging.'

Deb knippert met haar ogen, de blijde glimlach is verdwenen.

'Gaan jullie maar even naar je kamer,' zegt Deb, 'dan praat ik nog even alleen verder met Bryan en Jenny.'

Christopher, Kenny en Ronny gaan meteen staan en lopen zonder om te kijken de kamer uit. Zo snel gaan ze anders nooit de kamer uit, een akelig gevoel kruipt langs mijn nek omhoog. Bryan kijkt naar mij en ik kijk naar Bryan, het is doodstil in de kamer.

Deb schraapt haar keel, gooit haar haar naar achteren en drukt haar vingers in haar knieën.

'Bryan,' zegt Deb, 'ik begrijp dat je verdriet hebt, maar je moet je nu gaan bezinnen.'

'Wat?' zegt Bryan.

Deb doet haar hand omhoog, de handpalm naar boven.

'Je hebt me wel verstaan,' zegt Deb, 'probeer je situatie op een andere manier te bekijken. Je zult je er vrijer door gaan voelen.'

'Waar heb je het over?' zegt Bryan.

Deb legt haar arm op de rugleuning van de bank en houdt haar hoofd schuin, haar stem is kalm.

'Je wilt het misschien niet geloven, maar voor mij is het even moeilijk als voor jou,' zegt Deb. 'Wat ik bedoel is, dat Bud niets voor jullie heeft geregeld.'

Deb kijkt even naar mij en dan weer naar Bryan.

'Ik vind het verschrikkelijk jullie dit te moeten vertellen,' zegt Deb, 'maar jullie wonen nu bij mij, bij ons...'

Deb zwijgt even, kijkt de kamer rond alsof er een heleboel mensen zitten en richt dan haar enge kattenogen weer op Bryan.

'Omdat je vaders familie jullie geen van tweeën wilde hebben,' zegt Deb.

Bryan gaat rechtop zitten, draait zijn hoofd opzij, kijkt naar mij, naar Deb en dan weer naar mij.

Deb buigt zich voorover, zet de ellebogen op de knieën, legt het hoofd in de handen.

'Hij heeft vrijwel geen geld nagelaten,' zegt Deb zacht. 'Ik kan nauwelijks de rekeningen betalen. En laat ik maar niet beginnen over al die schulden die je vader heeft achtergelaten. Ik zal zelfs die stomme auto van hem moeten verkopen.'

Bryan kijkt op, de rode vlekken zitten tot aan zijn oren.

'Dat kun je niet doen,' zegt Bryan.

Deb begint te lachen, een gemene, harde lach.

'Je vader was geen heilige, Bryan,' zegt Deb. 'Hij was een heel gewoon mens, en soms was hij zelfs wreed. Wist je dat hij een van zijn cliënten heeft toegewenst dat hij aan een hartaanval zou overlijden?'

Bryan schudt zijn hoofd, de tranen stromen over zijn wangen en hij veegt ze snel met de rug van zijn hand weg.

'Echt waar,' zegt Deb. 'Heb je dan nog nooit van karma gehoord? Daarom is hij zelf aan een hartaanval overleden. Als je negatieve energie op een ander projecteert, komt die altijd weer bij jezelf terug.'

'Hou je kop,' schreeuwt Bryan.

'Eigenlijk heeft je vader het aan zichzelf te wijten dat hij dood is,' zegt Deb.

'Hou je kop,' schreeuwt Bryan, zijn stem klinkt hard in mijn oren en door de kamer heen.

Ik begrijp niet hoe Deb zoiets kan zeggen, ik kan het nauwelijks geloven.

Bryan is uit zijn stoel opgevlogen en lijkt Deb te willen gaan slaan. Hij balt zijn vuisten, maar ze kijkt hem alleen maar aan, een kalme blik in haar groene ogen.

Het is stil, zo'n verschrikkelijke stilte waarbij iemand iets zou moeten doen. Kwam papa nu maar, dan zou hij ons hier vandaan kunnen halen.

'Jullie hebben nu alleen mij nog,' zegt Deb. 'Wen er dus maar aan.'

Bryan kijkt Deb heel lang aan, laat zijn schouders zakken alsof er iets zwaars op zijn rug drukt en gaat dan weer zitten.

DEEL VIER

Palo Alto en Los Angeles
1974-1975

Deb zegt dat elk mens zijn eigen problemen moet oplossen. Deb zegt dat mensen die hun eigen problemen oplossen zelfstandig zijn.

Deb zegt dat als zelfstandige mensen gaan samenwerken, je een gezin krijgt dat op rolletjes loopt.

'Deb kan de klere krijgen,' zegt Bryan.

Bryan staat met zijn rug tegen mijn slaapkamerdeur en heeft zijn middelvinger in de lucht gestoken.

'Is het jou ook opgevallen dat Deb alleen maar wartaal uitslaat?' zegt Bryan.

'Straks hoort ze je nog,' zeg ik.

Bryan steekt zijn middelvinger omhoog naar het plafond.

'Laat ze je hier maar niet zien,' zeg ik, 'daar krijg je de grootste trammelant mee.'

'Laat Deb maar aan mij over,' zegt Bryan.

Bryan strijkt het haar uit zijn ogen en begint te grijnzen, een kaarsrechte rij witte tanden komt te voorschijn. Bryan gedraagt zich anders nu, doet bijna aardig, en die verandering in zijn gedrag maakt me nerveus.

Hij helpt me het hemelbed in elkaar te zetten, hoewel Deb zegt dat ik dat alleen moet doen, en als we daarmee klaar zijn, zet hij ook nog mijn boekenkasten in elkaar.

'Nog meer?' zegt Bryan.

'Nee, dat was alles,' zeg ik.

Bryan kijkt de kamer rond en krabt aan zijn oor.

'Een beetje muziek ontbreekt nog,' zegt Bryan. 'Waar is je radio?'

Ik wijs naar de roze kist.

'Die zit daarin,' zeg ik.

'Nou, haal hem eruit, zou ik zeggen' zegt Bryan. 'Waar is de sleutel?'

Ik blijf staan en hou mijn handen zoals ik ze altijd hou wanneer ik ergens over nadenk.

'Goed, ik zal hem openmaken,' zeg ik, 'maar je mag niet kijken.'

'Waarom niet?' zegt Bryan.

'Draai je nou maar om,' zeg ik.

Bryan draait zich om en gaat met zijn gezicht naar de muur toe staan.

Ik trek mijn schoen uit, wrik het sleuteltje los en maak het slot open terwijl het sleuteltje nog steeds aan de veter vastzit. Ik kijk naar Bryan, hij draait zijn hoofd om en wil over zijn schouder kijken.

'Niet kijken,' zeg ik.

Ik trek mijn schoen weer aan en duw het sleuteltje weer onder de veter.

'Oké,' zeg ik.

Bryan draait zich om en kijkt met zijn donkere ogen naar de kist, naar mij, en dan weer naar de kist. De wekkerradio ligt boven op het trouwalbum. Ik haal de wekkerradio uit de kist en Bryan neemt hem uit mijn handen.

'Waar was dat voor nodig?' zegt Bryan.

'Nergens voor,' zeg ik.

'Waarom moest ik me dan omdraaien?' zegt Bryan.

'Daarom,' zeg ik. 'Omdat dit mijn kamer is. Oké?'

'Oké,' zegt Bryan. 'Je hoeft niet meteen zo kortaf te doen.'

Bryan gaat op de vloer zitten en legt de wekkerradio uit Nummer Een op zijn schoot.

'Dat je dat ding nog steeds hebt,' zegt hij.

'Hij doet het nog steeds,' zeg ik.

Hij kijkt in de roze kist en doet even zijn kin omhoog.

'Wat heb je daar trouwens allemaal in zitten?' zegt Bryan.

'Niks bijzonders,' zeg ik.

Ik wil het deksel dichtdoen, maar Bryan steekt zijn hand uit en houdt hem tegen.

'Alleen maar boeken en zo,' zeg ik, 'meisjesdingen.'

Bryan kijkt naar mij en dan weer naar de kist.

'Laat nou maar,' zeg ik. 'Muziek is veel belangrijker.'

Bryan luistert niet naar me en doet het deksel helemaal naar achteren. Al mijn spullen zien er opeens lullig en onbeduidend uit nu een ander ernaar kijkt en hij zal dan ook zo wel beginnen te lachen. Maar Bryan lacht niet, steekt zijn hand uit en pakt het trouwalbum uit de kist.

'Hoe kom je hieraan?' zegt Bryan.

Het is stil in de kamer en ik hou mijn adem in. Hij kijkt naar de omslag, het trouwalbum ziet er in zijn grote handen opeens veel kleiner uit.

'Van tante Carol gekregen,' zeg ik.

Ik zit op mijn knieën, met mijn billen op mijn hakken, en van zo dichtbij ruikt Bryan naar zout en zweet. Een heleboel herinneringen komen opeens weer boven en ik zucht diep en strijk net als tante Carol deed met mijn vinger over de gouden letters. Mijn hand beeft, maar dat vind ik niet erg. Ik pak de onderkant van de kaft vast en sla het album open. Op de eerste bladzijde staat een zwart-witfoto van mama in een prachtige witte bruidsjurk. Ze staat alleen op de foto, glimlacht en heeft de mooiste ronde wangen en de pienterste, donkerste ogen die je ooit gezien hebt.

Ik leg mijn hand op de foto, voel een en al droefheid in me opkomen.

'Ze was net een prinses,' fluister ik.

Bryan kijkt naar de foto en knippert met zijn donkere ogen en het valt me nu pas op hoe lang zijn wimpers zijn. Ik bijt op mijn lip, pak de onderkant van de bladzijde vast en sla hem om.

Op de foto staat mama met oma Rowena en opa Ivan voor een huis, in de schaduw van mama's jurk ligt een kat te slapen.

'De bruiloft was in Reno,' zeg ik.

Bryan kijkt naar me en ik kijk naar hem, het is stil in de kamer, zo stil dat het lijkt alsof de tijd stilstaat. Ik leg mijn hand op de foto, pak de onderkant van de volgende bladzijde vast en sla hem om.

Mama staat naast een auto, een man houdt de deur voor haar open. De wind waait mama's sluier de verkeerde kant op en ze glimlacht en houdt hem met haar arm tegen zodat hij niet wegwaait.

'Het was een zonnige dag,' zeg ik. 'Maar er stond wel een harde wind.'

Bryan kijkt naar me en maakt een geluid, een soort lach, maar het klinkt ook hard en kort, als een kuch. Ik schraap mijn keel, probeer mijn hand stil te houden en sla de volgende bladzijde om.

Op de foto staat papa in een witte smoking, samen met drie andere mannen die ook een witte smoking dragen. Mama heeft haar prachtige witte bruidsjurk aan en naast haar staan drie vrouwen in korte, pastelkleurige jurken. Iedereen glimlacht.

'Oom Charles was ceremoniemeester,' zeg ik, 'en tante Ruth bruidsmeisje.'

Bryan knikt en ik weet dat hij iedereen op de foto herkent.

Ik leg mijn hand op de foto, pak de onderkant van de bladzijde vast en sla hem om.

Op de volgende foto lopen mama en papa door het middenpad van de kerk. Papa kijkt blij, er zit een rimpel in zijn neus en in zijn vierkante kin zit een kuiltje.

Het is zo moeilijk om naar mama en papa te kijken zoals ze toen waren, dat ik mijn ogen dicht moet doen en de tranen weg moet slikken. Ik herinner me weer dat tante Carol zei dat papa een bofkont was en ik vraag me af of ik dat nu ook moet zeggen. Ik haal mijn neus op en kijk Bryan recht in zijn donker ogen.

'Papa zei altijd dat hij een echte bofkont was dat mama met hem getrouwd was,' zeg ik zacht.

De tranen rollen over mijn wangen en vallen op de plastic fotohoes. Ik wou dat ik niet hoefde te huilen, dat ik flinker was, en ik kijk naar beneden en knipper snel met mijn ogen.

'Een bofkont?' zegt Bryan.

Bryan kijkt me met grote, ernstige ogen aan, de lippen samengeperst tot een dun lijntje. Ik veeg met de rug van mijn hand mijn tranen weg en knik.

'Dat zei tante Carol tegen me,' zeg ik.

Er zijn nog meer foto's, nog veel meer, maar zoals ik me nu voel en zoals Bryan nu kijkt, is het beter om te stoppen. Ik pak het trouwalbum van zijn schoot en sla het dicht.

'Je moet er niet te veel van in één keer bekijken,' zeg ik. 'Zoveel herinneringen kunnen pijn doen.'

Ik leg het fotoalbum in de kist en voel dat Bryan me gadeslaat.

'Ze zijn natuurlijk niet echt van mij,' zeg ik. 'Ik bedoel, je mag ze komen bekijken wanneer je wilt.'

Ik doe het deksel dicht en duw met mijn handpalm het hangslot dicht.

Bryans ogen staan vol tranen, maar ik weet dat hij in mijn bijzijn niet zal gaan huilen.

'Je moet gewoon niet te veel in één keer bekijken,' zeg ik. 'Oké?' Bryan knikt, trekt zijn knieën op, slaat zijn armen eromheen en legt zijn hoofd op zijn knieën. Hij doet zijn ogen dicht en zo blijven we zwijgend zitten.

Palo Alto is slingerwegen en steile heuvels. Ons nieuwe huis staat halverwege zo'n steile heuvel. Het lijkt wel of iemand een groot stuk uit de heuvel heeft weggehakt en midden in het gat een huis heeft gebouwd. Een steile oprit loopt in een grote bocht naar het huis toe en in die bocht ligt wat Deb een kraal noemt.

Ons huis is gebouwd in Spaanse stijl met gepleisterde muren en donkere houten balken aan het plafond. Achter het huis is een zwembad met een duikplank en achter het zwembad gaat de heuvel weer verder. Als je achteroverleunt en omhoogkijkt, zie je een ander huis staan, en als onze heuvel opzij zou gaan, dan lijkt het net alsof dat huis zo naar beneden zou kunen glijden.

Deb koopt een paard en Ronny noemt het Chiquita. De regel is: één kind, één week, van oud naar jong, en als het jouw week is moet je voor alles zorgen: rijden, voeren, borstelen, schoonmaken. Ik moet een maand wachten voordat ik op Chiquita mag rijden.

Deb koopt twee jonge geitjes en zegt dat we geitenkaas gaan maken en geitenmelk gaan drinken. De regel is: één week, één kind, van jong naar oud, eerst Ronny dan Kenny, en als het jouw week is moet je voor alles zorgen. Ik zorg deze week voor de geitjes.

Als de geitjes honger hebben, beginnen ze als baby's te blèren en moet je ze voeren uit van die wijnflessen die gevuld zijn met een mengsel van melk en stroop waar een walgelijke geur van afkomt.

Vanmorgen regent en waait het als ik in de kraal die stomme geiten hun flessen met melk probeer te geven, mijn kleren zijn doorweekt.

Weer in huis, spoel ik bij het aanrecht de flessen om met heet water. Het raam boven het aanrecht beslaat en ik blijf staan tot het raam zo dicht beslagen is dat je er niet meer doorheen kunt kijken. Dan ga ik op mijn tenen staan, maak een vuist van mijn hand en druk de zijkant van mijn vuist tegen het beslagen raam. De zijkant van mijn vuist laat de afdruk van een babyvoetje achter op het raam en daarna teken ik er met mijn pink nog vijf babyteentjes aan vast.

'Laat dat,' zegt Deb, 'je maakt het raam vies.'

Ik schrik van Debs stem en doe mijn handen achter mijn rug alsof ik iets te verbergen heb. Deb draagt een badjas en haar haar hangt slordig om haar hoofd. Ze haalt haar vingers erdoorheen en geeuwt zonder een hand voor haar mond te doen.

'Jezus,' zegt Deb, 'en je hebt je voeten ook niet geveegd. Moet je zien hoeveel modder je naar binnen hebt gelopen.'

Mijn schoenen en spijkerbroek zijn nat en zitten onder de modder, kleine plasjes vuil water liggen op de vloer.

'Sorry,' zeg ik, 'het was nat buiten.'

'Het kan me niet schelen of het buiten nat was,' zegt Deb, 'je veegt je voeten voordat je binnen komt.'

'Ik kan alleen maar zeggen dat het me spijt,' zeg ik. 'Ik maak het wel weer schoon.'

Deb zegt niets meer, kijkt me alleen maar aan alsof ik te stom ben voor woorden. Zo gaat dat nu met Deb, ze probeert haar gevoelens niet meer te onderdrukken, zoals ze deed toen papa nog bij ons was. Nu zie ik het in haar ogen en hoor ik het aan haar stem en weet ik dat er in dit huis geen plaats voor me is.

Als je een bepaald gevoel over iemand hebt en je ontdekt dat dat gevoel klopt, dan is dat goed en niet goed. Het is goed om te weten dat je het kennelijk bij het goede eind hebt, maar het is vreselijk om te weten dat je niet welkom bent, vooral als je nergens anders naartoe kunt.

Deb draait zich om en doet alsof ik er helemaal niet meer ben. Ze haalt een maatbeker en een pan uit de kast en doet water in de pan.

Ik zet mijn schoenen buiten op de stoep en gebruik een oude handdoek om de vloer schoon te maken.

Iedere morgen ontbijten we in de eetkamer waar nu het meubilair staat dat vroeger in het huis aan Mary Street stond. Het was ergens opgeslagen, maar Deb heeft het uit de opslag gehaald en meegenomen naar Palo Alto. De tafel, de opbergkast en het dressoir van donker hout met tulpen en wijnranken.

Ik zit aan het uiteinde van de tafel en volg met mijn vinger het patroon van rode tulpen, het zijn er twintig in totaal.

Deb zet zes kommen, melk en een pan met hete havermoutpap

midden op tafel en legt er zes lepels bij. Ze roostert plakken brood en zet er een bord vol van midden op tafel.

Ik pak een plak geroosterd brood, leg het op een servet en hou de honingbeer op zijn kop.

Als Deb de eetkamer weer binnen komt, heeft ze haar armen vol met witte plastic potjes met pillen.

Ik laat een straaltje honing op mijn brood vallen en doe net of Deb er niet is.

'Waar is iedereen?' zegt Deb.

Ik draai de honingbeer weer met de goede kant naar boven en zet hem terug op de tafel, mijn ogen blijven op het brood gericht, alleen op het brood.

'ONTBIJTEN,' roept Deb.

'Er zit ook nog modder op de trap,' zegt Deb. 'Maak dat schoon voordat je de deur uit gaat.'

Krijg de klere, Deb.

'Sorry,' zeg ik.

Deb zit aan het andere uiteinde van mama's tafel en slaat een boek open waar 'Vitamines' op staat. Ik kauw met mijn mond dicht en kijk naar Deb. Zij kijkt naar mij en ik kijk naar beneden. Een voor een komen Christopher, Kenny, Ronny en Bryan de eetkamer binnen.

'Waren bleven jullie?' zegt Deb.

'Christopher hield de badkamer bezet,' zegt Ronny.

'Niet waar,' zegt Christopher.

'We hebben drie badkamers,' zegt Deb.

'Bryan zat in de andere te poepen,' zegt Ronny.

'Hou je kop,' zegt Bryan.

Bryans gezicht is rood, hij kijkt me aan en wendt dan zijn hoofd af.

Christopher pakt een van de potjes, houdt hem scheef en alle pillen rollen één kant op.

'Wat moet je met al die pillen?' zegt Christopher.

Deb slaat haar vitaminenboek dicht en legt haar hand op de kaft.

'Vitamines vormen de sleutel tot een lang en gezond leven,' zegt Deb.

Christopher zucht diep en haalt verveeld zijn schouders op.

Deb draait het deksel los van een van de potjes en schudt er een handjevol pillen uit.

'We gaan vitamines slikken,' zegt Deb.

Deb maakt zes stapeltjes met gele pillen, witte pillen en groene pillen, met namen als kelp en A en E en C. Als Deb klaar is, liggen er zoveel pillen op tafel dat het wel een overdosis vitamines lijkt.

Ik kijk naar Bryan en Bryan kijkt naar mij.

'Moeten we al die pillen innemen?' zeg ik.

'Alleen je eigen stapeltje,' zegt Deb, 'iedereen heeft zijn eigen stapeltje.'

Deb schuift stapeltjes vitamines over tafel, vult zes glazen met sinaasappelsap en zet deze ook op tafel.

Deb zegt dat vitamines het nieuwste van het nieuwste is, dat gewone medicijnen een goede gezondheid in de weg staan, dat de Freedom Community er een voorstander van is om de reguliere geneeskunde af te wijzen. Christopher, Kenny en Ronny stoppen de pillen een voor een in hun mond en spoelen ze weg.

Bryan duwt zijn stapeltje pillen weg.

'Ik neem ze niet in,' zegt Bryan.

Christopher, Kenny, Ronny en Deb, iedereen kijkt naar Bryan.

Deb gaat weer zitten en slaat haar badjas om haar benen.

'Probeer je mijn gezag te ondermijnen?' zegt Deb.

'Nee,' zegt Bryan, 'ik neem alleen die pillen niet in.'

Ik kijk naar Bryan, heel even maar, en richt dan mijn blik weer op de pillen die voor me op tafel liggen.

Deb zet haar ellebogen op mama's tafel, op de rode tulpen en bruine wijnranken. Ze legt haar handen tegen elkaar en kijkt naar Bryan.

'Je zult wel moeten,' zegt Deb. 'Je hebt alleen mij nog, weet je nog?'

Bryan kijkt naar Deb, zijn gezicht zit van zijn nek tot aan zijn wangen onder de rode vlekken. Hij kijkt weer naar de pillen, bijt met zijn boventanden op zijn onderlip.

Ik wou dat Bryan nu zijn middelvinger omhoogstak naar Deb.

Bryan steekt zijn hand uit naar voren, trekt de pillen naar zich toe en neemt ze een voor een in, hij kijkt erbij alsof hij moet overgeven.

Deb schraapt haar keel, kijkt haar kinderen aan en glimlacht alsof Bryan en ik al niet meer in de kamer zijn. Deb zegt dat ze een rijke weduwnaar heeft ontmoet, een heel charmante, interessante man die iets verderop woont, en dat ze later die week een glas wijn bij hem gaat drinken, en dat dat toch ontzettend leuk is.

Bryan wil niet naar me kijken, heeft zijn ogen ergens anders op gericht.

Na het ontbijt ga ik naar de badkamer en doe de deur op slot. Een voor een haal ik de pillen uit de zak van mijn spijkerbroek en laat ze in de wc-pot vallen. Ik leg mijn hand op de zilverkleurige hendel en dan volgt het geluid van water dat in het rond draait. Ik wacht tot al het water is weggespoeld om er zeker van te zijn dat alle pillen verdwenen zijn en als het weer stil is, steek ik mijn middelvinger op naar de wc-pot.

Krijg de klere, Deb.

In Palo Alto is geen Blue Angels-team, maar Deb zegt dat we desondanks in conditie moeten blijven. Er is een hardloopschema opgesteld: op maandagen en vrijdagen moet er tweeënhalve kilometer gerend worden, op dinsdagen en donderdagen vijf kilometer en op woensdagen zevenenhalve kilometer. Deb zegt dat ze ons als stimulans voor het hardlopen vijfenveertig cent zakgeld zal geven, maar dat we sowieso moeten rennen, geld of geen geld.

Dat is de regel.

Bryan zegt dat regels er zijn om overtreden te worden.

Vandaag is een vijfkilometer-dag en dus ren ik de lange oprit af. Beneden draai ik rechtsaf de hoofdweg op en kijk achterom om er zeker van te zijn dan niemand me volgt.

De weg is verlaten, hoge bomen en schaduwen die achter me wegglijden, en ik blijf staan.

Er zit een kronkel in mijn schaduw op de weg en ik maak een zigzaggende beweging. Mijn schaduw zigzagt mee en ik begin hardop te lachen, mijn stem het enige geluid.

Ik weet echt wel dat papa er niet meer is, maar toch kijk ik de weg af alsof hij zo de hoek om zal komen. Ik weet precies hoe hij dan zal kijken, wat hij aan zal hebben en hoe hij zal glimlachen als ik naar hem toe ren en zijn hand pak. Ja, dat zou ik doen, ik zou meteen naar hem toe rennen en mijn hand in de zijne leggen.

Deb zegt dat de tweeënhalve-kilometergrens ligt waar de weg een scherpe bocht naar links maakt. Op die plek draai ik me om en loop terug naar huis. Als Deb vraagt zeg ik gewoon dat ik vijf kilometer gedaan heb en dat is dan niet gelogen, niet echt tenminste.

Als ik vlak bij onze oprit ben, begin ik weer te rennen voor het geval iemand me ziet. Bovenaan de oprit staat een bruine bestelwagen van UPS en een man van UPS die kokers achter uit de auto haalt. Hij knijpt zijn ogen half dicht als hij me ziet en begint te zwaaien. Ik zwaai terug en laat dan mijn arm weer zakken.

De man van UPS loopt naar me toe, een koker onder zijn arm en een klembord in zijn andere hand.

'Kun je hiervoor tekenen?' zegt de man van UPS.

'Geen idee,' zeg ik, 'ik denk het wel.'

De man van UPS draagt een bruine broek, een bruin overhemd en een bruine hoed, alles aan hem is bruin. Hij draait het klembord naar me toe en wijst op het papier.

'Je hoeft alleen maar je naam op te schrijven,' zegt de man van UPS, 'hier op het stippellijntje.'

Ik neem de pen van hem aan, schrijf met schuine letters mijn naam op en dan draait de man van UPS het klembord weer naar zich toe.

'Jennifer Lauck?' zegt hij.

'Ja,' zeg ik.

Hij houdt de koker omhoog en ik pak hem met beide handen aan.

'Alsjeblieft, Jennifer Lauck,' zegt hij.

Ik vind het leuk dat hij mijn naam voluit zegt. Hij pakt nog drie kokers uit de auto en ik probeer ze niet te laten vallen door ze tegen me aan te drukken.

'Wat zit erin?' zeg ik.

De man van UPS haalt zijn schouders op en kijkt op zijn klembord.

'Ze zijn van de Aududon Society,' zegt hij. 'Misschien zijn het vogelprenten. Vrij kostbare, zo te zien, ze zijn goed verzekerd.'

De kokers zijn van karton en ik moet achteroverleunen om ze alle vier in mijn armen te kunnen houden.

'Hé,' zegt de man van UPS, 'moet ik je helpen met die dingen?'

'Nee,' zeg ik, 'het lukt wel.'

Hij tikt met zijn hand tegen zijn pet.

'Een prettige dag nog, Jennifer Lauck,' zegt hij.

'Bedankt,' zeg ik.

Het is stil in huis, zoals wanneer er niemand thuis is, en ik leg de kartonnen kokers in de eetkamer op tafel. Ik loop naar de keuken en doe de koelkast open, de koude lucht strijkt langs mijn benen, mijn armen en mijn gezicht.

Deb zegt dat je nooit tussen de maaltijden door moet eten.

Ik haal een blikje tonijn en brood uit de koelkast, maak op het aanrecht een boterham klaar en veeg, voor alle zekerheid, de kruimels weg.

'Hé,' zegt Bryan.

Het geluid van zijn stem gaat als koud water over mijn hoofd en ik krijg kippenvel op mijn armen en benen.

'Ik schrok me dood,' zeg ik.

'Als Deb je ziet, ben je er gloeiend bij,' zegt Bryan.

'Laat Deb maar aan mij over,' zeg ik.

Bryan lacht en ik lach.

'Wil je de helft?' zeg ik.

'Jawel,' zegt hij.

Bryan en ik lopen naar de eetkamer en gaan aan tafel zitten. Bryan duwt tegen de kartonnen kokers aan.

'Wat zijn dat?' zegt hij.

Ik breek de boterham in tweeën.

'Vogelprenten,' zeg ik. 'Dat denk ik, tenminste.'

Bryan pakt de halve boterham van me aan en bijt er de helft vanaf.

'De man van UPS zegt dat ze kostbaar zijn,' zeg ik.

Bryan legt zijn vinger op een van de kokers en rolt hem naar zich toe om te kijken wat er op het etiket staat.

'En die zou blut zijn,' zegt Bryan. 'Mooi niet dus.'

'Wat?' zeg ik.

'Deb zegt dat we blut zijn,' zegt Bryan, 'maar is het jou ook opgevallen hoeveel geld ze uitgeeft?'

Ik knijp met mijn vingers het brood plat en neem dan een hap van het platgedrukte brood met tonijn. Bryan leunt achterover in zijn stoel en doet zijn armen over elkaar.

'Ik weet dat pa verzekerd was,' zegt Bryan, 'en ik weet ook dat Deb nog een uitkering krijgt.'

'Wat bedoel je?' zeg ik.

Bryan perst zijn lippen op elkaar en buigt zich naar voren alsof hij me een geheim gaat vertellen, zijn adem ruikt naar tonijn.

'Er komen cheques binnen op jouw en mijn naam, maar Deb houdt het geld voor zichzelf,' zegt Bryan. 'Ik heb ze gezien, maar Deb zegt dat het geld niet echt voor ons is, maar voor haar.'

'Cheques?' zeg ik.

'Ja,' zegt Bryan. 'Geld van de Sociale Dienst. Vanwege pa. En niet zo'n klein beetje ook, ik heb er een opengemaakt.'

Er wordt nooit over geld gepraat. Deb geeft ons zakgeld en zegt dat ze een spaarrekening voor ons heeft geopend, maar dat is alles. Meestal zegt Deb dat we blut zijn en dat het papa's schuld is, maar ik weet niet wat ze daarmee bedoelt want we wonen toch in een mooi huis en zo.

Bryan kijkt me aan en legt zijn armen op tafel.

'Volgens mij is dat de enige reden waarom we hier zijn,' zegt Bryan. 'Dat kan toch niet anders?'

'Wat bedoel je?' zeg ik.

Bryan kijkt de eetkamer rond, de stoel kraakt onder zijn gewicht.

'Ik bedoel,' zegt Bryan, 'wij zijn kinderen van pa, zonder ons krijgt ze geen poen.'

Mijn mond is droog en mijn maag doet pijn. Ik begrijp het en begrijp het ook weer niet.

'Ik bedoel,' zegt Bryan, 'ze heeft ons niet in huis genomen omdat ze zoveel van ons houdt. Ze mag ons niet eens.'

Ik kijk naar Bryan en Bryan kijkt naar mij. Mijn honger is helemaal weg, maar toch neem ik een hap van mijn boterham met tonijn, ik krijg een zoute smaak in mijn mond.

'Wat gaat er nu met ons gebeuren?' zeg ik.

'Je bedoelt, als er geen geld meer binnenkomt?' zegt Bryan.

'Zou dat kunnen gebeuren dan?' zeg ik.

Bryan veegt met zijn hand langs zijn mond en ik zie aan zijn ogen dat hij net zoveel weet als ik. Buiten is het geluid van stemmen te horen.

'Ik ben weg,' zegt Bryan.

Hij gaat staan en duwt zijn stoel naar achteren.

'Bryan?' zeg ik.

Beneden gaat de voordeur open en dicht en Deb, Christopher, Kenny en Ronny komen lachend en pratend binnen.

'Tot kijk,' zegt Bryan.

Mijn taak in huis is het schoonmaken van de badkamers en de regel is: geen tv tot je daarmee klaar bent. Ik boen de wc-pot schoon met de wc-borstel en spoel het zeepsop weg.

Iedereen is in de tv-kamer, *The Brady Bunch* is op tv.

Ik ben gek op *The Brady Bunch*.

Ik maak de spiegel schoon, aan de bovenkant blijven strepen achter. Het muziekje is al bijna voorbij en dat betekent dat het zo begint.

Ik loop met de keukenrol in mijn hand naar de tv-kamer, blijf in de deuropening staan en leun tegen de deurpost.

Christopher zit in een boek te lezen en kijkt me over het boek heen aan.

'Ik maak het wel af als de reclame begint,' zeg ik.

Christopher haalt zijn schouders op en leest verder.

Ik kijk naar Bryan en hij haalt ook zijn schouders op. Ik duw me van de deurpost af en ga op de grond zitten, met mijn rug tegen de bank.

Kenny en Ronny zitten op de bank en tussen hen in ligt een hond die Deb ergens in Afrika heeft gekocht. Deb zegt dat het een basenji is en dat hij vierhonderd dollar heeft gekost.

En die zou blut zijn. Mooi niet dus.

In *The Brady Bunch* probeert Marsha meneer Brady vader van het jaar te maken, maar ze komt steeds in de problemen. Ik heb deze aflevering al eerder gezien, maar blijf toch zitten kijken, zelfs tijdens de reclameboodschappen. Christopher kijkt naar me, ik kijk naar Christopher en hij bijt op zijn lippen.

'Je kunt beter eerst je werk afmaken,' zegt Christopher.

'Doe ik ook,' zeg ik, 'straks.'

'Nee, je moet het nu doen,' zegt Christopher. 'Zo wil mijn moeder het en wij moeten ons aan haar regels houden.'

Ik doe mijn armen over elkaar en kijk naar de tv. Er is reclame voor snoepgoed voor. Ik weet niet waarom ik me niet aan de regels hou, ik doe het gewoon.

'Laat haar met rust,' zegt Bryan. 'Deb is niet eens thuis.'

Het is leuk zoals hij naar me kijkt en glimlacht, alsof ik ook meetel, alsof we samen een geheim hebben.

'Ik maak het wel af, Christopher,' zeg ik. 'Ik doe het alleen wat later.'

'Ik heb de regels niet bedacht, hoor,' zegt Christopher. 'Laten we anders mijn moeder even bellen om haar te vragen wat zij ervan vindt.'

Bryan begint te lachen, een gemeen lachje.

'Succes ermee, mama's kindje. Het zal mij benieuwen of je haar aan de telefoon krijgt,' zegt Bryan, 'ze zijn het waarschijnlijk net aan het doen.'

Christophers gezicht wordt opeens ernstig en hij gaat rechtop zitten.

'Wie zijn het aan het doen?' zegt Kenny.

Bryan begint snuivend te lachen en kijkt naar Kenny alsof hij haar te stom voor woorden vindt.

'Je weet wel,' zegt Bryan, 'Deb en die "interessante vriend" van haar.'

Het klinkt grappig zoals Bryan 'interessante vriend' zegt, en ik begin hardop te lachen.

'Hou je kop,' zegt Ronny.

'Hou zelf je kop,' zeg ik.

Kenny kijkt naar mij en dan naar Ronny. Christopher kijkt naar de tweeling en voor het eerst zie ik dat hij uit zijn gewone doen is, zijn gezicht is rood aangelopen.

'Gebruik je hersens,' zegt Bryan, 'wat denk je dan dat ze aan het doen is? Met hem praten? De toestand in de wereld met hem bespreken?'

'Hou je kop toch,' zegt Ronny. 'Je liegt.'

'Doe niet zo kinderachtig, Veronica,' zegt Bryan.

'Doe jij niet zo kinderachtig,' zegt Christopher. 'Je weet niet waar je het over hebt.'

Bryan leunt met een zelfvoldaan gezicht achterover in zijn stoel, alsof hij precies weet waar hij het over heeft. Er is niets mooiers dan nu aan zijn kant te staan, aan de kant van het weten. Ik leun tegen de bank en probeer net zo zelfvoldaan te kijken als Bryan.

Het enige geluid komt van de televisie, iedereen is stil van kwaadheid. Ronny draait heen en weer op de bank en zet haar voet op de grond. Ik kijk naar haar sproeterige tenen die bijna tegen mijn arm aan komen en doe snel mijn armen over elkaar zodat we elkaar niet aanraken. Ronny draait weer heen en weer en wrijft met haar voet langs mijn arm.

'Hou op,' zeg ik.

'Ga daar dan weg,' zegt Ronny.

'Ja,' zegt Kenny, 'je zit in de weg.'

'Niet waar,' zeg ik.

Ronny begint met haar hak naar me te trappen en Kenny lacht.

'Hou daarmee op,' zeg ik.

'Ik was hier het eerst,' zegt Ronny.

'Nou en,' zeg ik.

'Opdonderen dus,' zegt Ronny.

'Ja,' zegt Kenny, 'opdonderen.'

Alle kwaadheid in de kamer zit nu in me en slaat tegen mijn ribbenkast aan. Ik heb evenveel recht om hier te zijn als zij en ben het spuugzat om altijd het pispaaltje te moeten zijn, om het buitenbeentje te moeten zijn, om aan de kant te staan waar altijd de klappen vallen.

Ik ga staan en kijk Ronny, alleen Ronny, heel lang aan. Ze negeert me eerst, knippert dan met haar blauwe ogen en kijkt me recht aan.

'Neem een foto,' zegt Ronny, 'kun je nog langer naar me kijken.'

Ik loop naar de badkamer en in de hoek staat een bezem. Ik pak de bezem en draai hem om zodat de steel onder is en het borstelige gedeelte boven. Ik loop terug naar de kamer en ga tussen Ronny en de tv in staan.

'Ga aan de kant, idioot,' zegt Ronny, 'ik zie zo niks.'

Ik kijk naar Bryan en Bryan kijkt naar mij.

'Krijg de klere, Veronica,' zeg ik.

Ik doe de bezem als een honkbalknuppel omhoog en laat de steel met een klap op Ronny's benen neerkomen, het geluid van hout op bot, het geluid van Ronny's gegil in mijn oren, en Kenny gilt ook, hoewel ik haar niet eens geslagen heb. Ik doe de steel weer omhoog en haal uit naar de andere kant.

Kenny trekt vlug haar benen op en slaat haar armen om haar knieën. Christopher komt overeind en begint tegen ons te schreeuwen dat we op moeten houden.

Ronny springt boven op me en gooit me zo snel tegen de grond dat ik bijna geen adem meer krijg. Ze trekt de bezem uit mijn handen en heft hem op tot boven haar hoofd. Ronny is kwader dan ik ooit zal kunnen worden en haar blauwe ogen lijken op die van een dier. Ze slaat me in het gezicht, een keer, twee keer, drie keer, en de pijn is erger dan ik ooit eerder gevoeld heb.

Kenny gilt. Christopher schreeuwt tegen Bryan dat hij me kamer uit moet brengen.

Bryan gooit zich op Ronny en trekt haar van me af.

Ronny gilt en probeert onder Bryan vandaan te komen waarna Kenny op Bryans rug springt en probeert hem van Ronny af te trekken.

Ik draai me om en er druppelt bloed op het vloerkleed. Ik doe mijn hand omhoog en het bloed blijkt uit mijn mond te komen.

'Weg hier,' roept Bryan, 'nu.'

Ik kruip op mijn knieën naar de badkamer en doe de deur achter me op slot. Ronny gilt dat ze me gaat vermoorden en het lijkt alsof Kenny huilt. Christopher probeert iedereen tot bedaren te brengen.

Mijn bloed tekent zich rood af tegen de witte tegelvloer, de witte commode, de witte porseleinen wastafel. Er loopt bloed langs mijn kin, mijn hals en mijn T-shirt naar beneden en ik hou mijn hoofd boven de wasbak en spuug erin. Een van mijn tanden valt ratelend in de wasbak en daarna nog een.

'Doe de deur open,' zegt Bryan.

Ik leg mijn oor tegen de deur, in de tv-kamer is het stil geworden. Bryan bonst nogmaals op de deur en ik draai de knop om. Bryan is alleen, hij doet de deur achter zich dicht en draait hem op slot. Ik doe een paar passen achteruit en hou mijn hand voor mijn mond.

'Ze heeft er twee tanden uit geslagen,' zeg ik.

'Godverdomme,' zegt Bryan. 'Laat eens zien.'

Ik haal mijn neus op en proef de smaak van bloed achter in mijn keel.

'Ze liggen in de wasbak,' zeg ik.

Bryan kijkt in de wasbak, haalt de tanden eruit en houdt ze omhoog.

'Godverdomme,' zegt hij.

Bryan legt de tanden op de commode en draait de kraan open. Hij pakt een wit washandje en maakt hem nat.

'Hou op met huilen en kom hier,' zegt Bryan.

In de spiegel zie ik Bryans rug en mijn gezicht dat onder het bloed zit. Hij veegt mijn kin en mijn hals schoon, het washandje voelt koud aan op mijn huid.

'Het lijkt erger dan het is,' zegt Bryan, 'het is alleen maar bloed.'
Hij spoelt het washandje uit en wat wit was, is nu roze gevlekt.
Hij draait de kraan dicht en veegt mijn neus af.

'Doet het ergens anders nog pijn?' zegt hij. 'Ik bedoel, denk je dat
ze je neus heeft gebroken?'

'Nee,' zeg ik.

Ik buig me voorover naar de spiegel en kijk naar mijn gezicht, het
is paars en rood rond mijn neus, mijn ogen en mijn lippen. Ik beweeg mijn mond heen en weer en spuug bloed in de wasbak. Bryan
leunt tegen de commode en doet zijn armen over elkaar.

'Hoe kon je dat nou doen?' zegt Bryan.

'Ze maakte me gewoon kwaad,' zeg ik. 'Ik heb schoon genoeg van
haar. Van hen allemaal trouwens.'

Bryan lacht en schudt zijn hoofd.

'Dat dacht ik al,' zegt Bryan.

Hij kijkt me met zijn donkere ogen aan alsof hij alles af weet van
kwaad zijn en ergens genoeg van hebben, en voor het eerst kan ik
me voorstellen hoe Bryan zich soms voelt.

Ik veeg het bloed weg van de commode en de wasbak. Ik voel
dat Bryan naar me kijkt en spoel het washandje uit met koud water. Ik kijk in de spiegel naar Bryan en hij glimlacht.

'Je bent een enge chick,' zegt Bryan.

'Ik dacht dat ik een pittige chick was,' zeg ik.

'Eng en pittig,' zegt Bryan.

Hij maakt een vuist en duwt hem tegen mijn schouder, maar het
is geen echt stompen. Ik draai de kraan dicht en kijk hem aan, we
voelen allebei hetzelfde.

Chiquita heeft een chocolade met melkkleur en een wit vlekje tussen haar melkchocoladebruine ogen. Ze ruikt net als de geiten, maar
heeft ook nog een zoetere geur, een warme, doordringende geur, en
ik vind die aparte geur van haar wel lekker.

Nadat ik haar hele paardenlijf geborsteld heb, zadel ik haar op en
leid haar de kraal uit. De geiten mekkeren alsof ze honger hebben
en ik doe het hek dicht zodat ze er niet uit kunnen.

'Jullie mekkeren maar een eind weg, hoor, stomme geiten,' zeg ik.

Chiquita doet haar hoofd op en neer alsof ze de geiten ook maar
stomme beesten vindt. Ik aai haar over de zijkant van haar hoofd

en leid haar naar het ruiterpad.

Met paarden is het zo dat ze wel groot en sterk zijn maar dat je, wanneer je ze aankijkt, kunt zien dat er van alles in hun hoofd omgaat. Niemand hoeft me te vertellen dat ik aardig moet zijn voor Chiquita want diep vanbinnen weet ik dat je aardig moet zijn voor dieren zoals paarden, want anders gebeuren er nare dingen met je.

'Dan ga ik nu op je zitten,' zeg ik. 'Oké, meisje?'

Chiquita blijft staan en ik zet mijn voet in de stijgbeugel, trek me aan haar manen omhoog en ga in het zadel zitten.

'Lopen maar,' zeg ik, 'jij mag kiezen waar we naartoe gaan.'

Chiquita draait haar hoofd om en loopt met voorzichtige passen het smalle ruiterpad op. Ze loopt altijd naar Windmill Hill waar een weiland is met hoog, sappig gras en wilde bloemen. Windmill Hill is de enige plek waar je de hemel kunt zien zonder eerst door bomen te moeten kijken en als we daar aankomen, laat ik me van Chiquita afglijden en ga onder de weidse blauwe hemel liggen.

Het ruikt er schoon en naar gras en wind en je krijgt het gevoel dat je alleen op de wereld bent. Chiquita maakt een paardengeluid en trekt een mond vol gras uit de grond.

De zon schijnt warm op mijn gezicht en als ik mijn ogen dichtdoe, wordt het oranje achter mijn oogleden. Ik kon papa vroeger altijd in kleur zien, kon zijn *That Man* en sigaretten ruiken en het geluid van zijn stem horen. Maar als ik nu mijn ogen dichtdoe, is hij meestal in zwart-wit, zoals in een oude film, en ziet hij eruit als op de dag toen we de boottocht naar Catalina maakten.

Ik wou dat hij nu hier was, zodat ik hem kon vertellen dat Ronny twee tanden uit mijn mond heeft geslagen, dat Deb zei dat het mijn schuld was en dat ik voor straf vijf dagen op water en brood heb geleefd.

De warme adem van het paard strijkt langs mijn gezicht en ik doe mijn ogen open en papa in zwart-wit is verdwenen. Chiquita snuift en maakt een geluid alsof ze lacht. Ik doe mijn hand omhoog en haar neus is zacht als fluweel. Ze snuffelt aan mijn hand en hapt vlak naast mijn schouder in een pluk gras.

Bryan is in de kraal als we terugkomen en zit op het hek met zijn voeten achter een van de latten.

'Waar ben je geweest?' zegt hij.

'Hoezo?' zeg ik.

'Deb gaat als een malloot tekeer,' zegt hij.

Het klinkt grappig zoals hij dat zegt en ik begin hardop te lachen. Bryan aait Chiquita, zijn hand op haar flank.

'Ik denk dat die ouwe vent haar gedumpt heeft,' zegt Bryan.

'Echt?' zeg ik.

Bryan houdt Chiquita vast, ik doe het hek open en duw de geiten terug en Bryan leidt Chiquita de kraal binnen.

'Tja, wie zal het zeggen,' zegt Bryan, 'ze is in ieder geval volkomen hysterisch en wil een gezinsoverleg houden. Ik moest je gaan halen.'

Hij doet het hek dicht, doet Chiquita de halter af en brengt die naar de schuur.

'Nou, ik moet haar eerst nog borstelen,' zeg ik.

Ik maak de zadelriemen los, laat het zadel van haar rug glijden en draag hem naar de schuur.

'Ik help je wel,' zegt hij.

Bryan en ik zwijgen. Bryan vult Chiquita's drinkbak bij en legt een blad alfalfa voor haar neer. Ik borstel haar rug, haar flanken, haar nek en haar benen.

'Wat zijn jullie nou nog aan het doen?' Deb staat op de veranda en houdt zich met beide handen aan de leuning vast.

Bryan houdt zijn hand boven zijn ogen en knijpt zijn ogen half dicht.

'We komen eraan,' roept Bryan.

'Schiet een beetje op,' roept Deb.

De deur wordt dichtgeslagen, Deb is weer in huis.

Bryan lacht en schudt zijn hoofd.

'Ze draait door,' zegt Bryan.

Ik sla met mijn hand tegen de paardenborstel en een stofwolk stijgt op in het zonlicht. Bryan heeft gelijk. Deb draait inderdaad door. Ze zegt dat we teruggaan naar Los Angeles, dat ze lerares wordt voor de Freedom Community Church, dat ze besloten hebben haar tot een speciale cursus toe te laten, en voor heel weinig geld nog wel.

Deb praat en het is net alsof je naar iets op de televisie zit te kijken. Bryan kijkt me met zijn donkere ogen over de tafel heen aan en we wisselen een blik van verstandhouding.

Ronny kijkt alsof ze zo begint te huilen, Kenny huilt al en Christophers gezicht is lijkbleek.

'Maar mam,' zegt Ronny, 'ik wil niet weer verhuizen.'

'Ik ook niet,' zegt Kenny en legt haar hand op haar neus.

Deb legt haar hand op haar hart en kijkt naar buiten alsof ze de toekomst al voor zich ziet.

'We hebben geen keus,' zegt Deb, 'ik ben een van de weinige uitverkorenen voor die cursus.'

Het is stil, alsof de tijd opeens stil staat, en ik kijk de tafel rond. Bryan kucht en de tijd begint weer te lopen.

'Denk je soms dat het een grapje is?' zegt Deb.

'Nee,' zegt Bryan.

'Wil je nog iets zeggen?' zegt Deb.

Bryan gaat rechtop in zijn stoel zitten en kijkt Deb met een zelfvoldane blik aan.

'En je vriend dan?' zegt Bryan.

Debs ogen schieten vuur, ze kijkt kwader dan kwaad en trekt met haar mond tot je alleen nog een dun lijntje ziet.

'Dat gaat je geen moer aan,' zegt Deb.

Bryan trekt zijn donkere wenkbrauwen op en lacht stilletjes.

'Neem me vooral niet kwalijk,' zegt Bryan.

Ik volg met mijn vinger het patroon van rode tulpen. Ik kijk op en Bryan kijkt me aan alsof we samen een geheim delen.

'Moeder,' zegt Ronny, 'ik kan gewoon niet geloven dat we nu alweer gaan verhuizen.'

'Nee, ik ook niet,' zegt Kenny.

'Meiden,' zegt Deb, 'het lot heeft het zo bepaald, we zullen wel moeten.'

L.A. is warm, grijs en smerig. Als je omhoogkijkt, zie je vervuilde lucht. Kijk je naar beneden, dan zie je beton met zwarte en bruine vlekken. Wie weet wat er allemaal op dit trottoir ligt en hoe het er terechtgekomen is.

Deb heeft een ronde zonnebril op. Een Mod Squad-zonnebril, en ze draagt laarzen met hoge hakken en een kort suède jasje met een riem die strak om haar smalle taille zit. Deb ziet eruit als een detective uit een stripverhaal, haar lange haren wapperen om haar schouders.

Deb en ik zijn alleen en om ons heen klinkt het geluid van bussen en auto's, van claxons en sirene's.

Een oude man in een lange jas komt op ons af lopen, hij heeft een vuil gezicht, een roodverbrande neus en draagt twee zakken met schoenen. Hij blijft voor Deb staan, een geur van afval en pis komt ons tegemoet.

Deb doet een paar passen achteruit, schuift met haar hand de Mod Squad-zonnebril omhoog en kijkt langs haar neus naar beneden alsof ze overweegt een revolver uit haar handtas te halen om meteen maar de hele straat van zwervers te ontdoen.

'Heeft u wat kleingeld voor me, mevrouw?' zegt de man glimlachend, er zit niet één tand meer in zijn mond.

Deb gooit haar haar naar achteren alsof ze de man niet eens gehoord heeft.

'Kom,' zegt Deb.

Debs hakken klikklakken als ze de treden van een hoge stoep op loopt, maar ik blijf op het trottoir staan. De stoep leidt naar een groot, oud huis met heel veel ramen. Het is het enige huis hier temidden van al deze smerigheid, grijsheid en lawaai en om het hele huis zit een zwart ijzeren hek. Buiten het hek ligt bruin gras en er staan wat bomen.

Deb staat op de stoep, een hand op de deurknop, de andere op haar smalle heup.

'Nou, kom je nog?' zegt ze.

Mijn voeten maken een schrapend geluid over het steen en in de hoeken van de treden liggen stukjes papier en sigarettenpeukjes. Bij de voordeur draai ik me om en kijk naar het trottoir.

Ik weet echt wel dat hij er niet meer is, maar toch hoop ik dat papa nu de hoek om komt en zijn hand naar me uitsteekt.

In plaats daarvan raakt Deb mijn schouder aan, de kou van haar hand dringt door tot op mijn huid. Ik trek mijn schouder weg en loop naar binnen.

In het huis is het stil en koel en het ruikt er zoals het in oude huizen altijd ruikt. De plafonds zijn hoog, de muren zijn wit geschilderd en de kozijnen van ramen en deuren zijn van donker hout. De vloer is ook van donker hout.

Aan het einde van een lange gang is het geluid van stemmen te horen en ik zie de schaduw van een man. Niemand komt ons begroeten.

'Waar zijn we hier?' zeg ik.

Deb doet haar zonnebril af, duwt de stangetjes naar binnen en loopt voor me uit.

'Dit is mooi,' zegt Deb, 'vroeg Victoriaans, maar het kan ook laat zijn. Die twee haal ik altijd door elkaar.'

Deb blijft in de deuropening van een kamer staan en kijkt naar binnen, er staan een bank en een paar stoelen en er zit een open haard in. Ze draait zich om, loopt naar een andere kamer en blijft daar in de deuropening staan.

'Deze is het,' zegt Deb.

'Deze is wat?' zeg ik.

Deb laat haar zonnebril in haar jaszak glijden en haalt er een vierkant vel papier uit te voorschijn. Ze leest iets, kijkt weer de kamer in, vouwt het papier op en stopt het weer in haar jaszak.

'Ja,' zegt Deb, 'deze is het.'

Deb loopt de grote kamer in en deze is lang en breed met lampen die in de muren zijn weggewerkt. De kamer is leeg, er liggen alleen een rij matrassen en een kleed op de vloer. Tien matrassen in totaal, een- en tweepersoons, en op sommige liggen lakens en dekens. Op de blauw-witte stof van de andere matrassen zitten donkere vlekken.

Aan het andere eind van de kamer zijn ronde ramen waardoor het daglicht schuin naar binnen valt, op de donkere houten vloer is een rechthoek van licht te zien. Deb loopt naar de ronde ramen, haar hakken klikklakken. Ik blijf in de grijze schaduw staan, daar waar de zon niet komt, en kijk naar Deb.

'Dit is prachtig,' zegt Deb, 'net een erker, maar dan een hele kamer in de vorm van een erker.'

Als er iets niet klopt, voel ik dat het eerst op mijn huid.

'Gaan we hier wonen?' zeg ik zacht.

Deb doet haar hoofd naar beneden en kijkt me met haar groene ogen aan.

'Niet wij,' zegt Deb, 'jij.'

'Wat?' zeg ik.

Deb doet haar armen omhoog naar de ramen en glimlacht.

'Oost west, thuis best,' zegt Deb. 'Dit is je nieuwe thuis.'

'Laat je me hier alleen achter?' zeg ik.

Deb zet haar ene voet naar voren, de andere naar achteren en neemt haar etalagepop-pose aan, een en al heupen en ellebogen.

'Dat is toch wat je wilt?' zegt Deb. 'Alleen zijn. Nu heb je je zin.'

'Wat bedoel je?' zeg ik.

Deb bukt zich en kijkt me alleen maar heel lang aan. In Debs groene kattenogen weerspiegelt zich een wereld die ik nooit zal kennen, die ik ook helemaal niet wil kennen. Ik kijk naar mijn voeten, maar voel dat haar ogen nog steeds op me gericht zijn.

Ze recht haar rug en trekt aan de riem om haar middel.

'Je gaat naar de lagere school in Hoover Street,' zegt Deb. 'Die is op loopafstand hier vandaan.'

Deb schuift met haar voet ergens overheen dat aan de vloer vastzit, misschien een stuk kauwgom.

'En je gaat werken voor de kost,' zegt Deb. 'Na school, hier in de keuken en bij de Freedom Community.'

'En Bryan dan?' zeg ik.

Deb begint rondjes te lopen, de hakken van haar laarzen klikklakken op de houten vloer.

'Er wordt van je verwacht dat je elke dag wel ergens bent,' zegt Deb, 'en als je je plichten verzuimt, krijg ik dat horen.'

'Waar is Bryan?' zeg ik.

Deb blijft staan en doet haar handen achter haar rug.

'Je stelt weer veel te veel vragen,' zegt Deb.

Ik kijk om me heen, alles lijkt zo onwerkelijk, ik begrijp nergens meer iets van. In mijn hoofd stapelen de vragen zich op, vragen die zich verdringen, die eruit willen.

'Maar,' zeg ik, 'hoe lang moet ik hier dan blijven?'

'Dat ligt helemaal aan jezelf,' zegt Deb.

'Aan mij?' zeg ik.

Deb kijkt uit het raam en zet haar handen in haar zij, de vingers gespreid over haar heupen.

'Wat bedoel je daarmee?' zeg ik.

Deb wil niet naar me kijken, doet alsof ze me niet gehoord heeft.

'Hoe kom ik dan te weten wanneer ik ergens naartoe moet?' zeg ik.

Deb knipt met haar vingers.

'Dat zoek je zelf maar uit,' zegt Deb. 'Overleven heet dat.'

Ze doet haar hand in haar jaszak, haalt er een biljet van tien dollar uit en legt het op de vesterbank.

'Dit is voor eventuele onkosten,' zegt Deb, 'onverwachte uitgaven.'

'Deb?' zeg ik. 'Dit kun je niet maken.'

Deb perst haar lippen op elkaar, de dunne wenkbrauwen laag boven haar enge kattenogen, en ik weet dat voor haar hiermee de kous af is. Ze loopt weg, tot aan de voordeur is het geklikklak van haar hakken te horen. Ze kijkt niet meer achterom, niet één keer.

'Je kunt me hier niet zomaar achterlaten,' schreeuw ik.

Deb blijft bij de deur staan, haalt haar Mod Squad-zonnebril uit haar jaszak en zet hem op.

'Je zult me er later dankbaar voor zijn,' zegt Deb.

Ze opent de deur, loopt naar buiten en doet de deur achter zich dicht.

Ik blijf alleen achter in de rechthoek van licht, omringd door de doodse stilte van dit oude huis. Ik ren naar het raam, ga op mijn tenen staan en zie nog net Debs achterhoofd, maar dan loopt ze de hoek om en is ze uit het zicht verdwenen.

Ik leun tegen de muur en laat me zakken tot mijn achterwerk de houten vloer raakt. Ik trek mijn knieën op, de geur van stof dringt mijn neusgaten binnen. Ik druk mijn handen hard tegen mijn ogen, maar het is al te laat. Warme tranen glijden tussen mijn vingers door, rollen langs mijn armen naar beneden en druppelen van mijn ellebogen af.

Ik weet niet hoe lang ik daar zo zit, het lijkt een eeuwigheid, maar dan hoor ik opeens iemand mijn naam noemen. Mijn hart lijkt van opluchting een sprongetje te maken, want ik weet dat het papa is.

Ik doe mijn handen voor mijn gezicht vandaan en zie een man in een oranje overall die naar me staat te kijken.

'Hé,' zegt de man, 'zit jij op meubels te wachten?'

Mijn armen en benen zijn loodzwaar als ik me van de vloer omhoogduw. Op de plek waar ik net heb gezeten, is de afdruk van mijn achterwerk te zien en ik klop met beide handen het stof eraf.

'Alles goed?' zegt de man.

Ik haal mijn neus op en wrijf mijn handen droog aan mijn spijkerbroek. Diep vanbinnen voelt het leeg en mat.

'Ja, hoor,' zeg ik, 'kan niet beter.'

De man kijkt op zijn klembord en dan weer naar mij.

'Dit zal wel niet kloppen,' zegt de man, 'maar ik kom meubilair afleveren voor Jennifer Lauck.'

'Dat ben ik,' zeg ik.

Ik doe mijn handen in mijn broekzak en kijk de man aan. De man kijkt weer op zijn klembord en haalt zijn schouders op.

'Oké,' zegt hij, 'waar zal ik het neerzetten?'

De verhuizers zijn Darryl en Chuck. Darryl draagt de oranje overall en Chuck draagt een spijkerbroek met een sweatshirt waar '*Keep on Truckin'*' op staat. Ze zetten al mijn spullen in de halfronde kamer: het hoofdeinde van het bed, de matras, de springveer, het ladekastje, het bureau, de spiegel, de stoel met goudkleurige zitting en de vier stijlen van het hemelbed.

Als laatste draagt Darryl de roze kist naar binnen.

'Voorzichtig,' zeg ik, 'er zitten breekbare spullen in.'

Darryl zet de roze kist op de grond en ik hoor hoe de spullen heen en weer schuiven. Darryl wrijft zich in de handen en doet een paar passen achteruit en Chuck zegt dat dat alles was.

Darryl streept iets aan op zijn klembord en geeft dan het klembord aan mij.

'Hier even tekenen,' zegt Darryl.

Ik schrijf mijn naam op met schuine letters en Darryl doet zijn hoofd opzij en leest mijn naam. Chuck en Darryl kijken elkaar aan, kijken dan naar mij en Chuck doet zijn handen in zijn broekzakken.

'Is hier iemand die je kan helpen om de boel in elkaar te zetten?' zegt Darryl.

Ik kijk naar alle spullen uit mijn vroegere kamer en strijk met mijn tong langs mijn lippen.

'Ik heb geen hulp nodig,' zeg ik. 'Ik kan het wel alleen.'

Chuck begint te lachen en duwt zijn handen nog dieper in zijn broekzakken, alsof hij zijn knieën wil pakken. Darryl krabt zich op het hoofd.

'Jezus,' zegt Darryl, 'je kunt zo'n kind dat toch niet alleen laten doen? Als wij het bed nou eens voor je in elkaar zetten, of alvast wat dingen op hun plaats zetten?'

Mensen die hun eigen problemen oplossen zijn zelfstandig.

Krijg de klere, Deb.

'Nee, dat hoeft niet,' zeg ik. 'Ik red me er wel mee.'

Darryl kijkt me aan, de ogen strak op me gericht.

'Goed dan,' zegt Darryl. 'Weet je het zeker?'

'Ja, echt,' zeg ik. 'Het lukt wel.'

Deb denkt misschien dat ze slim is, dat ze me door en door kent, maar dat heeft ze toch mooi mis, ze kent me helemaal niet, ik zal haar laten zien dat ik niets of niemand nodig heb.

Ik schuif de boekenkast, het ladekastje en de andere boekenkast tegen elkaar aan. Met de achterkant naar buiten en de voorkant naar binnen, zodat mijn prinsessenmeubels nu een muur vormen tussen mij en de rest van de grote kamer en je alleen door wat kieren de kamer in kunt kijken.

Mijn hemelbed komt tussen de muur van meubels en de ramen in te staan, het hoofdeinde van het bed zet ik alvast tegen de muur. De springveer leg ik op de grond, tussen het hoofdeinde en het voeteneinde in.

Bryan zegt dat mijn bed net een puzzel is, en dus zet ik alle onderdelen in elkaar zoals hij het deed, een voor een. Het zweet staat op mijn rug en mijn buik en ik veeg met mijn arm over mijn gezicht.

Er liggen nog geen lakens op het bed waardoor het er naakt en onafgewerkt uitziet. Ik ga op de rand van het bed zitten, in de verte hoor ik het geluid van claxons, van een sirene en van iemand die iets in het Spaans roept.

Ik zet de punt van mijn schoen tegen de hak van mijn andere schoen en duw tot hij uitvliegt en tegen de muur onder het raam terechtkomt. Ik trek het sleuteltje onder de veter vandaan en hou de schoen in mijn hand. Ik maak het hangslot van de roze kist open en doe het deksel omhoog.

Mijn lakens, bedsprei en kussens liggen platgedrukt boven op mijn boeken, de wekkerradio en mijn andere geheime spullen.

Ik vouw de lakens en de deken om het matras heen, gooi de bedsprei met een zwaai over het bed en trek aan de punten tot hij glad ligt. Ik sla drie keer met mijn vuist in het kussen en leg hem aan het hoofdeinde van het bed. Ik zet mijn bureaustoel tegen het bed en gooi met een zwaai de roze stof over de vier stijlen. De stof wordt op iedere hoek met een sierdop op zijn plaats gehouden. Ik duw alle vier doppen op de stijlen en dan hangt de stof als een roze cocon van veiligheid om mijn bed heen.

Daarna zijn de Doornroosjelamp, de lamp voor de boekenkast, mijn wekkerradio en de cassetterecorder met het bandje van de *West Side Story* aan de beurt. *Mary Poppins, Ferdinand de Stier* en *Sneeuwwitje en de Zeven Dwergen* gaan allemaal in de boekenkast. Ik zet alles op zijn plaats alsof het de gewoonste zaak van de wereld is en ga dan met mijn oude exemplaar van *Sneeuwwitje en de Zeven Dwergen* op bed zitten.

Ik ben moe, het gevoel van eenzaamheid is terug en het lijkt alsof iemand me vanbinnen met zijn vuisten bewerkt. Maar mijn kamer ziet er mooi uit, mooier dan menig andere kamer, daar zal Deb nog van opkijken.

Op de zwarte stoffen kaft van het boek staan in reliëf een raaf en een duif met tussen hen in een bloem die in volle bloei staat. Dat was me nooit eerder opgevallen. Ik strijk er met mijn vingers overheen en voel de vogels en de bloem. Ik sla het boek open en kijk naar de tekeningen.

De eerste tekening is van de koningin bij haar raam met ebbenhouten kozijn.

De tweede tekening is van Sneeuwwitje die op blote voeten in het bos loopt.

De derde tekening is van Sneeuwwitje met de dwergen.

De vierde tekening is van het hele koninkrijk bij zonsondergang.

De vijfde tekening is van een volle maan die door een raam naar binnen schijnt terwijl de boze stiefmoeder een appel omhooghoudt naar het maanlicht. Er staat een houten tafel waar plantenwortels, kruiden en bloemen op liggen en een opengeslagen boek waarin staat hoe je iemand kunt vergifigen. In de hoek van de tekening weeft een zwarte weduwenspin haar web en er liggen drie tarotkaarten op tafel, de kaart met de dood bovenop.

De stiefmoeder smeedt haar dodelijke plannetje omdat een kasteel bezitten en koningin zijn niet genoeg is, ze wil ook nog de mooiste van het land zijn. Zo gaat dat met sommige mensen, hebben ze zoveel en zijn ze nog niet gelukkig.

Ik hoor een geluid in de grote kamer en doe mijn ogen open. Het is koud en donker in mijn gedeelte van de kamer, cirkels van licht vanuit de grote kamer. *Sneeuwwitje en de Zeven Dwergen* ligt op de grond, ik pak het boek op en sla het dicht.

Ik kijk door de kier tussen mijn ladekastje en de boekenkast en zie een mevrouw met een vlecht onder een van de lampen zitten. Ze leest in een boek van de Freedom Community Church met vogels op de omslag en om haar matras heen liggen vieze kleren. Een paar matrassen verderop staat een man met een rugzak alleen maar naar de matrassen op de vloer te kijken.

Ik loop de grote kamer in en blijf staan. De mevrouw kijkt niet op, maar leest gewoon door. Ik loop de man met de rugzak voorbij en hij kijkt me aan, knikt even en kijkt dan weer naar de matrassen.

In de deuropening draai ik me om en kijk naar mijn hoek van de grote kamer. Het enige wat je ziet is de achterkant van de boekenkasten en het ladekastje, de rest is donker.

Er gaat een trap naar boven, tweeëntwintig treden, een scherpe bocht en nog eens tweeëntwintig treden, en dan ben je op de eerste verdieping. Bovenaan de trap is een badkamer met een ouderwetse badkuip op pootjes. Ik doe de deur achter me dicht en tast met mijn hand de muur af naar het lichtknopje. De lamp boven de spiegel gaat aan, alleen een kale gloeilamp.

Er zitten vuile strepen op mijn wangen. Ik draai de kraan open, buig me over de wasbak en was de vuile strepen van mijn tranen van mijn gezicht. Ik draai de kraan weer dicht en trek mijn mondhoeken omhoog in een glimlach. Ik laat mijn mondhoeken weer zakken en kijk naar mijn ogen. Wat heb ik waardoor Deb zo'n hekel aan me heeft? Waarom is alles zo moeilijk? Het enige wat ik zie in de spiegel is mezelf en hoe ik kijk, een kind zoals alle andere kinderen.

Ik droog mijn gezicht af met toiletpapier, snuit mijn neus en gooi het papier in de afvalbak. Ik neem een nieuw stuk toiletpapier, veeg het water rondom de wasbak weg en gooi dat papier ook in de afvalbak.

Ik loop de badkamer uit en kijk de gang in, er hangt een geur van stof en kruiden hier boven. Alle deuren zijn gesloten maar ik hoor mensen in hun kamer heen en weer lopen.

Het is tweeëntwintig treden naar beneden, bocht om en nog eens tweeëntwintig treden en dan sta ik weer in de deuropening. Er loopt een donkere gang naar achteren en aan het einde van de gang hoor ik keukengeluiden. Ik loop vijftien passen de gang in en aan het eind is een een grote keuken, de ene helft wordt gebruikt om in te koken, de andere om in te eten. De keuken is geel geverfd, op de vloer ligt bruine linoleum en tussen het aanrecht en het fornuis staat een grote tafel met een snijblad erop. Een breed rek met allerlei keukenspullen eraan zoals spatels, pannen, kommen en gardes hangt boven de tafel.

Een man en een vrouw zijn aan het koken. De man roert in een pan die op het fornuis staat en de vrouw snijdt brood op de snijtafel. De man kijkt naar me, kijkt in zijn pan en dan weer naar mij.

'Wie ben jij?' zegt hij.

De mevrouw kijkt ook naar me, ze heeft een wit schort voor.

'Ik ben Jenny,' zeg ik.

De mevrouw glimlacht vriendelijk, een uitnodigende glimlach, en ze heeft het mooiste haar dat ik ooit gezien heb, blond en rood en bruin door elkaar en het valt lang en krullend om haar schouders.

De mevrouw komt achter de snijtafel vandaan, ze heeft een dikke, ronde buik die ver naar voren steekt. Ze stopt haar krullen achter haar oren en glimlacht vriendelijk.

'Al die mooie meubels in de voorkamer zijn dan zeker van jou,' zegt ze, 'ik heb stiekem even gekeken. Ik ben Karen.'

Karen steekt haar hand uit zoals grote mensen doen als ze iemand voor het eerst begroeten. Ik leg mijn hand in haar hand, haar huid is zacht.

'Dit is Max,' zegt Karen.

Max vertrekt zijn gezicht alsof hij jeuk aan zijn neus heeft en steekt ook zijn hand uit. De hand van Max is een 'geef me de vijf'-hand en ik weet niet wat ik moet doen, hem de vijf geven of niet. Ik kijk naar zijn hand, en dan naar Max. Hij heeft donkere ogen en zwart haar en zwarte bakkebaarden. Max trekt zijn hand terug voordat ik een besluit heb genomen en zet zijn handen achter op zijn heupen.

'We verwachtten je al,' zegt Max.

'Jullie wisten dat ik kwam?' zeg ik.

Karen legt haar handen op haar buik en maakt er ronde bewegingen mee.

'We kunnen je hulp goed gebruiken,' zegt ze.

Max leunt tegen de snijtafel en neemt me van top tot teen op.

'Ik dacht dat je wat ouder zou zijn,' zegt hij. 'Kun je koken?'

Ik ga rechtop staan, schouders naar achteren, kin ingetrokken en doe mijn handen op mijn rug.

'Ik kan brood roosteren,' zeg ik, 'en boterhammen smeren. En ik kan eieren klutsen.'

Karen begint te lachen, een hoog, licht geluid. Max lacht ook en wrijft met zijn hand langs zijn kin.

'Ik ben bijna elf,' zeg ik.

'Elf?' zegt Karen.

Karens gezicht wordt weer ernstig, ze kijkt naar Max en dan naar mij. Ze praten zonder woorden en ik weet dat er iets mis is.

'Ik ben nogal groot voor mijn leeftijd, geloof ik,' zeg ik.

Karen kijkt weer naar mij, ze heeft een bedroefde blik in haar ogen gekregen.

'Nou, Jenny,' zegt Karen, 'je bent van harte welkom.'

Karen bindt me een wit schort voor en van zo dichtbij ruikt ze naar de kruiden van boven. Mijn schort komt tot aan de grond, valt over mijn schoenen heen, en Karen doet een stap achteruit en moet lachen om hoe ik eruitzie. Max lacht ook.

Ik was mijn handen bij het grote aanrecht, de zeep heeft een scherpe, bittere geur, mijn handen prikken ervan. Karen zegt dat het eigengemaakte zeep is. Max zegt dat hij zo sterk is, omdat anders alle bacteriën niet dood gaan. Zelfs nadat ik mijn handen heb afgespoeld en afgedroogd, ruik ik de zeep nog en Max moet lachen om de manier waarop ik aan mijn vingers ruik en zegt dat ik er wel aan zal wennen.

Max laat me zien waar de borden staan en zegt dat ik gewoon een stapel op tafel kan zetten zodat iedereen zichzelf kan bedienen.

Waar je eet, in de keuken of in je kamer, moet je zelf weten, maar de mensen die in het huis verblijven moeten wel betalen voor het eten. Max zegt dat niemand eten mag opscheppen voordat hij geld in de pot heeft gedaan die op tafel staat, maar dat ik dat niet hoef te doen omdat ik meehelp in de keuken.

Ik zet een stapel borden en een stapel kommen op tafel en leg er lepels en messen naast.

Ik heb nog nooit zoveel honger gehad als nu, mijn maag knort ervan. Karen schept uit de pan op het fornuis hutspot op een bord en zegt dat ik er maar een plak brood bij moet nemen.

Karen en Max scheppen voor zichzelf ook hutspot op en gaan aan tafel zitten, Karen zit tegenover me, Max zit naast Karen.

Zij eten en ik eet, het is stil in de keuken. De hutspot bestaat uit wortelen, aardappelen, broccoli en bruine jus, en het is lekker, heel lekker zelfs.

Mensen komen de keuken binnen, stoppen geld in de pot, scheppen hutspot op, pakken brood. Sommigen blijven, anderen gaan weg. De vrouw met de vlecht komt binnen en gaat aan het uiteinde van de tafel zitten. Ze kijkt niet naar Max of Karen of mij, ze eet alleen maar, haar ogen op het voedsel gericht.

Als ik opkijk, zie ik dat Karen me met een flauwe glimlach om de lippen aankijkt.

'Waar is de rest van je familie?' zegt Karen.

Op de tafel staan drie potten met hoge planten erin, rode bloemen bovenin, grote bladeren in het midden. Ik steek mijn hand uit en raak een van de potten aan, koude klei onder mijn vingertoppen.

'Dat is een nogal ingewikkeld verhaal,' zeg ik.

De mevrouw met de vlecht kijkt even naar me en slaat dan haar ogen weer neer. Ik trek mijn hand terug en leg beide handen in mijn schoot.

'Je hoeft het niet te vertellen, hoor,' zegt Max. 'Het gaat ons niks aan. Toch?'

'Zit je bij de Freedom Community?' zegt Karen.

'Karen,' zegt Max.

'Ik ben gewoon nieuwsgierig,' zegt Karen. 'Ik heb dat nog niet eerder meegemaakt hier, een kind alleen.'

'Zijn hier dan nooit eerder kinderen geweest?' zeg ik.

'Karen,' zegt Max.

Karen en Max kijken elkaar aan en Max breekt een stuk brood af en doopt het in de jus.

'Nou,' zegt Karen, 'er is weleens een jongetje hier geweest, maar zijn moeder was er ook.'

'Het is wel oké,' zegt Max, 'je moeder vertelde me dat ze wat krap bij kas zat en dat je een harde werker bent. Er is niks aan de hand, dus.'

'Mijn moeder?' zeg ik.

'Deb of zo,' zegt Max. 'Zo'n soort naam was het. Is dat niet je moeder?'

'Nee,' zeg ik, de ogen op mijn hutspot gericht.

'Mijn moeder is dood,' zeg ik. 'Mijn vader ook.'

Het wordt opeens doodstil, alleen het geluid van mijn stem in mijn oren en mijn woorden die tussen de planten met rode bloemen zijn blijven hangen.

De mevrouw met de vlecht gaat staan, loopt met haar bord naar het aanrecht, wast hem af en droogt hem af.

Karen buigt zich naar voren en steekt haar hand uit, de handpalm naar boven gekeerd.

'Sorry, dat wist ik niet,' zegt Karen.

Ik kijk naar Karens hand die zacht en wit is vanbinnen en denk bij mezelf: had ik nou maar niks gezegd, stom, stom, stom.

Karen schraapt haar keel en trekt haar hand terug.

'Het geeft niet,' zeg ik.

Karen houdt haar hoofd schuin en glimlacht bedroefd.

'Een oud zieltje,' zegt Max.

'Zeker weten,' zegt Karen.

Heel lang blijft het stil tussen ons, tussen Max, Karen en mij, en dan schraapt Max zijn keel en begint uit te leggen hoe alles geregeld is.

Max zegt dat het huis voor een deel van de Freedom Community Church is en voor een deel een commune is, en dat mensen die op doorreis zijn in de grote voorkamer overnachten. Max en Karen wonen boven, samen met nog een ander stel. Max zegt dat ik mee moet helpen bij het klaarmaken van het ontbijt en het avondeten, halfzeven en halfzes, dat ik maar gewoon moet komen en dat hij me dan wel zal vertellen wat ik moet doen.

Als Max ophoudt met praten, wordt het weer stil in de keuken en ik weet dat ik nu eigenlijk van tafel moet opstaan en weg moet gaan. Maar ik wil bij Max en Karen blijven, bij de bloemen en de stilte. Ze kijken me aan en ik kijk hen aan, maar ik weet niet wat ik moet zeggen.

Ik ga staan, spoel bij het aanrecht mijn bord om en droog hem af met een theedoek. Ik doe mijn witte schort af en vouw hem op tot een klein vierkantje.

'Weten jullie hoe laat het is?' zeg ik.

Karen en Max kijken me glimlachend aan, Max kijkt op zijn horloge.

'Halfnegen,' zegt Max.

'Bedankt,' zeg ik. 'Tot morgen.'

'Tot morgen,' zegt Max. 'En je niet verslapen, hè.'

Mijn hoek van de kamer ziet er nog net zo uit en ik ga op de rand van mijn bed zitten, pak de wekkerradio en zet hem op halfnegen. Het alarm stel ik in op zes uur en ik zet de wekkerradio zo neer dat ik vanuit mijn bed de cijfers kan zien.

Het witte licht van een straatlantaarn komt door het bovenste gedeelte van het raam naar binnen en werpt witte en zwarte schaduwen op de roze stof van mijn hemelbed. De wind waait de struiken tegen het raam, de takken schuren langs het glas. Het is griezelig hier, griezelig om alleen te zijn, maar mijn prinsessenkamer ziet er mooi uit en dat geeft toch een veilig gevoel.

Ik wrijf met mijn handen over mijn gezicht, op en neer, trek dan mijn schoenen uit en sla de bedsprei, de dekens en het laken terug. Ik rol me zo klein mogelijk op onder de dekens en doe mijn ogen dicht. De takken schuren langs het raam, ik doe mijn ogen open en kijk naar de vuile vegen op het glas. Ik trek de dekens over mijn hoofd en doe mijn ogen weer dicht.

Mocht er nu iemand binnen komen, dan ren ik meteen de gang op en begin heel hard om Max en Karen te schreeuwen en ik weet zeker dat ze me dan zullen helpen.

Ik trek mijn kussen naar beneden, sla mijn armen eromheen en hou hem stijf tegen me aangedrukt. De warmte begint langzaam langs mijn benen en rug omhoog te komen, dat bekende slaperige gevoel, en daarna denk ik nergens meer aan.

Hoofdstuk zestien

Als je in je kleren slaapt, dan is dat niet echt slapen, maar meer wachten tot het weer licht wordt.

Ik doe mijn ogen open en het heldere morgenlicht komt door de ronde ramen naar binnen. De wekkerradio geeft zes uur aan, de radio gaat automatisch aan. Een man op de radio praat over God en geloven, zegt dat ons leven pas zin heeft als we het licht gezien hebben. Ik druk de knop in, leg de stem het zwijgen op, en zet de wekkerradio in de boekenkast.

Het is stil in de grote kamer, mensen onder dekens en in slaapzakken. Vijf matrassen zijn bezet, de andere vijf zijn leeg.

Ik loop in vijfentwintig passen de grote kamer door, ga de trap op, tweeëntwintig treden, bocht om, nog eens tweeëntwintig treden, de deur van de badkamer staat open. Aan het einde van de gang is een dichte deur en vanachter die deur klinkt muziek, droevige, langzame muziek.

Ik doe het licht aan en draai de badkamerdeur op slot. Ik trek een schone onderbroek aan, een spijkerbroek, een t-shirt met een geel zonnegezicht erop, schone sokken en mijn schoenen met het zilveren sleutelje aan de veter.

Ik poets mijn tanden en zorg dat alle slaapsmurrie uit mijn ooghoeken verdwenen is. Mijn haar, dat alle kanten op staat, kam ik één kant op, van onderaf beginnend. Daarna borstel ik mijn haar tot het glad is, strijk het naar achteren en maak een paardenstaart. Ik trek mijn grijze sweatshirt aan, rol mijn vieze kleren op en zoek mijn spullen bij elkaar.

In de gang klinkt andere muziek, het lijkt wel een liedje van de

Beatles. Ik ben gek op de Beatles, mijn lievelingsmuziek op die van Michael Jackson na. Ik loop met langzame passen naar de deur en luister. Mijn tandenborstel drukt tegen mijn sweatshirt en t-shirt en ik voel een natte plek op mijn huid. Het is *The Long and Winding Road*, ik wist wel dat het de Beatles waren.

Alleen Max is in de keuken, hij slaat eieren stuk boven een grote kom. Hij glimlacht alsof hij heel gelukkig is en ik weet niet wat ik moet doen, blijf staan en wrijf in mijn handen.

'Precies op tijd,' zegt Max. 'Zo mag ik het zien.'

'Waar is Karen?' zeg ik.

'Karen helpt alleen nog bij het avondeten,' zegt Max. 'Ga je handen maar wassen en kom dan hier.'

Ik was mijn handen met de stinkende zeep en Max gooit het witte schort van de avond ervoor, nog steeds in een vierkant opgevouwen, naar me toe.

'Ik hoorde muziek boven,' zeg ik. 'Van de Beatles.'

Max knikt, zwarte bakkebaarden en snor, witte tanden.

'Karen is gek op de Beatles,' zegt Max.

Ik knoop het schort om mijn middel.

'Oké,' zegt Max. 'Kom hier maar, dan mag je wat eieren voor me gaan stukslaan.'

Max schuift een kruk bij de snijtafel en ik klim erbovenop. Hij houdt in één hand een ei, slaat hem stuk op de rand van de kom, trekt met zijn vingers de dop naar achteren en het ei valt in de kom, tussen de andere eieren in. Zo'n twintig eieren liggen er nu in.

'Met één hand,' zegt Max, 'nu jij.'

Max zet de handen in zijn zij, zijn witte schort is voor de helft naar beneden omgeslagen en hij ruikt naar koffie en kruiden, kaneel en nootmuskaat.

Ik pak een ei uit de doos, hou hem in één hand, sla hem stuk zoals Max deed en trek de dop uit elkaar. Max duwt mijn hand naar het midden van de kom, spreidt mijn vingers, en de gele eierdooier valt naar beneden, het eiwit drupt erachteraan. De hand van Max voelt ruw en droog aan als hij mijn hand vastpakt en op en neer beweegt tot al het eiwit eruit gevallen is.

'Niet gek,' zegt Max, 'maar nu nog wat sneller en zelfverzekerder.'

Ik leg de lege dop terug in de doos en pak een nieuw ei. Hetzelfde ritueel en dit keer lukt het al veel beter. Ik kijk naar Max of hij dat ook vindt en hij knikt en glimlacht.

'Doe de hele doos maar en daarna goed klutsen,' zegt Max.

Max neemt een garde van het rek en legt die op de snijtafel en ik pak nog een ei. Max loopt om de tafel heen, begint een brood in plakken te snijden en doet vier plakken in een grote broodrooster die naast het fornuis staat. Max loopt door de keuken alsof hij alles van koken af weet. Hij pakt een grote zwarte pan, gooit er een dikke klont boter in en draait het gas onder de pan aan. Hij kijkt hoe ik de eieren stuksla, glimlacht, kijkt weer naar de grote zwarte pan en schuift met een spatel de klont boter heen en weer.

Max zet zijn witte mok aan zijn lippen en maakt een slurpend geluid.

'Jij wilt zeker geen koffie, hè?' zegt Max.

Ik veeg mijn handen af aan mijn schort.

'Ik heb nog nooit koffie gehad,' zeg ik.

Max pakt een schone mok van het aanrecht, vult hem voor de helft met koffie en zet hem naast me op de snijtafel neer.

'Eerst laten afkoelen,' zegt Max, 'en me dan vertellen wat je ervan vindt.'

Ik leg de eierdoppen terug in de doos, pak de garde en kluts alle eieren tot een blubberige gele massa. Max loopt om de tafel heen, kijkt in de kom en knikt. Hij pakt de kom op, begint te klutsen en loopt er al klutsend mee naar het fornuis.

De broodrooster klikt, vier plakken geroosterd brood springen omhoog en Max giet de geklutste eieren in de pan met gesmolten boter.

'Pak die plakken brood er maar uit,' zegt Max naar de broodrooster knikkend, 'leg ze op een bord en doe er weer vier nieuwe in. Iedereen moet er zelf maar boter en jam opdoen. De boter ligt in de koelkast.'

Ik doe wat Max zegt, leg geroosterd brood op een bord, snij nieuwe plakken brood af, doe ze in de broodrooster en hoop dat ik het allemaal goed doe. Max zegt niets, controleert niet een keer wat ik doe, dus het zal wel goed zijn. Ik zet borden en koffiemokken op tafel en leg er een stapel vorken bij. Ik maak een grote kan met sinaasappelsap, vier delen sap vermengd met zestien delen water.

Terwijl Max met de eieren bezig is en ik met het brood, komen er mensen de keuken binnen die om de grote tafel gaan zitten en beginnen te ontbijten. Sommigen zeggen 'hallo', of 'hoe gaat het met je?' tegen Max. Niemand zegt iets tegen mij.

Als iedereen zijn brood, eieren en koffie op heeft, zijn Max en ik weer alleen in de keuken.

'Een beetje chaotisch verlopen,' zegt Max, 'maar dat was het dan.'

'Was dat alles?' zeg ik.

'Ja,' zegt Max. 'Het ontbijt hier stelt niet veel voor, het avondeten is de hoofdmaaltijd.'

Max loopt naar de tafel en draait de pot met geld om, de munten en bankbiljetten vallen eruit. Hij maakt stapeltjes van de munten en telt de bankbiljetten.

'Jij mag nu wel gaan eten,' zegt Max, 'pak maar waar je zin in hebt.'

In de gang hoor ik een deur open- en dichtgaan, het geluid van mensen die vertrekken. Ik denk dat ik wat roerei en een boterham neem. De mok die Max met koffie had gevuld staat nog steeds op de snijtafel, maar de koffie is ondertussen koud geworden. Ik giet de koffie in de wasbak, doe nieuwe koffie in de mok en kijk naar de damp die van de donkere vloeistof afslaat. Ik neem een slokje, een klein slokje maar omdat het zo heet is, de smaak is bitter.

Max komt naar me toe lopen en legt drie biljetten van een dollar naast de koffiepot.

'Die zijn voor jou,' zegt hij.

'Voor mij?' zeg ik.

'Voor het meehelpen in de keuken,' zegt hij, 'gisteravond en vandaag. Veel is het niet, maar alle beetjes helpen.'

Ik kijk heel lang naar het geld, pak de biljetten, vouw ze dubbel en dan nog eens dubbel en doe ze in mijn broekzak, alsof het de gewoonste zaak van de wereld is dat ik ergens voor betaald word.

'Bedankt,' zeg ik.

Hij knikt naar het aanrecht, waar een wit potje staat en een kartonnetje waar 'half om half' op staat.

'De melk en suiker staan daar mocht het te sterk zijn,' zegt Max. Max neemt zijn mok met koffie mee naar de tafel, neemt een bord en schept zich roerei op. Hij pakt een plak geroosterd brood, zwaait zijn been over een stoel en gaat zitten.

Ik doe melk en suiker in de koffie en de smaak wordt er meteen

een stuk beter van. Ik neem de mok mee naar de tafel en ga een paar stoelen bij Max vandaan zitten. Hij eet met zijn vork in zijn vuist geklemd, zijn ogen op het eten gericht. Ik neem een plak brood van de stapel en leg het op een servet. Ik pak een lepel, doop de lepel in de honing, hou hem boven mijn boterham en laat de honing er in een sliertje op neervallen.

'Mag ik je wat vragen?' zeg ik.

'Natuurlijk,' zegt Max.

De honing spreidt zich langzaam over het brood uit en zakt erin weg en ik maak ronddraaiende bewegingen met mijn lepel.

'Ik moet zo naar school,' zeg ik, 'de school aan Hoover Street.'

Max neemt een hap van zijn roerei en knikt.

'Weet jij waar dat is?' zeg ik.

Max gaat rechtop zitten, slikt en kijkt me met grote ogen aan, alsof hij verbaasd is.

'South Hoover Street? Dat is zo'n twintig huizenblokken hier vandaan,' zegt Max.

Ik neem een hap van mijn boterham en knik, alsof ik dat al wist. En nadat ik het brood heb doorgeslikt, neem ik een slok koffie alsof er niets aan de hand is.

'En de Freedom Community Church?' zeg ik. 'Weet je ook waar die is?'

Max pakt een plak geroosterd brood, houdt het omhoog en beweegt het heen en weer alsof hij een plattegrond in de lucht tekent.

'Je kunt het beste de bus nemen,' zegt Max, 'bij het park is een halte, het is een bus die de hele stad doorkruist en alle haltes aandoet.'

'Oké,' zeg ik.

Het is stil in de keuken en ik kijk naar mijn boterham waar twee happen uit zijn. Max buigt zich over zijn bord, zijn handen liggen plat op tafel.

'Je komt op mij over als een aardige meid,' zegt Max.

'Wat?' zeg ik.

'Nou,' zegt Max, 'ik bedoel, het moet niet gemakkelijk zijn om al die dingen in je eentje uit te moeten zoeken.'

Ik trek met mijn vinger een spoor door de broodkruimels die op de tafel liggen.

'Het kan niet anders,' zeg ik. 'Dat zegt Deb, tenminste.'

Max kijkt me aan, maar ik durf hem niet aan te kijken omdat ik weet dat ik dan begin te huilen en ik wil niet huilen, niet hier, niet nu, niet weer.

Ik doe de voordeur open en blijf op de stoep staan. Alles ziet er nog net zo uit als gisteren, maar ook weer niet. Ik ben helemaal alleen hier en er is niemand die me vertelt wat ik moet doen, niemand. Ik kijk om me heen of ik Deb, Bryan of iemand anders die ik ken ergens zie, maar de straat is verlaten, er rijdt alleen een bus aan de overkant van de straat en een paar vogels pikken voor het huis met hun snavel in het droge gras.

Ik loop de stoeptreden af en zie een zwerver op het trottoir zitten, met zijn rug tegen een muur. De man zit ineengedoken onder een donkergrijze jas, hoofd naar beneden en met zijn kin op zijn borst, hij lijkt te slapen.

Ik loop op mijn tenen om de man heen, hij verspreidt een sterke, bittere geur.

Hij beweegt zijn hoofd een beetje, op en neer, en ik draai me om en loop snel weg, de handen diep in mijn zakken gestoken.

Het is per huizenblok tweeënveertig passen, tien om aan de overkant van de straat te komen en één trottoirdeel is drie passen. Als Deb zogenaamd mijn moeder is, kunnen mij die scheuren in het beton ook niks meer schelen. Ik loop drie passen, blijf staan en spring met beide voeten boven op een scheur.

Krijg de klere, Deb.

De regel is dat je, voordat je de straat oversteekt, eerst naar links en naar rechts kijkt. En als het licht op rood staat, wacht je tot het op groen springt. Het licht staat op rood. Er is niemand achter me, niemand aan de overkant van de straat en tussen mij en de overkant rijdt geen verkeer. Het licht staat nog steeds op rood. Ik kijk weer om me heen en die regel komt me behoorlijk stom voor als er niemand is.

Ik ren naar de overkant, door het rode licht, ren naar het volgende huizenblok, de volgende straat over, steek alle straten over bij rood licht en er gebeurt niets met me. Stomme regel.

Ik hou op met rennen en loop zonder mijn passen te tellen verder. Overal waar ik kijk, zie ik trottoir en straat, bussen en auto's, ik denk dat ik verdwaald ben. Bij een bushalte staat een man met een krant onder zijn arm te wachten. Hij zegt dat Hoover Street nog een paar huizenblokken verder is.

Een paar huizenblokken verder hoor ik kinderstemmen. Ik loop nog een huizenblok verder en zie dan een speelplaats met kinderen.

Deb zegt dat ik naar school moet, dat alles geregeld is.

Ik steek bij rood licht de straat over en loop om de speelplaats heen, strijk met mijn hand langs het gazen hek.

Op de speelplaats zijn kinderen aan het kaatsenballen, hinkelen en tikkertje spelen, het normale kindergedoe. Allerlei soorten kinderen zijn het, zwart, wit en bruin en ze praten en roepen in verschillende talen tegen elkaar.

Er gaat een bel en alle kinderen rennen weg en de speelplaats is nu een lege asfaltvlakte met alleen nog een paar ballen die tegen het hek rollen.

Er is niemand die me zegt dat ik naar binnen moet gaan en ik vraag me af of Deb me misschien stiekem gadeslaat. Ik kijk om me heen en bijt op mijn onderlip. Er is niemand, ik ben helemaal alleen. Ik loop om de school heen en trek een dubbele deur open. Voor me ligt een donkere gang met een glanzende vloer. Aan weerszijden van de gang zie ik deuren, sommige zijn open, sommige zijn dicht.

In die gang is het net alsof ik buiten de echte wereld ben en ik haal diep adem. In iedere lokaal gebeurt hetzelfde, kinderen zitten aan tafeltjes, een onderwijzer praat en schrijft op het bord. Er staat een drinkfonteintje en ik draai aan de zilverkleurige knop, maar er komt alleen een dun straaltje water uit, te weinig om je dorst van te kunnen lessen.

Het kantoor is halverwege de gang en in het kantoor zit een mevrouw met een bril te telefoneren en een andere mevrouw zit op een typemachine te tikken. Ik vraag me af of deze mevrouwen weten dat ik kom, en bovendien ben ik veel te laat. De mevrouw met de bril legt de telefoon neer en kijkt me aan. De mevrouw achter de typemachine tikt gewoon door.

'Kan ik je ergens mee helpen?' zegt de mevrouw met de bril.

'Ik moet hier naar school,' zeg ik.

Ze vraagt hoe ik heet, loopt naar een archiefkast, haalt er een kaart uit en ik weet dat ze er geen idee van heeft dat ik zou komen. Ze leest iets en zegt dan dat ik in de vijfde klas kom bij mevrouw Greene en dat dat lokaal nummer acht is.

Ik loop het kantoor uit alsof ik hier eerder geweest ben en weet hoe ik daar moet komen.

En dan zit ik opeens weer op school. Maar als je anders bent dan andere kinderen, dan komt school op je over als iets heel onwerkelijks, en zo voel ik me nu ook, alsof het allemaal niet echt is. Er zijn kinderen hier en er is een onderwijzeres, maar ze doen me niets, ik heb het gevoel geen deel uit te maken van hun wereld. Zij horen hier en ik niet, zo is het nu eenmaal.

Na school loop ik dezelfde weg terug, alles baadt in een warme middagzon. Ik heb een bruine tas met boeken, schriften en huiswerk bij me.

In het grote huis ziet mijn hemelbed er nog net zo uit, alleen heeft er iemand op de bedsprei gezeten en er ligt een briefje op. Op het briefje staat *Jenny*, in Debs handschrift.

Ik kijk om me heen en vraag me af of Deb zich misschien ergens verstopt heeft. Op het briefje staat dat ik naar de Freedom Community Church moet gaan en daar naar iemand moet vragen die Ray heet, dat ik daar een schoonmaakklus heb en dat Ray me de rest wel zal uitleggen. Het adres heeft ze erbij geschreven en dat ik een bus moet nemen die de hele stad doorkruist.

Deb is niet hier, maar het lijkt alsof ze er wel is, en ik haat het dat ze in mijn kamer is geweest, dat ze op mijn bed heeft gezeten en de sprei met haar magere billen verkreukeld heeft. Ik trek de bedsprei recht om alle sporen van Deb uit te wissen.

Er staan een heleboel bussen, maar op niet één staat dat hij de hele stad doorkruist en ik weet nu niet welke ik moet nemen. Bij het park staat een mevrouw op de bus te wachten en ik vraag haar waar de bus staat die de hele stad doorkruist. Ze glimlacht en wijst naar een bushalte aan de overkant van de straat.

Je moet in de bus met gepast geld betalen anders mag je niet mee. Ik loop naar een supermarkt om geld te wisselen. De man in de winkel zegt dat hij alleen geld wisselt als ik iets koop.

Ik kijk de winkel rond, naar de schappen met toiletpapier, chips en snoep. Ik loop naar de schappen met snoep, haal er een pak lange vingers, een reep chocola en wat rolletjes snoep uit en leg alles op de toonbank. De man telt alles bij elkaar op, zegt dat het veertig cent kost en ik geef hem een dollar. De man doet mijn snoep in een bruine papieren zak, perst zijn lippen op elkaar en knikt. Ik pak de zak en mijn wisselgeld van hem aan en knik terug. Ik vouw de bovenkant van de zak om tot het niet verder wil en loop terug naar de bus.

De Freedom Community Church zit in een gebouw dat eruitziet als een oud pakhuis. Er hangt een bord aan de gevel waar 'Freedom Community' op staat, met eronder een regenboog met vogels die door de kleuren heen vliegen.

Ik sta voor de dubbele glazen deur en zie mezelf in het glas. Mijn sweatshirt zit om mijn middel geknoopt, mijn haar nog steeds in een paardenstaart. Ik trek eraan zodat het elastiekje wat strakker gaat zitten en kijk om me heen of ik Deb, Bryan of iemand anders die ik ken ergens zie. Er is niemand en ik doe de deur open en ga naar binnen.

Ray is een zwarte man en hij heeft chocoladebruine ogen met rode adertjes in het wit van zijn ogen, en hij zwaait met zijn armen onder het lopen en buigt daarbij diep door zijn knieën. Ray zegt dat het mijn taak is om de prullenbakken te legen en het kantoor van de grote dame schoon te maken. Zo zegt hij het, 'de grote dame', en die grote dame is degene die over alles hier de baas is.

Ray loopt langzaam en praat langzaam en laat me zien waar de vuilniszakken liggen, waar de volle vuilniszakken naartoe moeten en waar alle schoonmaakspullen liggen. Daarna brengt Ray me naar het kantoor van de grote dame, waar ik alles moet afstoffen, de prullenbakken moet legen en een keer per week het zilveren theestel moet poetsen dat op het kastje achter haar bureau staat.

Ray zegt dat ik het kantoor van de grote dame alleen mag schoonmaken als ze er niet is, dat ik niet naar binnen mag gaan als ze er wel is, dat is de regel.

Ik doe wat Ray me opdraagt, leeg de prullenbakken, stof de boekenplanken af, de bureauladen en de typemachine die naast het bureau staat. Ik stof het bureaublad af, de telefoon en een fotolijstje. Het zou de grote dame zelf kunnen zijn die op de foto staat, alleen is ze helemaal niet groot, ze is eerder klein en heeft grijs haar, roze wangen en een blije glimlach om de lippen.

Als ik klaar ben, ga ik op zoek naar Ray om hem te vertellen dat ik alles gedaan heb. Ray glimlacht, zijn tanden zijn eerder geel dan wit, en zegt: '*See you later, alligator*.'

Ik moet lachen als hij dat zegt, maar Ray zegt dat ik dan moet zeggen: '*In a while, crocodile*.'

Maar daar moet ik zo hard om lachen dat ik helemaal niets meer kan zeggen. Ray zegt dat het nou ook weer niet zó grappig was, maar daar moet ik alleen maar harder om lachen. Zo hard zelfs dat ik er pijn van in mijn zij krijg en mijn benen over elkaar moet doen. Ray kijkt naar me, wrijft met zijn hand over zijn hoofd en zegt dat hij me maar een gekke bleekscheet vindt.

Ik vind het leuk dat hij me een 'gekke bleekscheet' noemt, en hij heeft nog gelijk ook: ik ben gek, word gek, ben gek geworden, kies maar uit.

Het is bijna donker als ik bij het park uit de bus stap. Ik ren bij rood de straat over, ren over het trottoir, en ren de stoep van het grote huis op.

In huis is alles nog hetzelfde, ik kijk in de grote kamer, mijn spullen staan achterin in de schaduw. In plaats van te rennen dwing ik mezelf naar de keuken te lopen.

Max en Karen zijn er al.

'Sorry,' zeg ik. 'Sorry dat ik zo laat ben.'

'Je bent niet laat,' zegt Max. 'Je bent precies op tijd.'

Ik ben nog helemaal buiten adem, buk me en zet mijn handen op mijn knieën.

Karen komt achter de tafel vandaan en gaat naast me staan. Ze ruikt naar bloemen en iets zoets.

'Het geeft niet,' zegt Karen, 'je hoeft sowieso niet stipt op tijd te zijn. Aan dat soort dingen tillen we hier niet zo zwaar.'

Karens ogen zijn groen en bruin, haar prachtige haar is opgestoken.

'Sorry,' zeg ik.

Karen legt haar hand op mijn schouder, maar zo licht dat het lijkt alsof ze me helemaal niet aanraakt.

'Je hoeft je niet te verontschuldigen,' zegt Karen. 'Kom maar mee, dan gaan we een schort voor je zoeken.'

Ik weet niet hoe lang ik al alleen in het grote huis woon, een paar dagen, een week, misschien een maand, als ik op een nacht wakker word omdat mijn handen zo vreselijk jeuken. De jeuk is zo erg, dat ik er niet van kan slapen en eerst naar boven moet om mijn handen onder de koude kraan te houden tot de jeuk ophoudt. Als je goed kijkt, zie je allemaal bultjes zitten in het zachte gedeelte van mijn handpalm, te veel om te tellen, en op die bultjes zitten kleine blaasjes. Als je op de blaasjes drukt, knappen ze open en komt er een heldere vloeistof uit.

Daarna krijg ik last van mijn ogen.

Op een morgen word ik wakker en willen mijn ogen niet open.

Ik wrijf met mijn vuisten in mijn ogen, maar ze gaan niet open en mijn hele lichaam begint te tintelen. Ik ga rechtop in bed zitten, mijn ogen dicht, alles is donker om me heen.

'Ik ben blind,' schreeuw ik, 'ik ben blind.'

Niemand zegt iets, niemand komt. Ik weet dat er mensen in de kamer zijn, iemand moet me gehoord hebben.

'Help,' schreeuw ik, 'ik ben blind.'

Het blijft stil, mijn stem is het enige geluid dat te horen is, er komt niemand.

Als je wakker wordt en hulp nodig hebt, moet er iemand komen, zo zou het moeten zijn, maar zo gaat het hier niet. Wanneer ik merk dat het niemand iets kan schelen dat ik blind ben, dat er niemand komt om me te helpen, begin ik te huilen, met de handen voor mijn gezicht. Ik huil en huil en door mijn tranen beginnen de korsten net genoeg op te lossen dat ik mijn ogen weer open kan doen en licht kan zien.

Ik hou op met huilen, ga uit bed, loop tastend langs de muur van de grote kamer. Het is twintig passen naar de gang, tien passen naar de trap. Ik kan mijn voeten zien en als ik mijn hoofd iets achterover doe, kan ik de traptreden zien. Ik leg mijn hand op de leuning, hou hem goed vast en loop langzaam de trap op. Tweeëntwintig treden, de bocht om, nog eens tweeëntwintig treden. Bovenaan de trap doe ik mijn hoofd achterover, de deur staat open, en in vijf stappen ben ik in de donkere badkamer.

Ik loop tastend langs de muur naar de wc, dan naar de wastafel en draai de warme en koude kraan open. Ik hou mijn handen onder de kraan en wrijf in mijn ogen. De rest van de korsten lost ook op en mijn ogen willen weer helemaal open.

Mijn ogen zijn nat en rood, er zitten nog korsten aan mijn wimpers en in mijn ooghoeken. Ik was alles weg tot mijn ogen er weer net zo uitzien als vroeger, maar ze blijven rood en ze jeuken.

Ik loop met langzame passen de trap af, ga de grote kamer binnen en zie nu dat er een heleboel mensen zijn, mensen die me om hulp hebben horen roepen, die me hebben horen roepen dat ik blind was. Niemand in dit huis geeft om je, iedereen doet net alsof je er niet bent, net als Deb.

Ik ga rechtop staan, schouders naar achteren, kin ingetrokken. Ik heb sowieso geen hulp nodig, heb niemand nodig. Ik loop snel de grote kamer door, naar mijn hoek en maak mijn bed op.

Mijn handen genezen niet, mijn ogen blijven rood en dan gebeurt het ergste van allemaal.

Als ik op een dag van mijn werk in de Freedom Community Church terugkom, zie ik dat mijn kamer overhoop is gehaald. Mijn boeken liggen op de grond, de stekker van mijn wekkerradio is uit het stopcontact getrokken, mijn lampen liggen op het bed en mijn cassetterecorder is weg. Het bandje met de muziek van de *West Side Story* is ook weg en mijn juwelenkistje is leeg. En al mijn laden zijn ook overhoop gehaald, alsof iemand erin heeft zitten graaien. Zelfs mijn kam is weg. Wie doet er nu zoiets?

Er zijn twee mensen in de grote kamer, nieuwe mensen die ik niet ken, een man en een vrouw. Ze zitten tegenover elkaar op een matras, maar hebben hun ogen gesloten. Ik wil tegen ze schreeuwen, maar doe niets, blijf alleen maar staan.

Mijn hart bonst in mijn oren en ik draai me om. De roze kist is iets naar voren getrokken en er zitten krassen op het metaal rond het slot. Ik ga op de grond zitten, schop mijn schoen uit en maak met het sleuteltje het slot open. Alles ligt nog op zijn plaats in de kist: de Barbiekoffer, het trouwalbum, het zwarte fluwelen zakje met mama's parelketting en trouwring, de tekening van Keith, 1971. Ik ga op mijn knieën zitten, leg mijn handen op mijn hart en voel het kloppen onder mijn vingers.

Het is doodstil, alleen het geluid van mijn ademhaling is te horen, alles is anders nu hier. Ik loop door mijn kamer en haal al mijn spullen van het ladekastje, uit de boekenkasten en van het bureau en stop alles in de roze kist. Mijn boeken, mijn wekkerradio, mijn juwelenkistje, niets is meer veilig hier. Ik duw met mijn handpalm het hangslot naar binnen en schuif de roze kist onder mijn bed. Mijn kamer ziet er leeg uit zonder mijn spullen, maar dat kan me niet schelen. Dit is de laatste keer geweest dat iemand iets van me heeft afgepakt.

Ik trek mijn schoen weer aan en maak de veter met het sleuteltje eraan met een dubbele knoop vast.

Ik haat iedereen hier, iedereen. Ik weet dat iemand in dit huis mijn spullen gestolen heeft.

In de keuken is Max op de snijtafel uien aan het snijden.

'Hé,' zegt Max.

Misschien heeft Max mijn spullen gestolen, ik kijk naar hem, wend mijn hoofd af en knik. Karen zit aan de grote tafel en drinkt iets uit een mok. Ze kijkt naar me en glimlacht en ik glimlach heel even terug. Daarna was ik mijn handen met de stinkende zeep, pak een schort uit de la onder het aanrecht en doe hem over mijn hoofd. Ik voel dat Karen en Max naar me kijken, maar dat kan me niet schelen. Ik knoop het schort vast om mijn middel.

'Alles oké?' zegt Max.

'Ja, hoor,' zeg ik, 'alles is dik in orde. Wat moet ik doen?'

Max kijkt naar Karen en dan naar mij.

'We eten spaghetti vanavond,' zegt Max, 'begin dus maar met water in die pan te doen.'

Ik trek de grote pan die op de plank onder de snijtafel staat naar me toe en til hem met beide handen op.

'Max, help haar even die pan op te tillen,' zegt Karen.

'Ik kan het wel alleen,' zeg ik.

Ik zet de pan met een bons in de gootsteen. Max wil een kruk voor me pakken maar ik schud mijn hoofd.

'Ik kan het wel alleen, zei ik toch,' zeg ik.

Ik schuif de kruk naar het aanrecht, klim erbovenop en draai de kraan open. Karen loopt naar het aanrecht en giet haar mok leeg, een geur van pepermunt stijgt op.

Ik kijk naar het stromende water, alleen naar het water, en draai dan de kraan weer dicht. Karen met haar dikke buik blijft naast me staan, ik voel hoe ze naar me kijkt.

'Hoe gaat het vandaag met je?' zegt Karen.

Karens stem is zacht en vriendelijk en het is moeilijk om kwaad te blijven wanneer ze zo dicht naast me staat, omgeven door een geur van bloemen.

'Het is een slechte dag,' zeg ik.

'O?' zegt Karen. 'Hoe komt dat zo?'

Max loopt naar het aanrecht, pakt met beide handen de pan met water vast en kreunt als hij hem optilt. Ik kijk naar Max en zucht diep.

'We moeten met het eten verder,' zeg ik. 'Wat zal ik nu doen?'

Karen kijkt de keuken rond, de handen in de zij, de buik naar voren.

'Je mag het brood wel in plakken gaan snijden,' zegt Karen, 'en er boter op smeren. Is dat wat?'

Aan de snijtafel snij ik de lange stokbroden in plakken en smeer er boter op.

Max zegt tegen Karen dat er vanmorgen geen heet water meer was en Karen zegt dat ze iemand heeft gebeld om de verwarmingsketel te repareren. Max zegt dat er eigenlijk een nieuwe waterleiding in dit oude huis moet worden aangelegd en Karen zegt dat bijna alles in dit oude huis aan vervanging toe is. Ze praten en praten en ik voel onder het werken mijn boosheid langzaam wegebben.

Max bakt uien in een grote zwarte pan en Karen maakt zes grote blikken tomaten open. Max haalt een pakje uit de koelkast en maakt het open, er zit gehakt in. Hij gooit het gehakt in de pan en roert de uien erdoorheen.

Op het rek naast het fornuis ligt een rol aluminiumfolie en ik trek er een lang vel vanaf en rol het brood erin. Ik loop naar het fornuis, kijk naar Max en trek de ovendeur open. Max doet een stap opzij, bukt zich en zet de oven voor me aan.

'Je ogen zijn helemaal rood,' zegt Max. 'Dat is al een poosje zo, hè?'

Ik snij het volgende stokbrood in plakken en kijk niet op.

'Het valt wel mee,' zeg ik, 'ik heb er geen last van.'

Karen bukt zich, haar dikke buik wijst naar de grond. Ze kijkt naar me en ik wend mijn hoofd af.

'Jeukt het erg?' zegt Karen.

'Nee, niet echt,' zeg ik. 'Een klein beetje maar.'

Karen gaat weer rechtop staan.

'Hoe lang is dat al zo?' zegt Karen.

'Weet ik niet,' zeg ik. 'Een poosje, nog niet zo lang.'

Karen kijkt naar Max. Max kijkt naar Karen.

'Misschien is het een infectie,' zegt Max.

'Een infectie?' zeg ik.

'Misschien,' zegt Karen.

'Misschien ook niet,' zeg ik.

Max pakt de blikken tomaten en gooit ze leeg in de pan met gehakt en uien, een luid gesis volgt. Max en Karen zwijgen, ik kijk naar ze en kijk dan naar beneden, naar mijn handen op het schort. 'Het stelt niks voor,' zeg ik, 'mijn ogen jeuken alleen een beetje, verder niet.'

Max glimlacht een glimlach van niks en zucht diep.

Karen loopt naar de snijtafel en begin een krop sla uit elkaar te trekken. Max roert in de vleessaus, kijkt in de pan met kokend water, de damp slaat in zijn gezicht. Ik rol het brood in aluminiumfolie en leg het naast het andere stokbrood in de oven. Ik doe de ovendeur dicht, draai me om en zucht diep. Ik weet dat de spaghetti in de voorraadkast ligt, ik haal het eruit en leg het op een hoek van de snijtafel. Max pakt het pak spaghetti en scheurt het open.

Max wil niet naar me kijken, een akelig gevoel bekruipt me.

'Heb ik wat verkeerd gedaan?' zeg ik.

Max gooit het hele pak spaghetti in de pan en knippert met zijn ogen vanwege de damp.

'Nee,' zegt Max, 'maar je moet wel naar je ogen laten kijken en medicijnen innemen als het echt een infectie is.'

Karen droogt haar handen af en houdt haar hoofd schuin.

'Het kan besmettelijk zijn,' zegt Karen.

'Besmettelijk?' zeg ik.

'Ja,' zegt ze, 'als het besmettelijk is, kun je anderen ermee aansteken.'

Ik wrijf met mijn handen langs mijn witte schort, ik had er nooit bij stilgestaan dat iemand anders ook jeuk aan zijn ogen en handen zou kunnen krijgen.

Het is stil, ik kijk naar mijn voeten op de bruine vloer.

'Ik kan beter weggaan,' zeg ik, 'ik zou hier niet moeten zijn.'

'Welnee,' zegt Karen, 'je hoeft niet weg te gaan.'

'Welnee,' zegt Max, 'laten we nou maar gewoon het eten verder klaarmaken.'

Ik doe mijn schort af, vouw het op en leg het op de snijtafel. Er zouden allerlei jeukerige bacteriën op het schort kunnen zitten, of op mij en ik zou Karen, of haar baby, met mijn bacteriën kunnen aansteken. Ik hou het schort met beide handen vast.

'Ik gooi dit even in de wasmand,' zeg ik.

'Oké,' zegt Karen.

De wasruimte is in de kelder, ik loop de lange, houten trap af. In de kelder is het vochtig en koud, ik gooi het schort in de wasmand en leun tegen de wasmachine aan. Er zijn een heleboel schaduwen en donkere hoeken hier en er zitten vast spinnen in die hoeken. Ik sla mijn armen om me heen, dat akelige gevoel kruipt weer langs mijn huid omhoog.

Ik loop de trap op, sluit geluidloos de deur, kijk naar links en naar rechts en loop de gang in naar de grote kamer. Er is niemand, iedereen zit vast in de keuken te eten. Ik loop naar mijn hoek van de kamer en ga in het donker op mijn bed zitten.

'Jenny?' zegt Karen, haar stem niet meer dan een gefluister. Ik weet dat ze me in het donker niet kan zien, hoewel ik haar wel kan zien. Karen heeft in haar ene hand een fles en in de andere een bord met spaghetti en wat stokbrood.

Ik doe de lamp naast mijn boekenkast aan en een warm, geel licht verspreidt zich over de vloer en het bed. Karen wurmt zich met haar dikke buik tussen de bureaustoel en de muur door, er is nauwelijks ruimte om erlangs te komen.

'Dat ziet er knus uit,' zegt ze, 'een hoekje helemaal voor je alleen.'

Karen zet het bord met eten op het ladekastje en houdt de donkerbruine plastic fles met beide handen vast.

'Ik heb wat eten voor je meegenomen,' zegt ze.

Ik ga naast mijn bed staan en weet niet goed waar ik mijn handen moet laten, wat ik moet doen nu ze er is. Ik kijk naar Karen, naar het bed, naar de lege boekenplanken.

'Vind je het goed als ik even ga zitten?' zegt Karen.

'Natuurlijk,' zeg ik.

Karen waggelt naar het bed, gaat zitten en slaakt een diepe zucht. Ze strijkt haar haar naar achteren en schuift heen en weer op het bed, het matras zakt door onder haar gewicht. Karen klopt met haar ene hand op het bed, in haar andere hand houdt ze de bruine fles.

'Vind je het goed als we even praten?' zegt Karen.

'Natuurlijk,' zeg ik.

Ik ga ook op het bed zitten, maar alleen op het randje, mijn voeten blijven op de grond. Ik kijk naar het bord met eten dat op het ladekastje staat, de damp van de vleessaus en de spaghetti slaat tegen de vuile ramen.

'Dat je ogen zo rood zijn en jeuken,' zegt Karen, 'komt waarschijnlijk omdat ze ontstoken zijn, bindvliesontsteking heet dat.'

'Bindvliesontsteking?' zeg ik.

Karen knikt en houdt de bruine fles omhoog.

'Dit is boorwater,' zegt ze.

Karen begint te lachen en het is een prettig geluid om te horen.

'Een wat vreemde naam, misschien' zegt Karen, 'maar als je bindvliesontsteking hebt, moet je boorwater gebruiken.'

'O, ja?' zeg ik.

Karen glimlacht, knikt en geeft me de fles. Op het etiket staat in grote blauwe letters: BOORWATER. Langs de hele onderkant staat nog iets in kleine letters, en er staan een paar waarschuwingen op. Karen tikt met haar vinger tegen het etiket.

'Ik heb het er met een vriendin over gehad die kinderen heeft,' zegt Karen, 'en zij zegt dat je er een klein beetje van in de dop moet gieten, de dop tegen je oog moet houden en het boorwater in je oog moet laten lopen. Een paar keer per dag in beide ogen is genoeg.'

'Doet het pijn?' zeg ik.

Karen schudt haar hoofd, haar handen liggen in haar schoot.

'Nee, het doet geen pijn,' zegt Karen, 'mijn vriendin zegt dat je er echt in een mum van tijd weer vanaf bent.'

Het is stil in mijn hoek van de kamer, ik kijk naar de bruine fles, de letters op het etiket beginnen wazig te worden. Mijn tranen vallen op het etiket, ik haal mijn neus op en probeer de tranen terug te dringen.

Ik veeg met de rug van mijn hand langs mijn neus en wou dat ik niet zo'n baby was, dat ik niet steeds zo huilde.

'Bedankt,' zeg ik.

Karen legt haar hand op mijn schouder en die hand voelt warm en goed daar.

'Graag gedaan,' zegt Karen.

Hoofdstuk zeventien

Een paar dagen later zijn mijn ogen weer beter, zoals Karen gezegd had. Ik word wakker en doe ze zomaar open, de laatste keer dat ik dat kon, lijkt zo lang geleden dat ik het me niet eens meer herinner.

Je weet pas echt dat je gelukkig bent als je een hele tijd ongelukkig bent geweest, en ik ben heel gelukkig nu ik mijn ogen weer open kan doen. Het is een licht en aangenaam gevoel en ik blijf maar glimlachen.

Ik wil iets extra leuks voor Karen doen, misschien wat babykleertjes voor haar kopen, of een dekentje voor in de wieg, of een bos bloemen.

Ik maak mijn bed op, zoals altijd.

Ik zoek mijn kleren bij elkaar en loop de trap op naar de badkamer, zoals altijd.

Ik borstel mijn haar, zoals altijd. Omdat mijn kam gejat is, kan ik het haar achter op mijn hoofd niet meer uit de knoop krijgen, een paardenstaart maken lukt dan ook niet meer, maar daar kan ik me deze morgen niet druk om maken. Ik zet mijn haar vast met speldjes en begin hardop tegen mezelf te lachen in de spiegel, het geluid klinkt prettig in mijn oren.

In de keuken neemt Max een kom en een garde van het rek en zet de kom op de snijtafel. Max knikt naar me, maar vandaag hou ik het niet alleen bij een knikje.

'Goedemorgen,' zeg ik.

'Ook goedemorgen, zonnetje van me,' zegt Max.

Ik kijk naar Max en hij kijkt naar mij, ik krijg kippenvel.

'Mijn moeder noemde me altijd zo,' zeg ik.

Max doet zijn handen naar voren en wrijft ze tegen elkaar.

'O, sorry,' zegt hij.

'Nee, het geeft niet,' zeg ik, 'jij mag me ook wel zo noemen, als je wilt.'

Max wrijft met zijn hand langs zijn kin, zijn gezicht is een en al bakkebaard. Hij haalt zijn schouders op en glimlacht.

'Jij bent in een goed humeur,' zegt hij.

Ik wijs naar mijn ogen die nu weer normaal zijn.

'Helemaal beter?' zegt Max.

'Ja,' zeg ik.

'Te gek,' zegt Max.

De meel, eieren, melk en suiker staan al op een rij op de snijtafel en ik duw de kruk voor me uit door de keuken.

'Pannenkoeken?' zeg ik.

'Goed gezien,' zegt Max.

Max loopt naar de koelkast, trekt de deur open, neemt er een pakje bacon uit en scheurt het open. Max pakt een zwarte pan van het pannenrek naast het fornuis, zet de pan op het fornuis en draait het gas aan.

Het is vier kopjes meel, een halve kop suiker, zes eieren en een kopje melk. Ik weeg alles af en doe het in de zilverkleurige kom.

Max trekt een voor een de plakjes bacon los, legt ze in de hete pan en laat ze sissen, de geur van gebakken spek verspreidt zich langzaam door de keuken.

Ik dek de tafel, zet ook een fles stroop en de botervloot op tafel en spreid dan vier papieren servetten uit op een bord. Max neemt de kom met pannenkoekbeslag van de snijtafel en kijkt naar mij en het bord met de servetten. Hij glimlacht en knikt.

'Twee zielen, één gedachte,' zegt Max, 'bedankt.'

'Graag gedaan,' zeg ik.

Ik vind het leuk zoals Max praat, alsof hij je steeds een stap voor is.

Max bakt vier pannenkoeken per keer, vist met een vork de bruingebakken plakjes spek uit de pan en legt ze op de uitgevouwen servetten.

Ik pak een schone koffiemok en vul deze voor de helft met zwarte koffie. Daarna doe ik er melk en suiker in en leun tegen het aanrecht waar ik iedereen kan zien binnen komen, eten en weggaan.

Een klein meisje komt de keuken binnen en ze heeft een licht-blauwe jurk aan zoals Alice in Wonderland, alleen is de jurk haar veel te groot, alsof ze net van een verkleedpartijtje komt. Het kleine meis-je heeft lang blond haar dat wit als zonlicht is en ze beweegt haar hoofd zo snel dat haar blonde haar heen en weer zwaait. Ze kijkt naar Max, naar mij en naar het eten op de tafel.

Na het kleine meisje komt een vrouw de keuken binnen en ze legt haar handen op de schouders van het meisje. De vrouw is klein en heeft bruin haar dat ze in een staart draagt. Ze draagt een ge-bloemde rok en een bruine trui, zo'n lange trui die tot over je heu-pen hangt.

Ze fluistert het kleine meisje iets in haar oor en het meisje steekt haar hand uit, houdt hem boven de geldpot en laat er kleingeld en dollarbiljetten in vallen.

De vrouw legt een pannenkoek op een bord, legt er een plak ge-bakken spek naast en doet boter en stroop op de pannenkoek. Ze snijdt de pannenkoek in kleine vierkantjes en schuift het bord naar het kleine meisje toe.

Ik kijk naar ze en opeens is het gevoel van geluk verdwenen en voel ik die pijn van vroeger weer knagen.

Het kleine meisje praat met een licht, hoog stemmetje en zegt: 'mama' en haar moeder zegt met een zachte, kalme stem iets tegen haar terug, zoals moeders en kinderen met elkaar praten.

Ik draai me om en giet mijn koffie in de gootsteen, de bruine koffie spettert tegen de witte steentjes. Ik was mijn mok af en zet hem op het druiprek.

'Tot kijk,' zeg ik.

'Hé, wat nou,' zegt Max, 'geen ontbijt?'

'Ik heb geen honger,' zeg ik.

Ik voel hoe Max naar me kijkt, ik kijk naar beneden naar mijn voet, naar het zilveren sleuteltje onder de veter en loop de keuken uit.

Het is koud vandaag, ik zet de capuchon van mijn sweatshirt op en doe de rits tot boven toe dicht. Ik doe mijn handen in mijn zak-ken en loop de stoep af, ga bij de muur de hoek om en loop in de richting van Hoover Street. Ik heb mijn schoolboeken in mijn ka-mer laten liggen, maar dat doet er niet toe. Niets doet er nog toe als je je voelt zoals ik me nu voel, bedroefd en boos en alles wat daar tussenin zit.

Ik loop met gebogen hoofd tegen de wind in, één huizenblok, drie huizenblokken, tien huizenblokken. Voor me uit loopt nog iemand met gebogen hoofd de straat over en bij de bushalte staat een zwerver in een lange legerjas. Hij loopt rondjes en slingert een beetje, alsof hij te veel gedronken heeft.

De wind waait een oude krant naar de overkant van de straat, het is veel te koud voor Los Angeles. Ik duw mijn handen dieper in de zakken van mijn sweatshirt en trek mijn kin in. Ik tel drie passen, stap met beide voeten op de naad, tel weer drie passen en spring op de scheur.

Iemand roept, iemand schreeuwt en dan volgt er een akelig geluid, een doffe klap.

Een bus is gestopt waar bussen normaal nooit stoppen, midden op de weg, en voor de bus ligt de zwerver die zoëven nog slingerend in het rond liep. Hij ligt met zijn gezicht naar beneden, de handen plat op het asfalt, de ellebogen omhoog. Het lijkt alsof hij zich wil opdrukken, het stof van zich af wil kloppen en al rondjes lopend naar de bushalte terug wil gaan.

Maar hij komt niet overeind.

De zwerver is kaal en in zijn hoofd zit een snee in de vorm van een winkelhaak. Uit de snee komt een straaltje bloed dat over straat wegloopt.

Sirenes gillen, remmen piepen en twee politieauto's komen aanrijden en blijven midden op straat staan. Er staan mensen achter me en een van hen zegt dat de zwerver voor de bus is gesprongen.

Ik kan mijn ogen niet afhouden van de snee in het hoofd van de man en het bloed dat eruit komt. Iemand zou iets moeten doen, iemand zou het bloed moeten stelpen. Iemand zou moeten helpen, maar de volwassenen die om hem heen staan kijken alleen maar, er is niemand die iets doet.

Ik loop achteruit en bots tegen iemand op, een man, een vrouw, ik weet het niet. Ik draai me om en loop weg, de straat in, drie passen, scheur, drie passen, scheur. Het stoplicht staat op rood en er komt een auto aan, maar ik wacht niet, steek gewoon de straat over. De auto toetert naar me en ik steek mijn middelvinger op naar de bestuurder.

Ik loop en loop, ik weet niet hoe lang, en als ik eindelijk blijf staan ben ik in een buurt met huizen en bomen. In de voortuin van een blauw huis staat een driewielertje, ik blijf staan en kijk er heel lang naar, ik weet niet hoe lang.

Ik kan mensen horen praten, stemmen die lachen en dingen zeggen, maar wat ze zeggen versta ik niet. Ik draai me om en kijk, maar er is niemand. Ik kijk naar de overkant van de straat en hoor in de verte het geluid van een radio. De stemmen komen niet van buiten, ze zitten in mijn hoofd, in mijn oren. Ik druk mijn handen tegen mijn oren, maar daar wordt het alleen maar erger van, het geluid wordt steeds harder.

Ik schraap mijn keel en daar komen de stemmen in mijn hoofd van tot rust. Ik loop dezelfde weg terug en tel hardop mijn passen.

'Een, twee, drie. Scheur,' zeg ik.

'Vier, vijf, zes. Scheur.'

'Zeven, acht, negen. Scheur.'

Het duurt lang, maar uiteindelijk vind ik de weg naar het grote huis terug. Ik sta op het trottoir en kijk omhoog naar de voordeur, de stemmen in mijn hoofd lachen en praten.

'Stop, stop,' zeg ik, mijn stem de enige stem die van buiten mijn hoofd komt.

Een man met een bekertje koffie in zijn hand loopt langs, blijft staan en kijkt me aan.

'Jij niet,' zeg ik, 'ik had het niet tegen jou.'

De man haalt zijn schouders op en loopt verder. Ik steek de straat over en ga bij de bushalte staan waar de bus komt die de hele stad doorkruist.

De stemmen in mijn hoofd mompelen en praten.

'Hou op,' zeg ik.

Er staan ook drie volwassenen te wachten en ze kijken naar me alsof ik iets verkeerds heb gedaan. Ik kijk om me heen, omhoog naar de vervuilde lucht, naar het park, naar mijn voeten en het zilveren sleuteltje.

De stemmen lachen en praten, ik druk mijn handen tegen mijn oren, tegen mijn hoofd.

Als de bus komt, stap ik in en gooi mijn geld in het bakje bij de chauffeur. Mijn munten vallen boven op de andere munten, een bel rinkelt en de buschauffeur knikt. Ik loop het gangpad in en alle mensen in de bus kijken me aan. Ik doe net of ik niemand zie, doe net of de stemmen in mijn hoofd er niet zijn, en ga met mijn rug naar het raam zitten.

De stemmen in mijn hoofd lachen, fluisteren en praten.

Ik stamp met mijn voet op de vloer alsof ik een insect wil plattrappen en de stemmen doen er eindelijk het zwijgen toe.

Als ik bij de Freedom Community Church kom, kan ik Ray nergens vinden. Ik kijk bij de kast met schoonmaakspullen, buiten bij de vuilnisemmers en bij de kantoren. Ray is nergens te bekennen en ik ga er maar van uit dat ik te vroeg ben. Ik open de kast met schoonmaakspullen en haal er een fles allesreiniger, weggooidoekjes en zilverpoets uit.

Het kantoor van de grote dame ziet eruit zoals altijd, zo schoon dat het helemaal niet nodig is om alles nog eens schoon te maken, en ik stof de boekenplanken af, het kastje achter haar bureau en de typemachine met de plastic hoes eroverheen.

De stemmen in mijn hoofd houden zich rustig.

Ik neem het zilveren theestel van het kastje en zet het op de salontafel. Volgens de gebruiksaanwijzing op het potje moet ik het zilver eerst insmeren met zilverpoets, even laten drogen en dan met een schone doek oppoetsen tot het glanst.

Buiten het kantoor rinkelt een telefoon, iemand neemt op en zegt 'hallo'.

Het zilveren theestel voelt koud aan in mijn handen en ik volg met mijn vinger het patroon van bladeren en bloemen dat in het zilver is gegraveerd. Een voor een poets ik alle delen en zet ze naast elkaar op de salontafel. De zilveren theepot glanst zelfs zo dat ik mijn gezicht erin kan zien. Daarna zet ik alles terug op het dienblad en draai de dop weer op het potje met zilverpoets.

'Wat doe jij hier?' zegt een stem.

Een man die ik niet ken staat in de deuropening, hij draagt een wit overhemd en een donkerblauwe broek die hem te strak zit en veel te kort is.

'Ik vroeg wat je hier deed,' zegt hij.

Ik ga staan, het potje zilverpoets valt op de grond en rolt onder de salontafel.

'Ik ben aan het schoonmaken,' zeg ik. 'Ik moet dit kantoor schoonmaken.'

'Daar weet ik niets van,' zegt de man. 'Ik ken je niet. Je mag hier helemaal niet komen.'

'Ray zei dat ik hier moest schoonmaken,' zeg ik. 'Ik kom hier iedere dag.'

De man doet zijn armen over elkaar en leunt achterover. Ik weet dat hij me niet gelooft, dat zie ik aan de manier waarop hij naar me kijkt.

'Ben je lid van deze kerk?' zegt hij.

'Ja,' zeg ik. 'Nee, bedoel ik, een soort lid, maar ik werk hier ook. Ik moet dit kantoor schoonmaken, de prullenbakken legen en een maal per week het theestel oppoetsen.'

De man komt het kantoor binnen en gaat zo dicht bij me staan dat ik de geur van sigaretten kan ruiken. Hij legt zijn hand op mijn schouder en pakt die stevig vast.

'Kom mee,' zegt hij.

'Waarom?' zeg ik. 'Ik heb toch niets gedaan? Ik was hier nog niet klaar.'

'Je bent klaar hier,' zegt hij.

De hand van de man voelt hard aan, en hij duwt me het kantoor uit en de gang op.

De Freedom Community Church zit in één grote ruimte die met schotjes is onderverdeeld in aparte kantoren waar mensen werken. De man trekt me mee door de doolhof van schotjes en ik kan hem nauwelijks bijhouden zonder daarbij over mijn eigen voeten te struikelen.

De man trekt me een lege kantoorruimte binnen en duwt me in een stoel naast een leeg bureau. Hij pakt de hoorn van de telefoon en draait een nummer en ik weet dat hij Deb gaat bellen en dan komt ze erachter dat ik gespijbeld heb en die zwerver zelfmoord heb zien plegen en dat zal ze niet zomaar over haar kant laten gaan, deze keer niet.

Mijn stem zit in mijn oren en ik gil zo hard dat het pijn doet in mijn hoofd. De man kijkt me met grote ogen aan. Ik ga staan en duw het telefoontoestel van het bureau, hij valt met een harde klap op de vloer.

'Wat gebeurt hier?' roept een mevrouw in een mintgroen mantelpakje.

'Ik weet het niet,' zegt de man, 'ze draait opeens door.'

Ik knijp mijn ogen stijf dicht en druk mijn handen tegen mijn oren. Ik gil alsof ik nooit meer zal ophouden met gillen en dan tilt de man me als een voetbal op. Ik doe mijn ogen open en hij rent met me door de gang en om de doolhof van schotjes heen, de mensen kijken naar hem en naar mij. De mevrouw in het mintgroene mantelpakje rent achter ons aan en zwaait wild met haar armen.

Ik begin weer te gillen en het is het ergste geluid dat ik ooit gehoord heb.

De man duwt de grote glazen deuren open en gooit me op het trottoir, en opeens ben ik weer rustig.

De man veegt met zijn hand over zijn armen en benen alsof er iets op zit. Hij kijkt naar me alsof ik gek ben en ik steek mijn middelvinger naar hem op.

'Laat ik je hier niet weer zien,' zegt de man, 'anders haal ik de politie erbij.'

Hij gaat het gebouw van de Freedom Community Church weer binnen en ik laat mijn opgestoken middelvinger zakken. Er zitten witte schrammen op mijn handpalmen en hier en daar een spatje bloed. Ik ga staan en druk mijn beschramde handen tegen mijn maag, het prikken houdt even op.

Net als je denkt dat het niet erger kan worden, wordt het nog erger, maar erger dan nu kan het toch haast niet worden. Het heeft zelfs wel iets grappigs en ik begin hardop te lachen.

Er is veel verkeer op straat, heen en weer rijdende bussen en toeterende auto's. Een man met een plastic poncho om duwt een supermarktkarretje vol met blikjes en flessen voor zich uit, een van de wieletjes zit los en ratelt.

Ik loop weg van het gebouw van de Freedom Community Church en weet dat ik er nooit meer terug zal komen. Nooit.

Het is midden op de dag, maar het kan me niets schelen. Als ik terug ben in het grote huis, ga ik op mijn bedsprei liggen en sluit mijn ogen. Het geluid in mijn hoofd is ver weg, gefluister, gemompel. Ik doe mijn handen tussen mijn knieën en rol me op. De stemmen zijn niet echt, ik weet dat ze niet echt zijn. Ik ga in mijn hoofd op zoek naar papa, naar zijn gezicht, zijn ogen, zijn glimlach.

Ik hoor iets in de grote kamer, alsof iemand langzaam en voorzichtig loopt. Ik doe mijn ogen open en zie het kleine meisje met het blonde haar bij de ingang van mijn kamer staan.

Ik ga rechtop zitten en schraap mijn keel.

Het meisje trekt haar kin in en knippert even met haar ogen.

'Ben je ziek?' zegt het meisje.

'Ziek?' zeg ik. 'Nee.'

'Waarom lig je dan op bed?' zegt ze.

Mijn ogen zijn moe en ik probeer de moeheid er met mijn vingers uit te wrijven.

'Zomaar,' zeg ik.

Ik glimlach, maar het meisje glimlacht niet terug. Haar ogen hebben de kleur van de hemel maar dan zonder de vervuilde lucht, oneindig blauw, en ze kijkt me aan alsof ik een belangrijk iemand ben.

'Zijn dit al jouw spullen?' zegt ze.

'Ja,' zeg ik.

'Wat mooi,' zegt ze.

Ik ga staan en trek de bedsprei recht.

'Het zag er eerst nog veel mooier uit,' zeg ik.

'O, ja?' zegt ze.

'Ja,' zeg ik, 'er stond nog van alles op de boekenplanken, op het ladekastje en op het bureau, maar ik heb alles weer weg moeten halen.'

De ogen van het meisje staan rustig en ernstig.

'Waarom?' zegt ze.

'Dat moest gewoon,' zeg ik.

Ik wrijf in mijn handen alsof het koud is.

'Ben je ook zo gek op Barbiepoppen?' zeg ik.

'Barbiepoppen?' zegt ze.

'Heb je nog nooit een Barbiepop gezien dan?' zeg ik.

Ze schudt haar hoofd, ik kan het haast niet geloven. Iedereen weet toch hoe een Barbiepop eruitziet?

Ze heet Zoë en ik zeg haar naam steeds weer hardop, zo mooi vind ik het klinken. Zoë en ik spelen met Strand-Barbie, doen haar om de beurt andere kleertjes aan, en Zoë komt op het idee om Barbie door het hele huis op avontuur te laten gaan. Zoë, Barbie en ik lopen langs de muren van de grote kamer en over alle lege matrassen en blijven in de voorste hoek van de kamer staan, daar waar Zoë en haar moeder slapen.

Het gezicht van Zoë's moeder staat bedroefd, mondhoeken naar beneden, ogen neergeslagen. Zoë zegt tegen haar moeder dat ik haar nieuwe, verloren gewaande vriendin ben, dat ik uit Sprookjesprinsessenland kom en nu met haar op avontuur ga.

Zoë's moeder doet wat moeders altijd doen, ze zegt dat ze in de buurt moet blijven en niemand tot last moet zijn. Zoë doet wat kinderen altijd doen, ze knikt braaf, hoewel je zo kunt zien dat ze helemaal niet luistert naar wat haar moeder zegt.

Zoë, Barbie en ik vervolgen ons avontuur, door de gang, door de kamer met de open haard waar de bank en de twee grote stoelen staan. Ik speel zelf nooit in het grote huis, ben nog nooit in deze kamer geweest, ik loop er alleen langs. Zoë laat Barbie over de bank lopen, over de rugleuning en met sprongetjes over de kussens. Na de bank is de stoel aan de beurt, Zoë gaat door tot Barbie overal in de kamer geweest is, in alle hoeken, op de vesterbank en in het ingebouwde kastje naast de open haard.

De mensen in het huis doen anders als Zoë in de buurt is. Ze glimlachen als ze voorbij komt met Barbie in haar hand. Zoë zelf doet net alsof er helemaal geen mensen zijn en is allang weer op zoek naar een volgend avontuur. Ze praat de hele tijd hardop, zegt dingen als: 'Dit is de bank', 'dit is de stoel', 'dit is de vloer', 'dit is de open haard', 'dit is het raam'.

Zoveel lol heb ik zelf nooit met Barbie gehad, ik loop gedwee achter Zoë aan en luister naar haar zachte stem. 'Dit is de trap, dit is de leuning en dit is de badkamer.'

Ik besta uit twee ikken nu, de ik die doet alsof en de echte ik. De ik die doet alsof staat 's morgens op, kleedt zich aan, helpt mee in de keuken en gaat dan de deur uit om zogenaamd naar school te gaan.

De echte ik loopt langs de straat waar het naar Chinees eten ruikt, langs de straat waar het naar Mexicaans eten ruikt en langs de straat waar het ruikt naar vers gebakken brood, donuts en cake.

Op sommige ochtenden ga ik de bakkerszaak binnen en koop drie donuts voor vijfentwintig cent, alle drie met een laagje chocola erop. Ik ga dan helemaal achterin aan een tafeltje zitten met mijn donuts op drie aparte servetten. Vervolgens doe ik net of ik samen met papa de donuts opeet, alsof we een afspraak hebben om samen hier te ontbijten, maar telkens ben ik degene die alle donuts opeet, een voor een, tot de laatste kruimel toe. Zo gaat het door tot de zomervakantie begint, in de zomer worden er geen donuts gegeten.

De ik die doet alsof is er 's middags ook. Die gaat nog steeds naar het gebouw van de Freedom Community Church om daar schoon te maken. De echte ik zit dan in de bioscoop. Twee voorstellingen achter elkaar, vijfentwintig cent plus popcorn en een flesje cola.

Een ding verandert echter nooit, de ik die bang is, bang dat ze betrapt zal worden, bang dat Deb langs zal komen, bang dat iedereen erachter zal komen dat ze gelogen heeft, is er altijd bij.

Zaterdag is wasdag, niet zogenaamd naar school, niet zogenaamd aan het werk bij de Freedom Community. Zaterdag is een echte-ik-dag.

Zoë zegt dat zaterdag officieel is uitgeroepen tot lange-rokkendag. Ik zoek tussen de gevonden voorwerpen en vind een rok van flessengroen fluweel met een gele sierrand. Zoë draagt een van haar moeders rokken, eentje die uit drie lagen bestaat, met een groene, een blauwe en een paarse strook. Zoë zegt dat lange-rokken-dag de enige dag is waarop prinsessen zich aan de hele wereld tonen en dat je je daarom extra mooi moet aankleden, zodat de mensen kunnen zien wie je werkelijk bent.

Ik voel me niet echt een prinses, maar als Zoë er is, lijkt het net alsof je je in de sprookjeswereld van haar verbeelding bevindt, en bovendien vind ik het niet erg om een lange rok te dragen.

Zoë en ik verkleden ons in mijn kamer omdat we daar in Sprookjesprinsessenland zijn volgens Zoë, en rennen dan naar Zoë's moeder om te laten zien hoe mooi we eruitzien.

De moeder van Zoë heeft om de matras heen tussen drie stoelen lakens gespannen voor wat privacy, en het lijkt daarbinnen nu net een fort. Zoë zit op de rand van het matras, haar strokenrok ligt in een wijde cirkel om haar heen en Zoë's moeder kamt haar lange blonde haar van boven naar beneden.

'Maak maar een vlecht, dat staat goed bij mijn lange rok,' zegt Zoë.

'Een Franse vlecht?' zegt Zoë's moeder. 'Of een gewone?'

'Een tovervlecht,' zegt Zoë. 'En bij Jenny moet je ook een tovervlecht maken.'

Zoë's moeder glimlacht, maar het is een glimlach van niks. Ik geloof niet dat Zoë's moeder me graag mag, ze denkt waarschijnlijk dat ik te groot ben om met Zoë te spelen, hoewel ze dat nooit gezegd heeft.

Ik pluk kleine witte stofjes van mijn groene fluwelen rok.

'Laat maar,' zeg ik. 'Ik hoef geen vlechten.'

'Maar dit is een tovervlecht,' zegt Zoë. 'Alle prinsessen hebben een tovervlecht.'

Zoë's moeder kijkt me aandachtig aan en dan wordt haar glimlach een echte glimlach.

'Ik doe het graag, hoor,' zegt ze.

'Nee, nee,' zeg ik, 'het hoeft echt niet.'

'Maar je moet een tovervlecht hebben,' zegt Zoë. 'Dat moet gewoon.'

'Zoë, liefje,' zegt Zoë's moeder, 'blijf even stil zitten.'

Zoë doet haar armen over elkaar, tuit haar lippen en wil niet meer naar me kijken. Dat doet Zoë altijd wanneer ze haar zin niet krijgt, armen over elkaar en strak een andere kant opkijken. Ik vind het niet leuk wanneer Zoë van streek is. Ik buig me naar voren en fluister in haar oor.

'Goed dan,' zeg ik, 'dan neem ik ook een tovervlecht.'

Zoë klapt in haar handen en haar moeder schudt haar hoofd.

'Stil blijven zitten,' zegt Zoë's moeder.

Zoë's moeder maakt een kaarsrechte scheiding over het midden van Zoë's witte hoofd en verdeelt haar blonde haar in drie parten.

Hun kleine kamer bestaat uit een matras met een gele deken eroverheen, een tafel gemaakt van stapels telefoonboeken en de stoelen met de lakens ertussen voor wat privacy. Zoë's kleren zitten in een reistas, alsof ze zo weer vertrekken. Ik wou dat ze ook een ladekastje hadden, dan konden ze daar hun spullen in leggen.

Zoë's moeder doet een elastiekje om het uiteinde van Zoë's perfecte vlecht, doet haar handen omhoog en Zoë voelt aan de vlecht achter op haar hoofd.

'O, dat was ik bijna vergeten,' zeg ik. 'Ik moet weg.'

'Maar je ben aan de beurt,' zegt Zoë.

Ik ga staan en trek de groene fluwelen rok recht zodat hij weer goed om mijn benen valt.

'Nee, ik kan niet,' zeg ik. 'Ik moet Max helpen in de keuken. Bovendien moet ik eerst mijn haar wassen, het is veel te vies zo.'

'Dat geeft niet,' zegt Zoë's moeder, 'ik kan het heel snel. Max wacht wel even.'

Zoë's moeder klopt op de rand van het matras en kijkt me met haar droevige ogen aan. Zoë gaat staan, de strokenrok valt om haar voeten, en legt haar handen op mijn handen, haar kleine vingers om mijn vingers, haar handen zijn zacht en warm.

'Je hebt het beloofd,' zegt Zoë.

Zoë trekt me naar beneden en ik bijt op mijn lip. Ik draai me om zodat ik met mijn rug naar Zoë's moeder sta en probeer over mijn schouder naar haar te kijken.

'Weet u,' zeg ik, 'er zitten nogal wat klitten achter in mijn haar.'

'Ik heb constant klitten in mijn haar,' zegt Zoë, 'daar heb ik zo de pest aan.'

'Laten we maar eens gaan kijken,' zegt Zoë's moeder.

Zoë's moeder tilt mijn haar op, koele lucht strijkt langs mijn nek, en strijkt met haar hand over de klitten in mijn haar. De huid is gevoelig daarachter en ik bijt nog harder op mijn lip, de smaak van bloed komt in mijn mond. Zoë houdt met beide handen haar rok vast, laat zich op haar knieën vallen en blaast in mijn nek.

'Je nek is helemaal rood,' zegt Zoë, 'het lijkt wel of hij kwaad is.'

Ik raak voorzichtig mijn nek aan, de huid is warm.

'Dat zit er ook al langer dan vandaag,' zegt Zoë's moeder.

Zoë's moeder begint met korte halen om de klitten heen te kammen. Het voelt prettig dat iemand mijn haar kamt en ik sluit mijn ogen. Ik veeg met mijn hand langs mijn gezicht alsof de tranen er helemaal niet zijn. Zoë houdt haar gezicht vlak voor het mijne, ze ruikt naar tandpasta en melk.

'Het komt wel goed,' zegt Zoë, 'mijn moeder heeft ze er zo uit.'

'Zoë, liefje,' zegt Zoë's moeder, 'wil jij een glas water voor me uit de keuken halen?'

'Waarom?' zegt Zoë.

'Omdat ik dorst heb. Ga maar gauw.'

Zoë gaat staan, de voeten iets uit elkaar om in evenwicht te blijven, bukt zich en tilt dan de blauwe strook van haar strokenrok op. Ze rent langs de lakenwand en eenmaal op de gang maken haar voeten een sloffend geluid.

Zoë's moeder buigt zich voorover, haar adem voelt warm aan op mijn wang.

'Het geeft niet,' zegt ze, 'jij hebt gewoon haar dat gemakkelijk klit.'

Er wordt achter weer aan mijn haar getrokken, ik doe mijn hoofd weer recht en druk mijn vuisten tegen mijn ogen, witte en zwarte stippen voor mijn ogen.

'Hoe komt het dat het er zoveel klitten in je haar zitten?' zegt Zoë's moeder.

'Iemand heeft mijn kam gestolen,' zeg ik.

Zoë's moeder houdt op met kammen.

'Hier in huis?' zegt ze. 'Wanneer? Wanneer is dat gebeurd?'

Ik haal mijn schouders op, haal mijn neus op en veeg er met de rug van mijn hand langs.

'Voordat u en Zoë er waren,' zeg ik, 'ik weet niet meer wanneer.'

Zoë's moeder kamt en kamt. Dat iemand eindelijk de klitten uit mijn haar haalt, is het mooiste wat er is.

'Ziezo, klaar,' zegt Zoë's moeder.

Ik strijk over mijn achterhoofd, mijn haar is glad en zacht, en ga er met mijn vingers doorheen, helemaal tot aan de uiteinden. Ik leg mijn hand weer op mijn achterhoofd, de plek is nog steeds gevoelig en warm. Ik draai me om en kijk in de droevige ogen van Zoë's moeder.

'Tegen niemand zeggen, hoor,' zeg ik.

'Wat bedoel je?' zegt ze.

'Van mijn haar,' zeg ik. 'Dat mijn kam gestolen is.'

Zoë's moeder houdt haar hoofd schuin en kijkt me aan. Zoë rent weer met sloffende voeten om het toverfort heen, het glas water in haar hand is halfvol.

'Het is zover,' zegt Zoë, 'Max zegt dat het zover is.'

'Wat is zover?' zegt Zoë's moeder.

Zoë laat haar strokenrok zakken en geeft het glas water aan haar moeder.

'De baby,' roept Zoë, 'de baby komt eraan.'

Zoë en ik zitten voor Max en Karens kamer op de grond, de knieën opgetrokken onder onze lange rokken. Er lopen mensen in en uit en als de deur een poosje open blijft staan, kun je zien hoe het zonlicht via de ronde ramen hun kamer binnen valt. Karen heeft vierkante lappen paarse en witte doorzichtige stof voor de ramen gehangen en het licht dat daardoorheen schijnt, kleurt de houten vloer geel en paars. Er wordt een plaat van de Beatles gedraaid, *Sgt. Pepper's Lonely Hearts Club Band*, en wierook gebrand. Karen haalt zwaar en snel adem en loopt voor de ramen heen en weer. Ze heeft haar handen achter op haar heupen gezet en je kunt de omtrek van haar buik door haar *paisley*-jurk heen zien. Karens buik is zo dik dat haar hele lichaam bijna voor de helft uit buik lijkt te bestaan.

Als de deur dicht is, komt er een streep zonlicht onder de deur door en horen we nog steeds *Sgt. Pepper's Lonely Hearts Club Band* en ook Karen nog steeds zwaar en snel ademhalen.

Zoë's moeder is in de kamer, Max is in de kamer en een mevrouw die vroedvrouw wordt genoemd is ook in de kamer. Karen zegt dat we binnen mogen komen als de baby eruit komt. Karen zegt dat Zoë en ik het welkomstcomité zijn.

Zoë weet alles van baby's en zegt dat ze door waar je plast naar buiten komen. Ik geloof er geen barst van, maar Zoë zegt dat het echt waar is, dat alle vrouwen op die manier hun baby naar buiten duwen.

'Hoe weet je dat?' zeg ik.

'Dat heeft mama me verteld,' zegt Zoë. 'Mama helpt altijd als vrouwen hun baby krijgen, dus zij kan het weten.'

Op hetzelfde moment weet ik ook waarom Zoë en haar moeder hier zijn en een akelig gevoel bekruipt me.

De muziek in de kamer is opgehouden en Max doet de deur open. Max kijkt blij en bang en nog iets, anders dan anders.

'Oké,' fluistert Max, 'het gaat gebeuren. Eerst handen wassen, daarna mogen jullie binnen komen.'

Zoë en ik krabbelen overeind en wassen in de badkamer onze handen met stinkende zeep en warm water. Zoë rent de gang in en ik volg haar. Zoë is nergens bang voor en rent meteen door naar haar moeder en Karen. Ik blijf bij de deur staan, met mijn rug tegen de deurknop.

Er staat een houten uitklaptafel voor de grote ramen en Karen ligt erbovenop met een babyblauw laken over haar buik en benen. De vroedvrouw staat aan het uiteinde van de tafel bij Karens voeten, ze heeft een kalme, wijze blik in de ogen.

Zoë's moeder legt haar hand op Karens voorhoofd en ze fluisteren tegen elkaar.

In de hele kamer hangt een sfeer van afwachting en betovering en niemand hoeft me te vertellen dat hier dadelijk de belangrijkste gebeurtenis ter wereld zal plaatvinden.

Max neemt *Sgt. Pepper* van de draaitafel, laat een nieuwe plaat uit een witte hoes glijden en legt die op de draaitafel. Er volgen een paar klikken en dan klinkt er weer Beatlesmuziek.

Karen draait haar hoofd opzij en kijkt met haar groen-bruine ogen naar Max.

'*Blackbird*,' zegt ze.

'Oké,' zegt Max.

Max tilt de naald op van de plaat en laat hem dan weer zakken.

Zoë wenkt met haar hand dat ik dichterbij moet komen en ik duw me van de deur af en loop met langzame passen naar haar toe. Karen kijkt naar me en glimlacht, haar mooie groen-bruine ogen glanzen van de tranen.

Zoë's moeder gaat staan en kijkt naar de vroedvrouw. Max staat aan de andere kant van Karen en kijkt ook naar de vroedvrouw. Het is doodstil in de kamer, alleen de muziek van de Beatles en Karens zware, snelle ademhaling zijn te horen, en dan knikt de vroedvrouw hen toe.

Zoë's moeder en Max duwen Karen overeind, dichter naar de vroedvrouw toe die tussen Karens benen kijkt. Karen heeft haar ogen dichtgeknepen, haar gezicht is rood aangelopen. Ze blaast hard haar adem uit alsof ze de wind nadoet, terwijl Max en Zoë's moeder haar helpen weer te gaan liggen.

Zoë staat aan het uiteinde van de tafel alles te bekijken en wenkt me, wenkt en wijst. Ik loop naar haar toe en ga achter de vroedvrouw staan, met mijn rug naar de zon, Karens gespreide benen vlak voor me. Het ziet er niet uit zoals ik gedacht had, niet akelig of eng, alleen een klein hoofdje met donker haar dat naar buiten komt, en het lijkt wel of Karen ervoor gemaakt is om een baby naar buiten te duwen zoals Zoë zei.

Karen wordt weer overeind geduwd, haar gezicht is kletsnat, haar haar zit in natte krullen tegen haar voorhoofd en wangen geplakt. De vroedvrouw zegt: 'Nu gaat het gebeuren,' en Karen haalt diep adem alsof ze onder water haar adem inhoudt. Zoë haalt ook diep adem en houdt haar handen voor haar mond.

De Beatles zingen: '*Blackbird singing in the dead of night*,' en de baby komt uit Karen, een meisje, een klein mensje met alles erop en eraan.

De vroedvrouw geeft de baby aan Zoë's moeder. Ze houdt de baby omhoog in het zonlicht en het lijkt haast onmogelijk dat iemand zo klein kan zijn. Ze legt de baby voorzichtig op Karens borst en Karen slaat haar armen om de baby heen alsof ze van glas is. De baby huilt niet, maakt alleen zacht kirrende geluidjes, bijna helemaal geen geluid.

De Beatles zingen: '*Take these broken wings and learn to fly*,' en de vroedvrouw zegt: 'Er komt nog een baby, Karen.'

Max kijkt naar de vroedvrouw en Zoë's moeder begint te lachen. Een tweede hoofdje met donker haar komt te voorschijn en de vroedvrouw zegt tegen Karen dat ze nog wat harder moet duwen en dan is er opeens nog een baby, nog een meisje.

Er wordt gelachen en gehuild, iedereen schudt het hoofd, houdt elkaars hand vast en veegt tranen weg.

De Beatles zingen nog steeds over merels en Karen heeft nu twee baby's op haar borst liggen. Max zoent Karens bezwete gezicht en zegt: 'Ik hou van je,' tegen haar neus. Zoë's moeder veegt de tranen van haar gezicht en kijkt hoofdschuddend naar de twee baby's.

'Een tweeling,' zegt de vroedvrouw, 'perfect gewoon.'

Zoë wurmt zich tussen haar moeder en Karen door en lijkt heel groot nu vergeleken bij de baby's. Max glimlacht, legt zijn hand op mijn schouder en duwt me naar voren zodat ik ook naar de baby's kan kijken.

Zoë steekt haar hand uit en raakt met een vinger het roze handje van een van de baby's aan, alsof ze alles af weet van nieuw leven. Ik steek mijn hand ook uit en raak met mijn vinger het andere roze handje aan, de vingers van de baby sluiten zich er meteen stevig omheen.

Opeens lijkt alles veranderd te zijn, ook al weet ik niet precies hoe dat komt. Dat mama er niet meer is, dat papa er niet meer is en dat ik helemaal alleen ben, maar ook weer niet zo alleen als ik dacht, het heeft er allemaal mee te maken. Het komt door de baby's en Karen, door Max en Zoë en het lijkt alsof we allemaal even gelijk zijn nu. De tranen prikken in mijn ogen en ik strijk met mijn duim over het zachte handje van de baby.

Zoë gaat op haar tenen staan en buigt zich over de baby's heen.

'Welkom,' fluistert Zoë, 'welkom in deze wereld.'

Drie dagen nadat de tweeling geboren is, ligt er een opgevouwen briefje op mijn bed met mijn naam erop in Debs handschrift. In het briefje staat 'gezinsoverleg' en de naam van een Chinees restaurant, alleen de naam, verder niets, alsof ik daar geregeld kom.

Ik kijk om me heen, maar Deb is er niet. Ik loop naar het raam en kijk naar buiten, maar daar is ze ook niet.

Max zegt dat het restaurant in de straat staat waar het naar Chinees eten ruikt en dat ik het kan herkennen aan een rode vlag die aan de gevel hangt. Ik trek een spijkerbroek aan en een wijde paarse *paisley*-blouse die ik bij de gevonden voorwerpen heb weggehaald. De blouse heeft ruches langs de hals en de manchetten en als je je armen op en neer doet zijn het net vleugels.

Al mijn kleren komen bij de gevonden voorwerpen vandaan, een grijs T-shirt met het gezicht van Jerry Garcia erop, een geknoopverfd T-shirt met een groot vredesteken erop, de paarse *paisley*-blouse. Ik heb er ook nog een oranje overall en een korte broek vandaan gehaald, allebei een paar maten te groot. Ieder keer als ik iets ophaal bij de gevonden voorwerpen leg ik wat van mijn oude kleren terug, zodat het gelijk op blijft gaan.

Ik borstel mijn haar en maak een paardenstaart met een leren speld met houten pin erin die ik van Zoë's moeder heb gekregen.

Bij het Chinees restaurant hangt een rode vlag buiten en in het restaurant zitten een heleboel mensen. Ik kijk door het raam naar binnen en zie dat Deb, Christopher, Kenny, Ronny en Bryan aan een rond tafeltje uit kommetjes zitten te eten.

Als ik de deur opentrek, begint er een belletje te rinkelen. Niemand kijkt op als ik naar hun tafeltje loop. Ronny's haar hangt in haar gezicht, Kenny heeft een honkbalpet op en Christophers mooie, gladde gezicht zit onder de rode pukkels. Het lijkt wel of Bryan groter geworden is en hij is de eerste die me ziet. Hij kijkt me alleen maar aan met zijn donkere ogen, ik zie meteen dat hij kwaad op me is. Ik kijk kwaad terug.

Krijg de klere, Bryan.

Deb schept met twee lepels de rijst op, haar stem klinkt boven de geluiden van het restaurant uit.

'Je moet de *moo shoo* eens proberen,' zegt Deb. 'Die pruimensaus is echt heerlijk.'

Deb kijkt naar Bryan, kijkt dan langs me het restaurant in en daarna pas naar mij.

'Ach, kijk eens wie we daar hebben,' zegt Deb. 'En wat zie je er... interessant uit.'

Iedereen houdt op met eten, alle ogen zijn op mij gericht. Ik ga rechtop staan, schouders naar achteren, kin ingetrokken.

'Wat zie jij er maf uit,' zegt Ronny.

'Ja, compleet maf,' zegt Kenny.

'Val toch dood, Veronica,' zeg ik. 'En jij ook, Kendall.'

Deb lacht even, gooit haar haar naar achteren en kijkt de tafel rond.

'Waarom ga je niet zitten?' zegt Deb.

Deb wijst naar een lege stoel tussen Kenny en Christopher, tegenover Bryan en Ronny. Ik ga zitten en Deb kijkt weer het restaurant in en begint te lachen, een lach van niks.

Iedereen begint weer te eten, armen worden uitgestoken om iets te pakken, vorken kletteren en niemand zegt iets. Midden op de tafel staat een draaiplateau met flesjes sojasaus, rode saus en gele mosterd erop. Er staat een schaal met rijst, een schaal met groenten en noten, een schaal met bruine, spaghetti-achtige slierten en nog iets met stukjes ananas erin.

Deb zegt dat ik thee moet nemen en het zoetzure varkensvlees eens moet proberen, omdat dat het lekkerste van het lekkerste is.

Bryan houdt zijn vork vast alsof het een wapen is en in zijn hals zit een rode vlek alsof hij uitslag heeft.

Deb schenkt thee in een wit kopje met een rood randje aan de binnenkant en geeft het door. Ik laat het kopje voorbijgaan en zie hoe het voor Bryan wordt neergezet.

'Die is voor jou, Jenny,' zegt Deb.

'Ik wil geen thee,' zeg ik. 'En ook geen zoetzuur varkensvlees.'

Deb raakt haar haar even aan en laat dan haar hand weer zakken.

'Zo,' zegt Deb, 'we zijn er nu allemaal, laten we maar beginnen.'

Deb schuift heen en weer op haar stoel en zet beide ellebogen op tafel.

'We stappen uit de Freedom Community Church,' zegt Deb.

Ze slaakt een diepe zucht, legt beide handen op haar hart en begint gemaakt te glimlachen.

'Wauw,' zegt ze, 'dat voelt goed. Zoiets hakt er behoorlijk in, hoor, maar wat een opluchting om dit nu, nu we weer allemaal bij elkaar zijn, tegen jullie te kunnen zeggen.'

Deb pakt een papieren servetje en drukt het tegen haar ooghoeken. Christopher steekt zijn hand uit naar Deb en pakt haar pols. Deb kijkt Christopher heel lang aan en zucht diep, schouders omhoog, schouders naar beneden.

'Oké,' zegt Deb.

Deb houdt de rand van de tafel omklemd, de vingers wit van het knijpen, alsof ze wil gaan staan en de tafel op wil tillen.

'De Freedom Community Church is een slechte kerk, slecht met een hoofdletter S,' zegt Deb. 'En sinds kort weet ik hoe slecht.'

Deb laat de tafel los en legt haar handen op haar hart.

'Ik heb alles aan de kerk gegeven,' zegt Deb. 'Ik heb alles opgeofferd.'

Deb laat haar handen zakken, wijst naar mij en dan naar Bryan.

'Ik heb mijn gezin opgeven,' zegt ze, 'ik moest mijn kinderen van elkaar scheiden om te laten zien hoe toegewijd ik was.'

Deb legt haar handen weer op haar hart en schudt haar hoofd, de ogen gericht op haar bord met *moo shoo*-pannenkoeken.

'Dat had ik van tevoren toch ook nooit kunnen weten?' zegt Deb.

Ik kijk naar Bryan en Bryan kijkt naar mij. Ik weet niet meer wat ik ervan moet denken. Heeft Bryan wel al die tijd bij Deb gewoond? Of ook niet? Ik weet het niet.

Deb pakt haar servet en houdt hem vast tussen haar lange vingers, haar ogen lopen vol tranen.

'Jullie zijn het enige wat ik nog heb,' zegt Deb. 'Die slechte kerk heeft me alles afgenomen, tot de laatste cent toe.'

Deb drukt het servet tegen haar gezicht en Christopher legt zijn arm om haar schokkende schouders.

'Het geeft niet, mam,' zegt Christopher, 'het komt wel weer goed.'

Ik wil lachen en huilen en weglopen, alsof alles niet meer dan een droom is. En zo zie ik het ook voor me, ik zie mezelf al opstaan en de deur met het belletje uit lopen, en daarna zal de wind in mijn gezicht waaien en het lawaai van de stad mijn oren binnendringen. Papa zal recht op me af komen lopen en zijn hand naar me uitsteken. Hij zal lachen en zeggen: 'Zie je wel, Juniper, het was alleen maar een boze droom.' En dan zullen we langs het strand gaan wandelen naar de zonsondergang gaan kijken. Ja, zo zal het gaan.

Deb zegt dat we naar de andere kant van de stad gaan verhuizen, in de buurt van Figueroa Street, omdat we ons schuil moeten houden voor die slechte kerk. Deb zegt dat ze, als ze genoeg geld heeft gespaard, zelf een restaurant wil beginnen omdat ze zo dol is op koken. Christopher, Ronny en Kenny knikken alsof ze alles best vinden. Bryans gezicht is rood tot aan zijn oren, hij kijkt naar zijn kom met rijst.

'Verhuizen?' zeg ik.

Deb houdt op haar tranen te drogen en kijkt me aan.

'Ja, nu meteen,' zegt Deb.

'Ik ga niet verhuizen,' zeg ik.

'Ik geloof niet dat je me begrijpt,' zegt Deb, 'we zijn in groot gevaar. Je kunt hier niet blijven.'

'Maar Zoë dan,' zeg ik, 'en Karen en Max en de baby's.'

'Waar heb je het over?' zegt Christopher.

Iedereen kijkt me aan alsof ik gek geworden ben. Ik ga staan en schud mijn hoofd.

'Ik ga niet verhuizen,' zeg ik 'je kunt me er niet toe dwingen.'

Deb lacht even.

'Dat kan ik wel,' zegt Deb. 'Vanaf dit moment woon jij niet meer in dat huis. Heb je me begrepen?'

'Nee,' roep ik.

'Stel je niet zo aan,' zegt Deb, 'ga zitten en gedraag je.'

Het is stil geworden in het restaurant, ik voel hoe iedereen naar me kijkt. Ik ga zitten en hou met mijn handen de rand van de stoelzitting omklemd. Het liefst zou ik nu de schaal met het zoetzure varkensvlees in Debs gezicht willen gooien, kijken of ze het dan nog steeds het lekkerste van het lekkerste vindt. Ik zie mezelf schreeuwen, met eten gooien en door het lint gaan, maar het gebeurt alleen vanbinnen. Van buiten valt er niets aan me te zien.

Armanita woont samen met haar zoontje Sam in een groot, geel huis. Sam en Armanita hebben een melkchocoladebruine huid en melkchololadebruin krullend haar.

Het huis is voordeur, woonkamer, trap naar boven en een heleboel kamers boven. Beneden achter de woonkamer is een keuken, een gang, en aan de achterkant van het huis is mijn kamer. Armanita zegt dat het een aangebouwde kamer is.

Het is koud in de aangebouwde kamer en de vloer loopt een beetje schuin, zodat je omhoogloopt als je van de ene naar de andere muur loopt. De enige verwarming in de aangebouwde kamer is een kleine witte radiator die in een hoek staat en die je met een zwarte knop aan en uit kunt zetten.

Het mooiste van de aangebouwde kamer is dat je veel privacy hebt. Het ergste is dat het er koud is en dat de ramen uitkijken op een achtererf vol met donkere, schaduwrijke bomen en struiken waar iemand zich schuil zou kunnen houden om naar binnen te kijken.

Naast Armanita's huis staan andere grote huizen en appartementencomplexen en er staan veel auto's langs de straat geparkeerd. De meeste auto's zijn lage sleeën, sommige zonder banden en stoelen, alsof ze hier achtergelaten zijn. Langs het trottoir staan hoge bomen waarvan de wortels door het beton omhooggekomen zijn waardoor het trottoir nu oneven is en vol scheuren zit.

De mensen hier hangen maar wat rond, zitten op de stoep voor hun huis of leunen tegen een van die sleeën aan. Ik voel hoe hun ogen me volgen als ik voorbijloop en ik weet dat ze dat doen omdat ik hier niet vandaan kom. Ik loop met langzame, gelijkmatige passen langs een groepje mannen dat om een radio heen staat waar harde muziek uit komt.

'Zo, hoe gaat-ie?' zegt een man.

'Hé, zus,' zegt een andere man, 'zus-sie.'

Ik doe mijn handen in mijn zakken en glimlach, maar blijf niet staan. Ik loop naar het kruispunt, kijk naar links en naar rechts en steek bij rood licht de straat over.

Deb zegt dat het grote huis tien, misschien vijftien, huizenblokken hier vandaan is. Deb zegt dat ik gewoon Figueroa moet volgen tot ik bij de genummerde straten kom. Als ik daar ben, zie ik het park en daarna het grote huis.

Zoë en haar moeder zijn er niet, ze zijn twee dagen weg, op bezoek bij Zoë's vader of zo, maar ik kon ook niet weten dat ik plotseling moest verhuizen en geen afscheid kon nemen.

Zoë's bed achter de lakenwand is opgemaakt, de gele deken ligt eroverheen. Ik blijf even staan en kijk ernaar. Boven is de deur van Karens kamer gesloten en ik leg mijn oor ertegenaan. Max zegt dat ik niet mag kloppen omdat Karen en de baby's altijd slapen, dus loop ik weer naar beneden en ga de keuken in, maar daar is ook niemand.

In de grote kamer, in mijn kamer, blijf ik staan en kijk om me heen. Daar staat mijn hemelbed, mijn meubels, de roze kist onder het bed. Ik ga aan het prinsessenbureau zitten en pak een vel papier en een potlood. Ik schrijf met grote letters en kies zorvuldig mijn woorden, zodat Zoë het begrijpt, en probeer haar uit te leggen waarom Deb in gevaar is, waarom ik verhuisd ben naar Armanita's huis en nooit meer terugkom, maar niet begrijp waarom niet. Het papier wordt wazig, ik kan niets meer bedenken om op te schrijven en de tranen vallen op mijn woorden. Ik veeg mijn neus af met mijn paarse vleugelmouw en hou het potlood stevig tussen mijn duim en wijsvinger geklemd.

Daarna schrijf ik Zoë dat ik haar mijn Barbie niet kan geven, maar dat ze er wel op mag passen en haar mee op avontuur mag nemen. Ik schrijf haar dat ik Barbie bij haar achterlaat, omdat ik dan nog eens terug kan komen om met haar te spelen. Er zitten allemaal vegen door mijn woorden en ik kijk heel lang naar het papier. Ik vouw het vel dubbel, nog eens dubbel en nog eens dubbel en schrijf *Zoë* op de buitenkant.

Ik trek mijn schoen uit, maak het slot van de roze kist open en trek mijn schoen weer aan.

De Barbiekoffer ziet er nog precies hetzelfde uit. Strand-Barbie, kleren, schoenen, plastic kleerhangers.

Ik trek het laatje met Barbieschoenen eruit en gooi de inhoud op de grond. Het zwarte fluwelen zakje is tot een bal samengedrukt, de stof is helemaal verkreukeld. Ik pak het zwarte fluwelen zakje en leg het terug in de kist, onder het trouwalbum.

Niemand houdt meer van Barbie dan Zoë en daarom is dit de

juiste beslissing. Ik schuif het laatje weer in de koffer, leg het briefje erin en zet de koffer met het briefje midden op haar bed.

Deb zegt dat we alle zeilen moeten bijzetten en daarom extra zelfstandig moeten zijn. Dat betekent dat ik zelf al mijn spullen moet
verhuizen omdat Deb het te druk heeft en we geen geld hebben
voor een verhuiswagen.

Ik moet langs twaalf huizenblokken en acht stoplichten en iedereen kijkt me aan alsof ik gek ben. Nou, iedereen die kijkt kan van
mij de pot op. Ik doe net alsof ik ze niet zie, blijf gewoon recht voor
me uit kijken. Iedereen kan de pot op.

Op mijn schouder draag ik de twee ijzeren stangen waar mijn matras op rust. Ik draag ze langs twaalf huizenblokken, acht stoplichten
en daarna de aangebouwde kamer in.

Ik klem mijn vingers achter de houten lijst van de springveer en
sleep hem achter me aan over het trottoir. Zo trek ik de springveer
langs twaalf huizenblokken en acht stoplichten en daarna de aangebouwde kamer in.

Ik sla mijn armen om de boekenkast en draag hem langs twaalf
huizenblokken en acht stoplichten en daarna de aangebouwde kamer in.

Zo gaat het de hele dag door. De kap van de boekenkast, de bureaustoel met de gouden zitting, de prinsessenspiegel, drie laden op
elkaar gestapeld, nog eens drie laden op elkaar gestapeld, en dan de
roze kist.

Als laatste is mijn ladekastje aan de beurt. Ik blijf staan en kijk ernaar. Mijn armen en benen tintelen van vermoeidheid en de boord
van mijn wijde spijkerbroek is nat van het zweet. De laden zijn er
allemaal uit en je kunt nu goed zien hoe hij met hout, schroeven en
lijm in elkaar is gezet. Ik zou Max kunnen vragen me te helpen en
ik weet ook zeker dat hij het zou doen, maar het is etenstijd.

Ik loop naar de keuken en Max is daar met een man die ik niet
ken, hij heeft een schort voor. Ze kijken me allebei aan als ik binnen kom en Max veegt zijn hand af aan zijn half omgeslagen schort.

'Hé, kijk eens wie we daar hebben,' zegt Max.

'Ik kom afscheid nemen,' zeg ik.

'Dat weet ik,' zegt Max.

'Hoe weet je dat?' zeg ik.

Max legt zijn hand in zijn nek en begint te krabben.

'Je moeder kwam een paar dagen geleden langs,' zegt Max.

Hij houdt op met krabben, zet de handen in zijn zij.

'Een maffe chick, hoor,' zegt Max.

'Ja, vertel mij wat,' zeg ik.

Max begint te lachen en ik begin te lachen, ik vind dat leuk. De andere man kijkt alleen maar naar ons.

'Ze zegt dat ik hier niet terug mag komen,' zeg ik. 'Nooit meer.'

Eigenlijk zou ik nog veel meer willen zeggen, maar ik weer niet hoe. Ik kijk naar mijn schoenen en zie dat er bij mijn tenen kleine slijtgaatjes in zitten.

'Ga je Karen ook nog even gedag zeggen?' zegt Max.

Ik voel pijn op mijn borst, een pijn die diep zit en ik wrijf er met mijn hand overheen. Max steekt zijn hand uit om mij de hand te schudden en ik leg mijn hand in de zijne.

'Jij redt je wel,' zegt Max, 'dat komt wel goed met jou.'

Max laat mijn hand los, mijn handpalm is helemaal warm.

Boven schijnt licht onder de deur door en ik klop aan. Karen doet de deur een klein stukje open, kijkt naar buiten, naar beneden en doet dan de deur helemaal open.

'Hallo, Jenny,' zegt Karen. 'Kom binnen.'

De kamer is gehuld in warm lamplicht, er hangen sjaals over de lampenkappen waardoor het licht nu blauw en rood is. Er klinkt muziek, zachte, droevige muziek zonder zang.

'Ik kom afscheid nemen,' zeg ik.

Karen steekt haar armen uit en knielt voor me neer.

'Ik weet het, liefje,' zegt ze, 'ik wist het al.'

Karen ruikt naar babypoeder, zoete melk en wierook. Ik druk mijn gezicht in haar zachte krullen en ze is warm en slank en anders.

Karen leunt achterover en kijkt me aan, zachte moederogen, groen en bruin.

'Het komt wel goed,' zegt Karen, 'het is beter dat je weer thuis gaat wonen.'

Ik veeg met beide handen mijn gezicht af.

'Ik mag hier niet meer komen,' zeg ik, 'nooit meer.'

Karen fronst haar wenkbrauwen, legt haar handen op mijn schouders en knijpt er even in.

'Je bent hier altijd welkom,' zegt Karen. 'Oké?'

'Oké,' zeg ik.

Er komen babygeluidjes uit de wieg en kleine handjes steken de lucht in. Karen legt haar hand op het babylijfje dat in een roze dekentje gewikkeld is. De andere baby slaapt, de oogjes dicht, kleine wimpertjes. De baby waar Karen haar hand op heeft gelegd, wordt rustig, knippert met haar oogjes en kijkt om zich heen.

Karen zegt dat ze haar baby's naar bloemen heeft genoemd omdat die zo mooi zijn: de ene baby heet Rose, de andere Daisy. Ik weet niet hoe ik erbij kom, maar ik weet dat ik de baby's en Karen nooit meer terug zal zien. Ik sla mijn armen om Karen heen, mijn gezicht tegen haar buik, zodat ik nooit meer zal vergeten dat ze naar bloemen en thee ruikt.

Mijn Barbiekoffer staat nog op dezelfde plek als waar ik hem die middag had neergezet, ik doe de koffer open en haal het briefje voor Zoë eruit. Ik stop het briefje in mijn broekzak, doe de koffer weer dicht en draai hem weer op slot. Ze snapt het zo ook wel als ze Barbie vindt en ziet dat al mijn spullen weg zijn, daar heeft ze geen stom briefje voor nodig.

Ik sleep mijn ladekastje bij de ronde ramen vandaan, de grote kamer door en de gang op.

Er is niemand in de grote kamer en dat is vreemd, want er lijkt altijd wel iemand hier nieuw te zijn. Ik kijk de kamer rond, kijk naar mijn hoekje met de ronde ramen en dan naar mijn ladekastje. Ik trek de voordeur open en duw de deurstop naar beneden zodat hij open blijft staan.

Met mijn rug naar de straat til ik het ladekastje over de drempel heen en zet hem op zijn kant op de bovenste stoeptrede. Daarna loop ik om het kastje heen en duw hem de deur uit.

Het prinsessenkastje hangt schuin boven de stoeptreden. Ik laat de onderkant tegen mijn borst rusten en trek het kastje dan de stoep af, op elke tree komt hij met een klap neer. Als het kastje beneden op het trottoir staat, buk ik me om weer op adem te komen.

De enige manier om hem mee te krijgen is hem achter me aan te slepen, en dus sleep ik hem mee over het trottoir, trek ik hem elf huizenblokken lang stoepranden op en af en probeer ik zo snel mogelijk de kruisingen over te steken. Als er mensen naar me kijken, knijp ik mijn ogen half dicht met een gezicht van 'krijg allemaal maar de klere' en dan kijken ze een andere kant op.

Bij de laatste kruising, wacht ik tot het licht op groen springt en sleep het kastje dan over de stoeprand heen de weg op. Het is een brede weg met veel rijbanen en ik ben pas halverwege als het licht weer op rood springt en de auto's beginnen op te trekken alsof ze me omver willen rijden. Mijn armen en benen doen pijn en ik trek zo hard als ik kan aan het kastje.

Een man die ik niet ken rent het zebrapad op en pakt mijn kastje vast. Auto's toeteren en ik kijk de man aan met een gezicht van 'rot op jij', maar hij trekt zich er niets van aan. De man tilt zijn kant van het kastje op en knikt naar me. Ik til mijn kant op en zo dragen we het kastje samen verder. Als we aan de overkant zijn, laat ik mijn kant van het kastje zakken en zet hem op het trottoir.

'Bedankt,' zeg ik, 'hartstikke bedankt.'

De man knikt en knikt.

'Verder, verder,' zegt hij.

'Nee, dat hoeft niet,' zeg ik. 'Ik kan het verder wel alleen.'

'Nee, nee,' zegt hij. 'Verder, verder.'

Het gaat gemakkelijker als iemand me helpt. Ik til mijn kant van het kastje weer op, loop achteruit en laat hem aan de andere kant lopen. De man kijkt me aan en hij blijft maar glimlachen. Hij heeft zwart haar, donkere ogen en op zijn kin en wangen zitten diepe littekens.

Het is stil voor Armanita's huis en ik zet mijn kastje boven op een scheur in het beton waar de boomwortels door omhooggekomen zijn.

'Bedankt,' zeg ik. 'Dat was het.'

De man glimlacht en schudt zijn hoofd.

'Verder helpen,' zegt hij. 'Verder, verder.'

'Nee,' zeg ik. 'Het is wel goed zo.'

De man loopt om het kastje heen en tilt hem in het midden op. Hij balanceert hem op zijn hoofd en loopt zo de stoep op van Armanita's gele huis. Het is een grappig gezicht, omdat hij zo klein en tegelijkertijd zo sterk is en mijn kastje daar boven op zijn hoofd naar boven lijkt te kijken. Ik ren de stoep op en doe de deur voor hem open. De man draagt het kastje het huis in.

Ik wijs naar de aangebouwde kamer en de man draagt het kastje naar binnen. Als hij het kastje neerzet, is zijn gezicht nat van het zweet, de littekens glimmen. Hij kijkt mijn kamer rond, kijkt uit het raam en dan naar mij. Zoals hij daar nu staat, lijkt het wel alsof hij nooit meer weg zal gaan, een akelig gevoel kruipt langs mijn nek omhoog en over mijn hoofd.

Ik klap in mijn handen, het geluid klinkt hard in het stille huis. 'Bedankt, hartstikke bedankt,' zeg ik. 'Tot kijk maar weer, hè.'

De man blijft wijdbeens staan en zet de handen in zijn zij. Hij heeft een geel jasje aan, een zwarte broek en zwarte schoenen.

'Jij betalen?' zegt de man.

Geld, hij wil geld, en ik sla mijn hand voor mijn ogen. Natuurlijk, hij wil geld, en ik heb geld gespaard van het werken in de keuken. Ik zwaai met mijn armen en wijs de gang in.

'Wacht buiten maar,' zeg ik, 'dan ga ik geld halen.'

De man schudt zijn hoofd en komt dichterbij.

'Geen geld,' zegt hij, 'kusje.'

Een vreselijk gevoel bekruipt me, een gevoel van in het nauw gedreven te zijn, een gevoel dat zegt: maak dat je wegkomt. De man legt zijn hand op mijn arm en klemt zijn vingers eromheen. Ik probeer me los te rukken, maar hij houdt me vast, niet stevig, gewoon bij de elleboog.

Ondertussen denk ik eraan dat hij me geholpen heeft en er alleen een zoen voor wil hebben. Hoe erg kan dat zijn? Als ik hem nu snel een zoen geeft, gaat hij wel weg. Ik doe een stap naar voren om hem een zoen op zijn wang te geven, maar hij draait mijn gezicht naar zich toe en zoent me vol op de mond.

Mijn stem is een schreeuw, en ik schreeuw hard. Ik probeer me los te rukken, maar hij blijft mijn arm vasthouden. Ik schop zo hard als ik kan tegen zijn been aan en dan laat hij los. Ik ren de gang in en met twee treden tegelijk de trap. Er is niemand thuis, geen Deb, geen Christopher, geen Kenny, geen Ronny, geen Bryan, geen Armanita en geen Sam, niemand.

Aan het einde van de gang hoor ik treurige muziek en dan weet ik dat Bryan thuis is. Ik gooi de deur van zijn kamer open en Bryan zit in kleermakerszit voor de draaitafel.

'Er is een man in mijn kamer,' schreeuw ik.

'Onzin,' zegt Bryan.

'Echt waar,' roep ik, 'hij heeft me geholpen mijn kastje naar binnen te dragen en probeerde me toen met zijn tong te zoenen, en nu zit hij in mijn kamer.'

'Heb je zomaar een vreemde binnen gelaten?' zegt Bryan.

'Ach, val toch dood jij,' schreeuw ik.

Bryan kijkt me strak aan en komt dan overeind.

'Oké,' zegt Bryan, 'laten we maar gaan kijken dan.'

Buiten is het bijna donker geworden, de lucht is donkerblauw, voor het raam de schaduwen van struiken en bomen. Het licht aan het plafond in de aangebouwde kamer schijnt fel op het raam en de prinsessenmeubels. Op mijn bureau, mijn bed, mijn ladekastje en mijn boekenkasten.

Bryan heeft een groen T-shirt aan, een broek met afgeknipte pijpen en niets aan zijn voeten, lange tenen, vuil, behalve daar waar de bandjes van zijn teenslippers hebben gezeten.

'Nou?' zegt Bryan.

'Kijk in de kast,' zeg ik.

Bryan schuift de kastdeuren opzij en schudt zijn hoofd.

'Niets,' zegt hij.

Alleen Bryan en ik zijn in de aangebouwde kamer en dan weet ik dat de man echt weg is. Ik sta op mijn benen te trillen, druk mijn arm tegen mijn buik en hou me met mijn andere hand vast aan het ladekastje.

'Misschien is hij nog ergens in huis,' zeg ik. 'Misschien verbergt hij zich.'

'Ja hoor, vast en zeker,' zegt Bryan.

Ik wijs naar de grond, naar het vloerkleed, naar de plek waar ik sta.

'Hij stond hier,' zeg ik, 'precies hier waar ik nu sta, ik zweer het je.'

Bryan doet zijn armen opzij en laat ze dan weer vallen. Hij loopt naar de deur, gooit hem open en kijkt of iemand zich erachter verstopt heeft. Dan begint hij te lachen en schudt zijn hoofd.

'Daar moet je niet om lachen,' zeg ik.

'Ach, rot toch op,' zegt Bryan, 'je hebt me gewoon wat voorgelogen.'

'Ik ben geen leugenaar,' schreeuw ik.

'Kom me niet weer lastig vallen,' zegt Bryan. Hij loopt de aangebouwde kamer uit en ik hoor het geluid van zijn voetstappen tot aan het einde van de gang.

'Maak je daar maar geen zorgen om,' schreeuw ik hem na, 'ik kijk wel uit, klootzak.'

Het lijkt wel of Zoë, Karen, Max, de tweeling en zelfs de Freedom Community Church, nu de Slechte Kerk volgens Deb, er nooit geweest zijn.

Net als vroeger zijn er er weer regels, gezinsoverleggen en huishoudelijke klussen. Christopher, Kenny, Ronny, Bryan en ik maken weer ruzie over naar welk tv-programma er gekeken wordt, over wie als eerste de badkamer mag gebruiken, over wie wat eet.

En dan zijn Armanita en Sam er ook nog, alleen zie ik ze niet zo vaak omdat Armanita meestal aan het werk is en Sam op de crèche zit. Ik geloof niet dat Armanita me graag mag omdat ze altijd naar me kijkt met een gezicht alsof ik stink.

Wat anders is dan vroeger, is dat we geen geld hebben. Deb is blut en ze zegt dat het enige wat ons op de been houdt, haar baan in de schoenenwinkel is en de maandelijkse cheque van de overheid. 'Goddank dat de Sociale Dienst er nog is,' zegt ze.

Ik geef niets om geld, probeer alleen manieren te bedenken om bij Zoë langs te gaan in het grote huis, hoewel ik weet dat het niet kan.

Ik probeer niet meer aan Zoë te denken, maar dat valt niet mee. Ik mis haar. Zoë was nooit bang, maakte altijd plezier en zag overal wel iets betoverends in. Zonder Zoë ben ik weer gewoon ik, zonder iets speciaals. Het verlangen naar haar is groter dan een verlangen naar voedsel, en ik weet dat het krankzinnig en zwak is om zo erg naar iemand te verlangen, dat het misschien zelfs betekent dat ik een slecht mens ben.

Hoofdstuk negentien

Het is een maand, misschien twee maanden later, het warmste gedeelte van de zomer. Niemand behalve ik weet dat zaterdag officieel lange-rokken-dag is, en hoewel zonder Zoë de betovering er een beetje af is, hou ik de dag toch in ere. Ik heb mijn lange, groene rok met gele sierrand aan, een geel T-shirt en teenslippers. In teenslippers zitten geen veters, daarom bewaar ik mijn zilveren sleuteltje in het zakje van mijn T-shirt.

Op lange-rokken-zaterdag ga ik altijd een eind wandelen en altijd kom ik dan terecht aan de overkant van het grote huis, voor het geval Zoë naar buiten komt. Maar ook vandaag komt ze niet naar buiten en na een poosje geef ik het op.

Langs het trottoir zit een mevrouw op een bankje vogelzaad uit te strooien voor de duiven. Ik loop met een grote boog om de vogels en het vogelzaad heen naar de hoek van de straat waar een zebrapad is. Er lopen vandaag veel mensen op straat, de meesten in korte broek met een hemdje omdat het zo warm is. Ik ben de enige die een lange rok draagt.

Het licht gaat van rood op groen en ik steek samen met een groep andere mensen de straat over. Ik loop aan de buitenkant van het zebrapad om te voorkomen dat iemand op mijn rok trapt.

Aan de overkant van de straat staat een telefooncel. Ik loop ernaartoe, steek mijn vinger in het geldbakje, maar er ligt niks in.

Verderop op het trottoir staat een zwarte man voor een theater felroze velletjes papier uit te delen. 'Helemaal naakt, doorlopende voorstelling. Helemaal naakt, doorlopende voorstelling,' roept hij. Ik kijk niet naar de man en neem ook geen velletje papier van hem aan. Ik kijk naar mijn in teenslippers gestoken voeten die onder het lopen telkens even vanonder mijn rok te voorschijn komen. Eruit, eronder, eruit.

'Jenny,' roept een stem.

Om me heen zie ik alleen de gezichten van volwassenen, maar geen van hen kijkt naar mij. Ik druk mijn handen tegen mijn oren, maar de stem zit deze keer niet in mijn hoofd. Ik strijk met mijn vingers langs de boord van mijn groene rok en voel dat hij helemaal nat van het zweet is. Ik leg mijn hand op het zakje van mijn gele T-shirt en voel het sleuteltje door de stof heen. Ik ga rechtop staan, schouders naar achteren, kin ingetrokken en loop verder.

Mijn voeten komen te voorschijn, verdwijnen, komen weer te voorschijn en dan zie ik een scheur die dwars over het trottoir loopt. Ik loop ernaartoe en zet mijn voet erop.

Krijg de klere, Deb.

'Jenny,' roept een vrouw. 'Jenny, wacht.'

Bij het horen van mijn stem begint mijn huid te prikken, de haartjes in mijn nek gaan recht overeind staan. Ik ga op mijn tenen staan en draai in het rond. Voetgangers op het trottoir, parkeermeters, vreemden, 'helemaal naakt, doorlopende voorstelling', maar dan zie ik een dame met bruine armen, bruine benen en kort geknipt haar. Ik knijp mijn ogen half dicht om beter te kunnen zien.

'Jenny,' roept ze, 'wacht, wacht.'

De vrouw heeft een witte handtas onder haar arm en draagt een blauw-wit gestreept blouse met een bijpassende witte korte broek. Sportkleding gecombineerd met sportkleding, en opeens weet ik het weer.

'O, mijn god,' roept tante Georgia.

Een broodmagere tante Georgia steekt haar dunne, bruine armen uit, trekt me tegen zich aan en beweegt me zachtjes heen en weer. Ze heeft haar armen zo stijf om me heen geslagen dat het lijkt alsof ze me nooit meer los zal laten en ik probeer haar weg te duwen.

Tante Georgia houdt mijn bovenarmen met haar sterke vingers omklemd en kijkt me recht in het gezicht. Ik herinner me haar en ook weer niet, alsof iemand je uit een diepe slaap wakker maakt.

'Je bent het echt,' zegt tante Georgia. 'Hoe is het mogelijk?'

Ze draait me heen en weer en bekijkt me van top tot teen.

'En wat ben je gegroeid,' zegt ze. 'Wat ben je groot geworden.'

Tante Georgia's stem klinkt als lachen en huilen tegelijk en ze omhelst me nog een keer en drukt haar hand tegen mijn rug. Ze ruikt naar koffie en pepermunt en ik weet niet wat ik moet doen, haar ook omhelzen, wegrennen, of gewoon blijven staan en helemaal niets doen.

'O, jee,' zegt tante Georgia, 'ik ben zomaar bij je oom Charles weggerend, hij moet hier ergens in de buurt zijn.'

Tante Georgia gaat staan en houdt mijn hand vast. Ze houdt haar andere hand boven haar ogen en kijkt het trottoir af, kijkt naar mij en dan weer om zich heen.

'Chuck,' roept tante Georgia, 'hier.'

Ik kijk dezelfde kant op als tante Georgia en zie temidden van al die vreemde mensen in Los Angeles opeens oom Charles staan in witte kniekousen, een maffe geruite korte broek en een lichtgroen overhemd. Oom Charles draagt een zonnebril en komt op een drafje en zwaaiend met zijn armen naar ons toe rennen.

'Wel heb ik ooit,' zegt oom Charles, 'daar hebben we Jennifer.'

Oom Charles doet zijn zonnebril af en zijn ogen zijn zo lichtblauw dat het lijkt alsof er een lichtje achter zit. Oom Charles bukt zich, slaat zijn armen onder om mijn billen heen en tilt me op. Ik leg mijn handen op zijn schouders om niet te vallen en moet wel lachen, zo leuk vind ik het om weer mensen te zien die ik ken, die mij kennen.

'Wat ben ik blij je te zien,' zegt oom Charles. 'We hebben de hele stad naar je afgezocht.'

'Naar mij?' zeg ik.

'Zei ik het niet,' zegt tante Georgia. 'Ik wist gewoon dat ze het was.'

Oom Charles drukt me tegen zich aan hoewel ik daar veel te groot voor ben nu, prikt met zijn vinger in mijn buik alsof hij me wil kietelen en laat een diepe lach horen.

'We hebben de hele stad naar je afgezocht,' zegt oom Charles, 'als naar een naald in een hooiberg.'

Ik leg mijn hand op de vinger van oom Charles om hem het kietelen te beletten en hij moet erom lachen. Tante Georgia lacht ook en strijkt met haar hand over mijn rug.

'Het is een wonder,' zegt tante Georgia, 'het is gewoon een wonder.'

De auto van oom Charles en tante Georgia staat een paar straten verderop. Beiden houden mijn hand vast alsof ze bang zijn me weer kwijt te raken en als we bij de auto aankomen, doen ze de deur open en zeggen dat ik in moet stappen. Op de achterbank zitten de blondharige en blauwogige Carrie Sue en Jeff. Carrie Sue ziet er perfect uit, met perfecte staarten, een roze korte broek aan en een bijpassend roze T-shirt. Jeffs korte haar is in een perfecte coupe geknipt en hij draagt een blauwe korte broek met een blauw-wit gestreept T-shirt. Allebei dragen ze hagelwitte tennisschoenen met witte sokken.

Ik laat tante Georgia's hand los, laat oom Charles' hand los en doe een paar passen achteruit, weg van de auto en de kinderen op de achterbank.

De zoom van mijn groene rok is vuil, op mijn vaalgele T-shirt zit een grote colavlek en mijn haar zit weer vol klitten.

'Wat is er, liefje?' zegt tante Georga. 'Het zijn je neef en nicht maar, ze zullen je niet bijten.'

Ik leg mijn hand op het zakje van mijn gele T-shirt en voel de omtrek van het zilveren sleuteltje onder mijn vingers. Ik kan onmogelijk in de auto stappen, niet zolang Carrie Sue en Jeff daar zo schoon en perfect zitten. Alle ogen zijn op mij gericht en het enige wat ik nog kan doen is huilen.

Oom Charles knielt bij me neer en slaat zijn armen om mijn schouders.

'Ik begrijp best dat je bang bent,' zegt oom Charles. 'Maar niemand zal je iets doen, dat beloof ik je. Weet je wat? Kom maar voorin zitten. Wil je liever voorin zitten?'

Zijn stem klinkt laag en warm en vol van dingen waar ik alleen maar van kan dromen. Ik kijk naar mijn voeten, alleen maar naar mijn voeten, en veeg met de rug van mijn hand langs mijn neus, met mijn arm langs mijn T-shirt.

'Gaat het alweer iets beter?' zegt oom Charles.

Ik kan geen woord uit mijn keel krijgen, knik alleen maar en haal luidruchtig mijn neus op. Hoewel ik niet echt huil, rollen er toch tranen over mijn wangen, zoals bij een kraan die niet goed dicht wil.

Tante Georgia overhandigt me een doos met papieren zakdoekjes en op de buitenkant van de doos staat een landkaart van de Verenigde Staten. Ik hou de doos in mijn handen en lach tegen de perfecte doos met zakdoekjes. Zakdoekjes voor op reis.

Tante Georgia en oom Charles kijken naar me, kijken alleen maar naar me, en beginnen dan ook te lachen. Ons gelach gaat in elkaar over, wordt één geluid, alsof het zo hoort.

Ik zit tussen tante Georgia en oom Charles in en wijs de weg. Na Figueroa Street volgen nog een paar bochten en dan wijs ik naar het grote, gele huis.

'Daar is het,' zeg ik. 'Dat is Armanita's huis.'

Tante Georgia kijkt naar buiten en legt haar hand op haar hart alsof ze een eed aflegt.

'Woon je dáár?' zegt tante Georgia.

'George,' zegt oom Charles.

Oom Charles parkeert de auto tussen twee sleeën in en zet de motor af. Hij haalt een pakje sigaretten te voorschijn en steekt er een aan met een zilverkleurige aansteker, de geur van aanstekergas en rook verspreidt zich door de auto.

'Zo,' zegt oom Charles, 'en wat nu?'

Hij draait het raampje naar beneden en tante Georgia kijkt hem aan alsof hij gek geworden is. Oom Charles draait het raampje weer dicht, op een smalle spleet na. Tante Georgia kijkt naar mij en schraapt haar keel.

'Is Bryan thuis?' zegt tante Georgia.

'Geen idee,' zeg ik.

'Hoe bedoel je?' zegt tante Georgia.

'Ik weet het niet,' zeg ik, 'we trekken nou niet bepaald de hele dag met elkaar op.'

Tante Georgia en oom Charles kijken elkaar aan en oom Charles blaast de rook door de smalle spleet naar buiten.

'Ik blijf wel hier bij de kinderen,' zegt oom Charles, 'gaan jullie B.J. maar halen en dan gaan we daarna met z'n allen ergens eten. Hoe lijkt je dat, Jenny?'

'Ik wil naar buiten,' zegt Jeff.

Tante Georgia draait zich om, arm over de rugleuning en klikt het knopje van de deur naar beneden.

'Geen sprake van,' zegt ze.

Ik raak met mijn vingers voorzichtig het groene overhemd van oom Charles aan, alleen de stof van de mouw.

'Geen B.J. zeggen,' zeg ik.

Oom Charles kijkt me aan.

'Geen B.J.?' zegt oom Charles.

'Hij wil geen B.J. meer genoemd worden,' zeg ik, 'het is Bryan nu. Ik weet ook niet waarom.'

Oom Charles tuurt door de voorruit naar buiten, alsof hij naar iets in de verte kijkt, en zet de sigaret aan zijn lippen. Tante Georgia strijkt haar haar naar achteren en houdt met beide handen haar handtas vast.

'Haal Bryan maar gauw op, George,' zegt oom Charles, 'dan kunnen we hier weg.'

Als het bordje met GA WEG op Bryans deur hangt, kun je hem beter niet storen. Tante Georgia en ik staan voor zijn kamer en ik leg mijn oor tegen de deur. De treurige muziek staat op. Ik knik naar tante Georgia. Ze houdt haar handtas in de ene hand en pakt met de andere de deurknop.

'U kunt beter eerst aankloppen,' zeg ik.

Tante Georgia trekt haar hand terug, schraapt haar keel en recht haar rug. Ze doet de deur open en het bordje met GA WEG valt op de grond. Het is donker in de kamer want er hangen dekens voor het raam, en Bryan heeft een koptelefoon op. Ik blijf op de gang staan en schop tegen het bordje met GA WEG aan.

Tante Georgia's stem klinkt hoog en blij vanuit Bryans kamer als ze zegt: 'Nee maar, je bent een echte jongeman geworden,' en: 'Ga je mee naar oom Charles? We gaan met z'n allen uit eten.'

Bryan zit op de grond en trekt een paar oude tennisschoenen zonder veters aan. Hij kijkt me aan en ik haal mijn schouders op, het is voor het eerst sinds we hier wonen dat we elkaar recht in de ogen kijken.

Tante Georgia houdt mijn hand en Bryans hand vast, alsof we nog kleine kinderen zijn. We lopen de trap af en willen net de voordeur uit gaan als Armanita zich laat zien en zegt: 'Wie bent u? En waar gaat u met die kinderen naartoe?'

Armanita is groot, niet dik, gewoon groot en breed. Armanita is zo'n vrouw waar je beter geen ruzie mee kunt hebben. Maar tante Georgia kijkt niet bang, of verbaasd of wat dan ook, ze recht haar rug en houdt stevig mijn hand vast.

'Hun moeder is de zus van mijn man,' zegt tante Georgia, 'was de zus van mijn man, mijn schoonzus. We zijn hier omdat we naar Disneyland willen, maar wat een reis was dat, zeg, helemaal over de Sierra's naar Los Angeles, en toen hier nog langs om de kinderen op te halen want we willen ze graag mee uit eten nemen.'

Tante Georgia praat en praat en dan herinner ik me opeens weer hoe tante Georgia aan één stuk door kan ratelen. Tante Georgia vertelt en Armanita kijkt eerst boos, dan verbaasd en dan alsof ze wou dat ze tante Georgia nooit iets gevraagd had.

Tante Georgia zegt tegen Bryan en mij dat wij maar alvast naar de auto moeten gaan, omdat zij nog een briefje voor Deb wil achterlaten met het telefoonnummer van het hotel waar ze die nacht verblijven en dat Deb kan bellen of een boodschap kan achterlaten als ze nog vragen heeft.

Tante Georgia en oom Charles rijden naar een hotel waar ze twee kamers hebben met een deur ertussen. In elke kamer is een badkamer en er staan twee bedden. Ook staat er een televisie in elke kamer.

Carrie Sue, Jeff, Bryan en ik zijn in één kamer en op de televisie is een programma over hoe je vissen kunt vangen. Carrie Sue en Jeff zitten op bed en kijken hoe de man op tv een worm aan zijn haak doet en dan zijn hengel uitwerpt. Bryan kijkt naar buiten naar het zwembad dat helemaal verlicht is en zegt dat hij naar Armanita's huis terug wil om zijn zwembroek op te halen omdat we er toch niet ver vandaan zitten.

Ik ga op het andere bed zitten, tegenover Carrie Sue en Jeff, met mijn rug tegen het hoofdeinde om beter te kunnen horen wat er in de andere kamer wordt gezegd. De tv staat daar ook aan, zo te horen een of ander nieuwsprogramma. Tante Georgia en oom Charles zijn aan het bellen.

Er is iets aan de hand, iets belangrijks. Ik kijk naar Bryan, maar die kijkt alleen maar naar dat stomme zwembad. Tante Georgia komt de kamer binnen, maar ik zie dat oom Charles, met zijn hand tegen zijn voorhoofd gedrukt, nog steeds zit te bellen.

'Alles okidoki hier?' zegt tante Georgia.

'Ik had mijn zwembroek mee moeten nemen,' zegt Bryan, 'ik kan hem wel even gaan halen.'

'Nee, nee,' zegt tante Georgia, 'we gaan eerst eten en daarna gaan we een nieuwe zwembroek voor je kopen. Wat vind je daarvan?'

'Ik heb honger, mam,' zegt Jeff.

'Ik ook,' zegt Carrie Sue.

Bryan bijt op zijn lip en kijkt weer naar buiten. Tante Georgia legt haar hand op Jeffs hoofd en strijkt door zijn blonde haar.

'Ik weet het, liefje,' zegt tante Georgia. 'We frissen ons een beetje op en dan gaan we.'

Tante Georgia zegt tegen Carrie Sue en Jeff dat ze hun gezicht moeten wassen en ze springen meteen overeind. Tante Georgia doet een koffer open en zoekt tussen de kleren. Dan haalt ze er een korte broek en een blouse uit.

'Kom jij maar even met mij mee,' zegt tante Georgia, 'dan gaan we je eerst even wassen.'

'Wassen?' zeg ik.

'Alleen een beetje opfrissen,' zegt ze. 'Oké?'

Ze pakt mijn hand en we lopen samen naar de andere kamer. Oom Charles zit op het bed, de hoorn van de telefoon tegen zijn oor gedrukt. Hij kijkt op als we binnen komen en begint te glimlachen.

'Wat is er aan de hand?' zeg ik.

Tante Georgia trekt me de badkamer in en doet de deur dicht.

'Niets om je zorgen over te maken,' zegt tante Georgia, 'we moeten alleen nog wat mensen bellen.'

De vloer en de wanden van de badkamer zijn van bruine tegels en boven de wastafel hangt een grote spiegel. Tante Georgia knielt neer op de bruine tegelvloer en wil mijn kleren uittrekken. Ik leg mijn handen op haar handen.

'Ik kan het zelf wel,' zeg ik, 'zo gebeurd.'

Tante Georgia laat haar handen zakken en legt ze op haar knieën.

'Sorry,' zegt ze, 'ik ben het zo gewend om Carrie Sue te helpen. Maar jij bent ook al zo groot. Heb je misschien liever dat ik je even alleen laat?'

Het geluid van tante Georgia's stem klinkt door de hele badkamer, weerkaatst tegen de muren en het plafond, en ik weet niet wat ik moet doen. Ik wil niet dat ze weggaat, maar ik wil ook niet dat ze mijn kleren uittrekt. De roze korte broek en witte blouse op het kastje zien er schoon en nieuw uit en zo erg is het ook weer niet als ze blijft, als ik zelf mijn kleren maar mag uittrekken.

'U hoeft niet weg te gaan,' zeg ik.

Tante Georgia gaat staan en draait zich om, alsof ze me wat privacy wil geven. Ze laat water in de wasbak lopen en legt er een washandje in. Ik trek snel mijn rok naar beneden, hou hem tegen me aan en vouw hem op tot een vierkantje. Ik leg de rok op de wc-deksel, hij ziet er versleten en vuil uit. Tante Georgia kijkt niet naar me, ze houdt de korte broek omhoog en ik pak hem van haar aan. Ik trek de roze korte broek aan en voel een kaartje langs mijn zij schuren. Tante Georgia bukt zich, trekt het kaartje eraf en gooit hem in de prullenmand.

'Hoe zit-ie?' zegt ze. 'Goed?'

Ik schuif de boord heen en weer, de splinternieuwe korte broek zit perfect.

'Van wie is deze broek?' zeg ik.

'Van jou,' zegt ze. 'Ik heb hem voor jou gekocht.'

'Voor mij?' zeg ik.

'Ja,' zegt ze. 'Jij was toch zo gek op mooie kleren? Dat ben ik nog niet vergeten, hoor.'

Tante Georgia praat en praat en trekt opeens mijn T-shirt uit. Koele lucht strijkt langs mijn maag en het bruine sleuteltje valt op de bruine tegels. Ik buk me, pak het sleuteltje snel op en maak van mijn hand een vuist.

'Wat is dat?' zegt ze.

Niets,' zeg ik, 'alleen een sleuteltje, mijn sleuteltje.'

Ik doe mijn armen over elkaar alsof ik het koud heb, hoewel dat helemaal niet zo is, ik voel me alleen wat ongemakkelijk. Ze kijkt me aan en doet haar hoofd een beetje schuin. Nu ze zo dichtbij is, herinner ik me pas echt weer wie tante Georgia is. Ze is mooi, maar heeft een ernstige blik in haar ogen, alsof iets dat heel lang geleden gebeurd is, haar nog steeds pijn doet.

Ze glimlacht even, alsof ze het begrijpt van het sleuteltje, gooit dan mijn oude T-shirt op het kastje, pakt de nieuwe blouse en schudt hem uit.

Ze trekt de nieuwe blouse over mijn hoofd. Om de mouwen en om de boord zitten wit met roze ruches en er zit een roze zakje op met witte vogels erop. Ik stop het sleuteltje in het zakje, tante Georgia glimlacht.

'Nu zie je er weer uit als een klein meisje,' zegt tante Georgia.

Ze draait me in het rond, maar houdt daarmee op als ik met mijn gezicht naar de muur sta.

'O, mijn god,' zegt tante Georgia.

Ze raakt mijn been aan, beneden bij de enkel, en het begint te jeuken. Ik kijk over mijn schouder naar de plek die ze aanraakt en zie een bruine korst. Ik probeer me om te draaien, maar tante Georgia houdt mijn enkel vast.

'Ach, dat stelt niks voor,' zeg ik, 'gewoon een oude brandplek.'

'Een brandplek?' zegt tante Georgia. 'Waar heb je je dan aan gebrand?'

'Het was mijn eigen schuld,' zeg ik. 'Ik stond te dicht bij de verwarming. Deb zegt dat het mijn eigen schuld was.'

Er wordt op de deur geklopt, oom Charles steekt zijn hoofd om de deur.

'We hebben trammelant,' zegt hij.

'Trammelant?' zeg ik.

'Wat hebben jullie met mijn kinderen gedaan?' schreeuwt Deb.

Opeens is het een gekkenhuis in de hotelkamer.

Deb schreeuwt tegen oom Charles, tante Georgia schreeuwt tegen Deb, Deb schreeuwt tegen Bryan en mij en dan trekt ze me aan mijn arm de hotelkamer uit en sta ik naast haar. Carrie Sue huilt en tante Georgia slaat een arm om Carrie Sue's schouder en schreeuwt verder tegen Deb. Oom Charles doet zijn armen omhoog en zegt steeds: 'Rustig nou, rustig nou.' Waarop Deb tegen oom Charles schreeuwt: 'Hou toch je kop, verdomme,' en zegt dat ze de politie zal bellen omdat hij haar kinderen ontvoerd heeft.

Deb schudt me door elkaar, zegt dat ik mijn kleren moet gaan halen en duwt me de hotelkamer weer in. Ik ren naar de badkamer, grijp mijn rok en mijn T-shirt en ren terug naar Deb. Bryan is al buiten en kijkt naar Deb, naar oom Charles en dan naar mij. Het lijkt of hij op het punt staat te gaan huilen en ik merk dat ik dat zelf al doe.

Deb trekt me naar zich toe en legt haar arm om mijn schouder.

Tante Georgia en oom Charles zijn in de kamer, wij erbuiten en Deb staat tussen ons in.

'Ik weet niet wat jullie van plan waren,' roept Deb.

'We waren helemaal niets van plan,' zegt oom Charles. 'Hou nou eens op met dat geschreeuw, dan kunnen we erover praten.'

'Ik schreeuw helemaal niet, verdomme,' roept Deb. 'Kom op, we gaan.'

Het witte licht van het uithangbord voor het hotel is het enige licht buiten, het geluid van onze voetstappen op het trottoir het enige geluid. Deb heeft haar armen stijf om mijn schouder en Bryans schouder geslagen en zo lopen we in het donker weg.

'Jullie zijn mijn kinderen,' zegt Deb, 'jullie horen bij mijn gezin.'

Ik kan Debs gezicht nauwelijks zien, haar haar hangt ervoor of slaat in mijn ogen, en ik kijk naar beneden om te kunnen zien waar de scheuren in het beton zitten en waar het door de boomwortels omhooggekomen is.

'Ze kunnen jullie niet van me afpakken,' zegt ze. 'Nu niet en nooit niet.'

Maar dat kan toch niet kloppen. Deb mag me niet eens en ze weet de helft van de tijd niet waar ik uithang. Zoals Bryan al zei: als ze niet iedere maand geld voor ons kreeg, zou ze ons al veel eerder gedumpt hebben. Toch is het leuk om te horen dat ze me bij zich wil houden, ook al weet ik niet voor hoe lang. Het klinkt leuk, ook al is het een leugen.

Hoofdstuk twintig

Twee weken later is Bryan opeens weg. Zonder afscheid te nemen, zonder reden. Zo gaat het nu eenmaal.

Twee weken daarna zegt Deb dat ik ook weg moet. Ze zegt dat ik de harmonie binnen haar gezin verstoor en daarom voor straf weggestuurd zal worden.

Deb geeft me een oude plunjezak en zegt dat ik daar mijn kleren in moet doen en dat ik mijn roze kist mag meenemen. De rest zal ze me nasturen.

Ik weet niet eens waar ik naartoe ga, misschien naar oom Charles en tante Georgia, misschien ook niet. Deb zegt alleen dat ik naar Reno ga, meer wil ze niet zeggen.

Als ik alleen in de aangebouwde kamer ben, trek ik mijn schoen uit en maak de roze kist open. Daar ligt *Sneeuwwitje en de Zeven Dwergen*, het schilderij van Keith, het trouwalbum en het zwarte fluwelen zakje met mama's parelketting en trouwring.

Het lijkt een miljoen jaar geleden en toch liggen mijn spullen daar nog steeds, als een weg waarover je naar huis terug kunt reizen. Ik zoek alles bij elkaar, alles wat belangrijk voor me is, alles wat gekoesterd moet worden. Misschien hoort het zo te gaan. Je koestert dingen omdat mensen nu eenmaal komen en gaan, maar op deze manier kun je je die mensen wel blijven herinneren.

Ik weet niet wat er met me gaat gebeuren, maar ik weet wel dat ik zoveel mogelijk spullen mee wil nemen.

Ik ga staan, wrijf in mijn handen en haal alles van mijn prinsessenbureau, mijn ladekastje en mijn boekenplanken af. Mijn boeken, mijn juwelenkistje, de Doornroosjelamp, mijn wekkerradio, alles gaat in de roze kist. Ik haal mijn bed af en vouw de roze bedsprei op, mijn deken, mijn lakens en de roze stof die boven mijn bed hangt. Ik neem zelfs de vier doppen mee die de stof daar boven op zijn plaats houden.

Ik neem alles mee wat in de roze kist past en hij zit nu zo vol dat ik op de deksel moet gaan zitten om hem dicht te krijgen.

Als ik klaar ben ziet de aangebouwde kamer er uitgekleed uit met zijn kale matras en lege planken. Misschien stuurt Deb mijn spullen inderdaad na, maar misschien doet ze het ook niet. Van Deb kun je echt alles verwachten. Ik sta naar mijn meubels te kijken alsof dit de laatste keer is dat ik ze zie. Het was leuk om een prinsessenkamer te hebben, ook al ben ik dan niet echt een prinses.

Zowel Christopher als Kenny en Ronny nemen geen afscheid van me. Ze geven niets om me, hebben nooit iets om me gegeven.

Deb leent een auto van iemand en rijdt me naar het busstation, beide handen aan het stuur, de ogen de hele tijd strak op de weg gericht. Ik kijk naar buiten. Los Angeles ziet er nog net zo uit als altijd, grijs en smerig.

Deb parkeert de auto bij het busstation waar allemaal zilverkleurige bussen staan. Ze stapt uit de auto, opent de kofferbak en tilt de kist er met beide handen uit. Ze heeft er grote moeite mee en ik moet hem aan een kant vasthouden zodat ze hem niet laat vallen.

'Wat zit daar in godsnaam in?' zegt ze.

'Alles,' zeg ik.

Deb slaakt een diepe zucht en doet haar armen over elkaar.

'Ik zei toch dat ik de rest zou nasturen,' zegt ze.

Ik kijk naar Deb en zij kijkt naar mij. Dan wend ik mijn hoofd af en gooi de plunjezak over mijn schouder. Deb gooit haar armen omhoog en loopt weg, trekt de deur van het stationskantoor open en loopt naar binnen.

Ik duw mijn roze kist naar de stoeprand en til hem het trottoir op. Deb staat bij de kaartverkoopbalie en ik ga op de roze kist zitten en kijk naar haar. Ze kijkt me door de glazen deuren aan, haalt haar portefeuille uit haar handtas en draait zich dan weer om. In het busstation klinkt het gepiep van remmen en het gebrom van zware motoren en ruikt het naar olie en benzine.

Deb komt naar buiten met een wit, rechthoekig papiertje in haar

hand. Ze draagt haar korte, suède jasje met de riem in de taille en
een zwarte broek. Ze is lang en dun, knokig en hoekig, en heeft wallen onder haar groene ogen, alsof ze ziek of moe is.

'Oké,' zegt Deb, 'hier is je kaartje en nog twintig dollar voor onderweg.'

Ik ga staan en pak het kaartje en het biljet van twintig dollar. Ik
vouw het biljet dubbel, nog eens dubbel en nog eens dubbel, tot het
een klein vierkantje is geworden, en stop het dan in de zak van mijn
spijkerbroek.

Deb trekt de riem om haar taille strakker aan, gooit haar haar naar
achteren en kijkt om zich heen.

'Je bus staat daar,' zegt Deb. 'Sluit maar gewoon bij de rij aan, zij
laden je bagage wel in.'

Ik kijk naar de plek die ze aanwijst en zie een zilverkleurige bus
langs de stoeprand staan. Een man laadt bagage in onderin de bus
en bij de deur staat een rij mensen te wachten.

Niemand hoeft me te vertellen dat ik Deb nooit terug zal zien,
dat weet ik ook zo wel. Als je weet dat je iemand nooit terug zal
zien, lijken alle nare gevoelens voor zo iemand opeens niet zo naar
meer, en als ik nu naar Deb kijk, wou ik dat alles anders gelopen was.

'Waar ga ik naartoe?' zeg ik.

Deb bijt op haar lip en misschien wou zij ook dat het anders was
gelopen. Ze gooit nog één keer haar haar naar achteren.

'Je gaat naar Reno,' zegt Deb. 'Ik geloof dat je grootouders je daar
van de bus halen.'

'Dat weet je niet zeker?' zeg ik.

Deb bijt weer op haar lip en haalt haar schouders op.

'Het kan ook zijn dat Georgia en Chuck je ophalen,' zegt Deb.
'Ik weet het gewoon niet.'

Ik kijk naar de bus, naar de man die de bagage aan het inladen is
en dan weer naar Deb.

'Is Bryan daar ook?' zeg ik. 'Bij tante Georgia en oom Charles?'

Deb wrijft in haar ogen en knikt.

'Ja,' zegt ze, 'hij is bij Charles, voorlopig in ieder geval.'

Ik ga zo staan dat mijn been tegen de roze kist rust en kijk naar
mijn buskaartje, 'enkele reis' staat er in rode letters op gedrukt.

'Waarom is hij vóór mij weggegaan?' zeg ik. 'Waarom mocht ik
niet meteen mee?'

Deb slaakt een diepe zucht en kijkt me recht aan.

'Je stelt weer veel te veel vragen,' zegt Deb. 'Waarom doe je dat toch altijd?'

Ik gooi de plunjezak over mijn andere schouder en stop het buskaartje in de zak van mijn sweatshirt. Het enige wat ik nog heb zijn vragen, maar als ik zie hoe Deb me met haar enge kattenogen aankijkt, kan ik de antwoorden daarop wel vergeten.

Ik kijk naar de roze kist en dan naar Deb.

'Moet ik je helpen?' zegt Deb.

'Nee, ik kan het alleen wel,' zeg ik.

Deb doet haar armen over elkaar, zet haar ene been iets naar voren, de andere iets naar achteren, en neemt haar etalagepop-pose aan. Ik pak met beide handen het zwarte handvat van de roze kist en til hem op. Voor mij is hij niet te zwaar. Ik kijk omhoog naar Deb en glimlach.

'Tot kijk,' zeg ik.

In de bus zit een man achter het stuur met een blauwe pet op en een blauw jasje aan. Hij controleert de kaartjes om er zeker van te zijn dat iedereen in de goede bus zit.

Als ik aan de beurt ben, kijkt hij me aan en dan achter me.

'Ben je helemaal alleen, kleine meid?' zegt de buschauffeur.

Hij heeft een vriendelijke glimlach, grijs haar en oude mannenogen.

Ik ga rechtop staan, schouders naar achteren, kin ingetrokken en hou mijn kaartje vlak voor zijn gezicht.

'Helemaal alleen,' zeg ik.

De buschauffeur kijkt naar mijn kaartje, dan weer naar mij en knikt dan dat ik door mag lopen.

In de bus ruikt het naar sigaretten en oude koffie. Ik loop drie rijen stoelen voorbij en ga op de vierde rij zitten, Ik leg mijn plunjezak op de stoel bij het raam en ga zelf aan het gangpad zitten, want ik wil niet dat er iemand naast me komt zitten, tenzij het niet anders kan natuurlijk.

Tien, elf, twaalf mensen lopen me voorbij. Niemand blijft staan om te vragen of de stoel naast me nog vrij is.

Mijn roze kist wordt in het bagageruim onder de bus geladen en ik heb een kaartje gekregen waarmee ik hem in Reno weer terug kan krijgen. Ik stop het buskaartje en het andere kaartje in de zak van mijn sweatshirt en kijk naar buiten. Debs auto is al weg, ik had ook niet anders verwacht.

Om me heen wordt druk gepraat en iemand begint zacht te lachen. Heel lang stapt er niemand meer in en de buschauffeur kijkt in de langwerpige achteruitkijkspiegel boven de voorruit.

'We gaan zo vertrekken,' roept de chauffeur.

Ik kijk naar de openstaande deur. Iedereen zou nog in kunnen stappen. Wie dan ook.

Ik kijk nog eens en dan zie ik hem opeens staan. Papa is heel gewoon en bloedmooi tegelijk met zijn kaneelbruine ogen en vierkante kin. Hij is te groot voor de bus en moet zich bukken om zijn hoofd niet tegen het plafond te stoten. Papa praat met de chauffeur en kijkt dan om zich heen alsof hij iets kwijt is.

Ik ga staan zodat hij me kan zien en dan kijkt hij naar mij. Hij tovert zijn mooiste glimlach om zijn lippen en steekt zijn hand uit.

'Dit is een grote vergissing, Juniper,' zegt papa.

Mijn hand ligt klein in zijn hand en hij ruikt naar *That Man* en sigaretten. Papa tilt me op en draagt me de bus uit, naar het strand waar we kunnen wandelen en ik hem alles kan vertellen.

'Volgende halte Sacramento,' roept de chauffeur.

Ik knipper met mijn ogen en opeens is papa weer verdwenen.

De deur gaat met veel gepiep en gekraak dicht en de bus zet zich in beweging. Buiten schijnt de zon, ik leg mijn plunjezak op de andere stoel en ga zelf bij het raam zitten zodat ik naar buiten kan kijken.

Hoofdstuk eenentwintig

De zilverkleurige bus rijdt het busstation van Reno binnen en ik hou de vuile, grijze plunjezak op mijn schoot. Er staan mensen op het trottoir, mensen met onbekende gezichten en zoekende ogen die niet naar mij op zoek zijn.

Een gevoel van eenzaamheid bekruipt me, misschien komt helemaal niemand me ophalen. Ik stap uit de bus en kijk om me heen, en dan zie ik opeens opa Ed, papa's vader.

'Daar is ze,' roept opa.

Ik klem mijn vingers om de lus van de vuile, grijze plunjezak en loop tot we tegenover elkaar staan, ik klein en hij groot. Opa heeft zijn vuisten in zijn zij gezet alsof hij iets wil gaan zeggen, maar hij kijkt me alleen maar aan en schudt dan zijn hoofd.

'Nou, krijgt je oude opa nog een knuffel of niet?' zegt hij.

Ik laat mijn vuile, grijze plunjezak op de grond vallen en sla mijn armen om zijn nek, hij ruikt naar koffie en pepermunt. Opa's warme diepe lach strijkt langs mijn gezicht en hij laat me als eerste weer los.

'Goeie genade,' zegt opa, 'je bent een echte jongedame geworden.'

Ik voel nog steeds opa's armen om me heen en glimlach en knik alleen maar, omdat ik niets anders kan bedenken. Opa is niets veranderd, ronde wangen, brede neus, grijs haar en borstelige wenkbrauwen. En hij is hier.

Dankbetuigingen

Al mijn dank begint en eindigt bij mijn echtgenoot en beste vriend Steve die me steeds heeft voorgehouden dat ik dit verhaal kon vertellen en daarbij en in alle opzichten mijn steun en toeverlaat is geweest.

Binnen deze cirkel bevinden zich ook mijn leraren: Hannelore Hahn en alle schrijfsters van het International Women's Writing Guild; Suzan Hall en de schrijvers die bij haar thuis samenkomen; Diana Abu Jaber en het schrijfprogramma van de PSU; Tom Spanbauer en zijn Dangerous Writers; de Remedial Readers en niet te vergeten, Howard Waskow.

Verder Kimberly Kanner van Pocket Books die keer op keer bewees dat er ook in een cynische wereld nog steeds goede dingen gebeuren. Bedankt Kim. En later sloot zich daar nog een wonderdoener in de persoon van Rita Rosenkranz bij aan die me, zoals het een goede agent betaamt, met wijze raad bijstond. Bedankt Rita.

De cirkel sluit zich met mijn zoon Spencer zonder wie het vertellen van dit verhaal niet mogelijk was geweest. Bedankt Spencer, dankzij jou weet ik weer wat onvoorwaardelijke liefde is.